ORIGEN Y EVOLUCIÓN DE LAS FIESTAS PATRONALES DE LA PROVINCIA DE ALICANTE

Manuel Martínez López

La presente edición ha sido revisada atendiendo a las normas vigentes de nuestra lengua, recogidas por la Real Academia Española en el *Diccionario de la lengua española* (2014), *Ortografía de la lengua española* (2010), *Nueva gramática de la lengua española* (2009) y *Diccionario panhispánico de dudas* (2005).

Origen y evolución de las fiestas patronales de la provincia de Alicante

© Manuel Martínez López

ISBN: 978-84-17924-31-7
Depósito legal: A 247-2020

Edita: Editorial Club Universitario. Telf.: 96 567 61 33
C/ Decano, n.º 4 – 03690 San Vicente (Alicante)
www.ecu.fm
original@ecu.fm

Printed in Spain
Imprime: Imprenta Gamma. Telf.: 96 567 19 87
C/ Cottolengo, n.º 25 – 03690 San Vicente (Alicante)
www.gamma.fm
gamma@gamma.fm

ÍNDICE

INTRODUCCIÓN

Los 141 municipios que componen la actual provincia de Alicante celebran sus fiestas patronales o fiestas mayores con un derroche de vida, de luz y de cromatismo. Unas fiestas abigarradas donde se mezclan las imágenes de los santos portados en sus andas, con Moros y Cristianos engalanados. Y donde, a veces, no es posible distinguir la fe y la plegaria de la pólvora, del fuego o de la música, Todo en una explosión de júbilo, de fe unas veces y de ganas de vivir y divertirse, otras.

Pero ¿cuál fue el origen de estas fiestas patronales y cuál su evolución? ¿Siguieron fieles a la primitiva concepción religiosa o cambiaron al compás de los tiempos? Y aunque la cosmovisión cristiana de los guerreros del s. XIII no fue la única que pasó por estas tierras, sí fue la que marcó, durante más de 8 siglos, las fiestas patronales. El pueblo, por su parte, fue enriqueciéndolas para dar vistosidad con aditamentos, bien religiosos, bien solo cívicos y fiesteros. Las fiestas patronales alicantinas son, pues, consecuencia de la cosmovisión que trajeron a estas tierras los conquistadores de mediados del XIII, aunque hayan evolucionado notablemente.

SUPERPOSICIÓN DE COSMOVISIONES

Para entender el origen de las Fiestas Patronales hay que llegar a su raíz y remontarse, sin duda, a cuando el *homo sapiens* tomó conciencia del mundo que le rodeaba, el momento en que percibió su cosmovisión.

Un homínido camina y camina… En un momento dado, se detiene y, erguido, a plena luz del día, contempla la inmensa bóveda que le rodea: un sol esplendoroso, alguna nube blanca y juguetona, aves que vuelan y vuelan sin aparente sentido. Y empieza a «pensar» y «soñar». «¿Tendrá límites esto que veo?». «¿Lo habrá construido alguien?». «¿Cuál es mi situación en esta inmensa bóveda?, es decir, ¿qué pinto yo aquí?». En su mente ha nacido un interrogante sobre la «cosmovisión». Ha saltado de lo material y biológico a lo simbólico. Nos encontramos ya con un *homo sapiens*.

El término «cosmovisión», que dio origen, entre otras cosas, a las fiestas en honor de un ser supuesto y desconocido, no fue empleado hasta finales del XIX y lo hizo un filósofo alemán, Dilthey, quien creó un neologismo, «*WELT AUSHANREG*», *Welt* = mundo; *Auschannreg* = mirar, ver e interpretar el mundo a partir de la propia existencia. Diversas han sido las cosmovisiones a través de la historia. Sin pretensiones científicas, podemos resumir las que han triunfado y son seguidas por millones de personas.

Religiosas-teístas. Judaísmo, cristianismo, islamismo. El mundo o universo es solo un objeto creado por un ser superior extrínseco al mismo. Hay que reverenciar a ese creador, pedirle ayuda y celebrar con Él el júbilo de la existencia. Las fiestas religiosas son un acto de pleitesía ante ese ser que consideramos supremo y personal. Para panteístas y cuasipanteístas, el todo es un conjunto de materia y espíritu. El espíritu creador es como un dios oculto que está dentro de la misma materia. El budismo, con reservas, podría incluirse como un panteísmo. Quizá también el sintoísmo e hinduismo.

Cosmovisiones materialistas. Para estas, solo existe la materia, de la materia emerge la vida sin más, y de la vida nace lo que llamamos cultura. En este apartado hay que incluir al marxismo, la cosmovisión materialista que más seguidores ha tenido y más ha influido en la historia de la humanidad.

La belleza y el arte en las cosmovisiones religiosas

Para que una cosmovisión triunfe y sea seguida por millones de seres humanos ha de tener estas características.

1.º. Fe en sí misma, fe en que se está en posesión de la verdad.

2.º. Superposición. Las cosmovisiones se han ido superponiendo unas a otras. La historia de la humanidad es una historia de superposición de cosmovisiones.

3.º. Las cosmovisiones religiosas podrán ser ciertas o no, podremos creérnoslas o no, pero han lanzado un chorro de belleza y de arte sobre la humanidad, en arquitectura, escultura, pintura, música, danza, fiestas populares, romerías. Estas cosmovisiones adaptaron como dogma, sin pretenderlo, la frase del poeta Jhon Keas: «La belleza es verdad y la verdad belleza. Nada más se sabe en este mundo y no más hace falta». El mundo, gracias a ellas, es hoy un inmenso museo. El arte, para estas religiones, ha sido un gran vehículo para expresar su cosmovisión. Podemos afirmar como Claude Roy: «El arte es el camino más corto de un hombre a otro hombre».

4.º. Desgraciadamente, estas cosmovisiones, convencidas de estar en la posesión de la verdad, mientras, por una parte creaban arte, monumentos, imágenes, fiestas, danzas y cánticos, por otra, se dedicaron, a veces, como dioses celosos, a destruir el arte las cosmovisiones que consideraban oponentes. Esta convicción hizo que unas destrozasen el maravilloso arte de las anteriores para imponer el suyo.

Punto y aparte son las cosmovisiones materialistas que han triunfado como el marxismo, materialismo puro, pero que, sin serlo, actuó como una autentica religión fanática destruyendo el arte creado por las anteriores. Lo iremos viendo en la historia del fiestas patronales de Alicante.

COSMOVISIONES QUE PASARON POR LAS TIERRAS ALICANTINAS

No nos vamos a remontar a íberos, fenicios o romanos que anduvieron por aquí. Solo nos fijaremos en tres cosmovisiones que dejaron huella positiva o negativa sobre el arte y sobre las fiestas patronales: cosmovisión islámica, cosmovisión cristiana traída por los guerreros del XIII y cosmovisión marxista.

Aunque todas han dejado alguna marca en la vida política y social, no cabe duda de que fue la de los conquistadores del XIII la que marcó el origen de las fiestas patronales y romerías que han perdurado durante 8 siglos, aunque con grandes evoluciones. Pues si en principio fueron exclusivamente religiosas, poco a poco han ido integrando elementos no religiosos como las fiestas de Moros y Cristianos, Hogueras, fuego, pólvora, música. Las cosmovisiones que pasaron por estas tierras, a su vez, y en ocasiones, realizaron un esfuerzo violento por borrar y suprimir el arte creado por las anteriores.

1- COSMOVISIÓN ISLÁMICA 713-1245

La fe de los fieros guerreros de Alá era infinita. Como un rayo se expandieron por oriente hasta la India y, por occidente, sirios y bereberes, entrando por España en 711, llegaron hasta Poitiers con intención de tomar Roma en una operación envolvente en torno al Mediterráneo. Traían en su corazón un dogma muy simple, pero categórico y que no admitía oposición alguna: «No hay mas Dios que Alá y Mahoma es su profeta». La cosmovisión musulmana logró en España, rápidamente, el unitarismo casi absoluto, .gracias a los gravosos impuestos para los no creyentes, a la rápida y obligada islamización de la infancia cristiana y a la destrucción de las iglesias paleocristianas para sustituirlas por mezquitas.

La arquitectura cristiana de aquella época podía resumirse en dos tipos de construcción: la iglesia paleocristiana que llevaba anexo el baptisterio, una pequeña piscina, pues el bautismo se hacía por inmersión; y la iglesia visigótica de la que el mejor ejemplar que queda en España es la iglesia de San Juan de Baños en Palencia.

Si en tierras alicantinas fueron destruidas las iglesias paleocristianas para construir mezquitas, sus piedras reposan olvidadas en el subsuelo y sin ningún estudio serio para recuperarlas. Cosa distinta ha sucedido en otras diócesis antiguas como las de Mérida o Córdoba.

Los mahometanos tenían una concepción arquitectónica religiosa bien distinta a la cristiana. Su característica principal es la ausencia de pinturas e imágenes humanas. En el arte de su cosmovisión, Alá, único protagonista de su religión, es invisible y, por tanto, no sujeto a tallas de madera ni pinturas de santos. Un Dios escondido envuelto en pura geometría, esquemas, estilización. Las mezquitas son las casas de reunión recordando la casa de Mahoma. Sus partes, un patio donde está la fuente de abluciones. La pieza principal es el *haram*, la sala de oración, cubierta, Y en ella el *mimbar*, púlpito para los comentarios coránicos. No hay altares ni imágenes de santos, pero sí una hornacina, el *mihrab*, para indicar la dirección de la Meca. Y fuera, la torre o minarete donde el almuédano llamará a la oración cinco veces al día. Y en la mezquita se crean las escuelas coránicas, las *madrazas*, para trasmitir la fe a los niños.

Denia, ciudad islámica.

Pero al sur de Alicante y tierras de Murcia hubo una excepción a la obligatoriedad de la conversión al islam. El conde godo Tudmir, que defendía estas costas de las incursiones bizantinas, hubo de hacer frente al poderoso ejército de Alá, que en 713, dos años después de desembarcar en Tarik, siendo derrotado en Cartagena, según la leyenda, se refugió en Uriola, disfrazó a las mujeres de guerreros (las mujeres guerreras de Urola) y las colocó sobre las almenas para dar la impresión de que poseía un gran ejército.

Lo único cierto es que, aunque claudicó ante el poderoso ejercito de Alá, consiguió hábilmente un pacto o capitulación *(Sur)* firmado el 5 de abril de 713, mediante el cual, pagando cada persona bajo su dominio un doble gravoso impuesto, uno en dinero *(yiria)* y otro en especie *(jaray)* se le permitía gobernar un territorio, una *cora*, que abarcaba desde Alicante y Villena a Murcia, (Uryüla, Lqnt, Ills, Müla, Lürqa) autorizándole a practicar su religión cristiana *('ahd)*. El solemne pacto o Tratado de Tudmir con Al-Azir ibn Müsá, narrado por el historiador Al-Udri, comienza solemnemente:

«En el nombre de Dios, Clemente y Misericordioso. Este es el escrito que Abd Al-Azizb Zmúsa dirige a Teodmir Gandaris por el que queda convertido el estado de paz bajo juramento».

El tratado duró hasta 776, en que la cora de Tudmir fue absorbida por el Califato de Córdoba con Abderramán I. El mismo Abderramán que destruyó la iglesia de San Vicente de Córdoba para construir la mezquita.

2- LA COSMOVISIÓN DE LOS CONQUISTADORES DEL S. XIII

Los guerreros cristianos que vinieron a estas tierras a mediados del XIII traían una fe similar a la de sus predecesores, los árabes. Jaume I y el príncipe Alfonso atacaron por el norte y por el sur respectivamente, previo un reparto firmado en el Campo de Mirra, el Tratado de Almizra, que trazaba una línea divisoria que pasaba por «*Castalla, Biar, Relleu, Xixona, Alarc, Finestrat, Torres, Polop, la Mola que es troba prop d'Aigues, Altea*» (*Llibre dels Fets*, 349, Jaume I).

Y fue esta cosmovisión de los conquistadores del s. XIII la que ha marcado el origen y rumbo de las fiestas patronales. Primero se establecieron fiestas patronales casi exclusivamente religiosas. Y a los patronos de la *hora prima*, la hora de la conquista, se fueron añadiendo, durante casi ocho siglos, otros santos patronos. A la vez, las fiestas religiosas se fueron modelando con otros ritos no religiosos, como las fiestas de Moros y Cristianos o la conjunción con el fuego en las fiestas de Alicante.

Jaume I el *Conqueridor*

Estos nuevos conquistadores vienen imbuidos por una cosmovisión original, la religión de un galileo, Jesús, llamado el Cristo, judío heterodoxo que, frente al iracundo Jhavé, predicaba un Dios padre, *Abba*, «Padre nuestro que estás en los cielos». Vienen convencidos de que su conquista es obra de Dios. «*Açò es obra de Déu*». Jaume I (*Llibre dels Fets*, 281).

Los santos del cielo en ayuda de los cristianos. La comunión de los santos

No se entendería la proliferación de santos que trajo esa religión y que dio lugar a la variedad de fiestas patronales sin conocer que su cosmovisión estaba marcada por una idea nueva desconocida por la religión mahometana, la idea de que alguien, ya instalado en el cielo, te puede ayudar. El dogma de la **comunión de los santos** sería el fundamento de las fiestas patronales cristianas de las tierras alicantinas. Según este dogma, la Iglesia está compuesta de tres cuerpos: la Iglesia militante, purgante y triunfante. Los santos patronos pertenecen a la Iglesia triunfante y vienen en ayuda de sus hermanos de la Iglesia militante, cuando estos se encuentran en apuros y ruegan a los del cielo que les echen una mano. De este dogma nacieron la multitud de santos patronos, de templos, de imágenes, de festividades, de romerías, de procesiones.

Este sentido de que en el cielo los santos actúan como un bufete de abogados, cada uno especializado en un tema, la peste, las tormentas, los terremotos, el mal de garganta, etc. lo expresa con cierto gracejo Santa Teresa de Jesús para quien, a excepción de San José, que sería como el jefe que socorre en todo, los demás se han especializado en un tema: «Que a otros santos parece les dio el Señor gracia para socorrer en una necesidad; pero a este glorioso santo tengo experiencia que socorre en todas» (V.8.8).

Bien es verdad que si tanto la Iglesia ortodoxa oriental como la católica están imbuidas por este dogma, las Iglesias protestantes lo rechazan, pues para ellas solo hay un mediador entre Dios y el hombre, y es Jesucristo. Por eso en las iglesias protestantes no hay altares con santos, ni procesiones, ni romerías, ni fiestas patronales dedicadas a los santos.

El primer patronazgo, Santa María

El primer patronazgo para aquellos caballeros cristianos que vinieron a estas tierras fue, sin duda, Santa María, un nombre sonoro sin aditivos. Santa María es la Virgen de las Batallas, Santa María es la Virgen de las Victorias, cuya imagen llevan en un pequeño relicario en el pecho y a la que se encomiendan.

Tal es su devoción por esta dama celestial que Jaume I irá cambiando o incorporando a los topónimos el nombre de Santa María. «*El castell que el sarraïns abominavan Enesa i els crsitians el Puig de la Cebolla, i que ara duu el nom de Puig de Santa María*» (*Llibre dels Fets*, 206). Y luego ordena edificar iglesias con su nombre: «*En totes les villes grans que Déu ens fes guanyar als sarraïns harien edificar una esglèsia de Santa María*».

Y el príncipe Alfonso, por el sur, lleva también en su corazón y en sus labios el nombre de Santa María.

> «*Muito devemos varöes,
> Loar a Santa Maria
> Que sus graçs e sus döes
> Da a que por ela fia*».

Por lo mismo, las primeras iglesias que se construyen en estas tierras van dedicadas, en su título escueto a Santa María, en Alicante, Denia, Elche.

Y nos podemos plantear una pregunta que no deja de ser pura utopía: No era María, tanto para los Evangelios como para el Corán, un símbolo que hubiera podido servir de unión? María era muy importante en el cristianismo y María tenía un papel destacado en el Corán. ¿Pudieron los conquistadores haber buscado a María como posible eslabón entre el cristianismo y el islam?

El Corán es un canto a María, la madre de Jesús, que en nada desdice de las alabanzas que le prodigan los Evangelios:

«Y acuérdate de cuando los ángeles dijeron: "¡Oh, María! Dios te ha elegido y te ha purificado. Te ha elegido sobre todas las mujeres de los mundos. ¡Oh, María! Ora ante tu Señor, póstrate e inclínate con los que se inclinan en la plegaria.

Acuérdate de cuando los ángeles dijeron: ¡Oh, María! Dios te albricia con un Verbo emanado. Él, cuyo nombre es el Mesías, Jesús, Hijo de María, será ilustre en esta vida y en la última y estará entre los próximos a Dios"» (Corán, 3, 37-45).

Santos patronos que auxiliaron en la conquista

Además de Santa María, surgieron otros patronos: los patronos de la *hora prima*. Santos que auxiliaron a los guerreros cristianos, en situación de apuro, en la conquista: San Jorge, en Alcoi, Santas Justa y Rufina en Orihuela, San Andrés en Almoradí. San Jorge, de Capadocia, lanzando una flecha a al-Azrac, en Alcoi. Santas Justa y Rufina, las alfareras sevillanas que, en Orihuela, se convierten en luminarias para que los mozárabes, a punto de ser degollados por los sarracenos, puedan escapar. O San Andrés en Almoradí, que la víspera de la conquista aparece sobre el campamento cristiano. El aspa luminosa, imagen de su crucifixión ilumina el campamento cristiano. Una vez asumidos por el pueblo como patronos, en torno a ellos se celebraron fiestas y romerías que, después de 8 siglos, aún perduran entre nosotros.

Los santos de prestigio titulares de las primeras iglesias para cristianos viejos y para las rectorías de moriscos

Según se van derribando mezquitas y construyendo parroquias, hay que darles un patrono o titular. Primero se crearon las parroquias llamadas antiguas, construidas para los cristianos viejos, utilizando el material de las mezquitas derribadas y a las que se pone generalmente bajo el patrocinio de una advocación de la Virgen o de santos de prestigio del primitivo cristianismo: apóstoles, mártires primitivos o San Juan Bautista y Santa Ana.

Cuando, a partir de 1535, los comisarios apostólicos comienzan a desmembrar de estas parroquias antiguas las nuevas parroquias o rectorías para moriscos, se les da un santo patrón similar a los de las anteriores.

En un estudio de Benítez Sánchez Blanco, *Las Parroquias de moriscos en la Marina* (Marina Alta y Marina Baixa*)* señala en estas comarcas, 15 parroquias antiguas y 24 desmembradas. Los titulares o patronos de estas últimas son similares a los de las atiguas.

Marina Alta

El Verger-Nuestra Señora
Ondara-Santa Ana
Pedreguer-Santa Cruz
Sagra-San Sebastián
Rafol-Epifanía
Beniarbeig-San Juan Bautista
Favara-San Pedro
Benimeli-San Andrés
Alpatró-Virgen María
Bisbilan-San Miguel
Alcalá de la jovada. S. Abdón y Senén
Orba-Sma. V. N. Señora
Parcent-Anunciación G.V. Santa M.ª
Alcalalí-Visitación de la G.V.S. María
Castell de Castell-Santa Ana
Benirrama-San Cristóbal
Sagra-San Sebastián

Marina Baixa

Tárbena-Santa Bárbara
Finestrat, Santos Dimas y Nicolás
Alfofra-San José
Orcheta y Sella. Santiago Apóstol
Callosa d'en Sarrià-San Juan

Pero a los mudéjares, obligados a asistir a los sermones en estas nuevas iglesias, no les dice nada esta proliferación de santos, acostumbrados a la simplicidad de un Dios, el clemente, el misericordioso, el señor de los mundos, que Él solo llena el cielo y la tierra. Por eso cuentan que las mujeres mudéjares, obligadas a asistir a estos sermones, excitaban a sus niños para que hicieses ruido.

Diversificación de patronazgos de Santa María

El escueto y sonoro título de Santa María comienza a diversificarse en numerosas advocaciones a la Virgen que se van dando a las parroquias como titulares y patronas.

A) Unas referidas a sucesos o misterios de su vida terrena: Natividad, Visitación. Dormición, María Asunta.

B) Después vendrán distintas formas por las que la Virgen deviene abogada o auxiliar desde el cielo.

a) Imágenes escondidas durante la dominación musulmana y que reaparecen. Es el caso de la Virgen de Monserrate, en Orihuela. Traída, según la tradición, por un discípulo de Santiago, era venerada como Virgen de la Puerta. Escondida después de la desaparición de la Cura de Tudmir reaparece en 1301 y es nominada Virgen de Monserrate por inoculación o sorteo.

b) Imágenes aparecidas o encontradas por labradores o por otras personas en árboles, cuevas o bajo el suelo. En tierras alicantinas encontramos en Gorga la primera imagen de la Virgen encontrada por un labrador, ya en el s. XIII. Y el nombre lo atribuye la tradición al mismísimo Jaume I al pronunciar esta frase: «La doy de gracia». Con ello quedaba ya bautizada como *Mare de Dèu de Gracia*. Luego vendría la Virgen de las Virtudes en Villena, Virgen de los Lirios en Alcoi, etc.

c) Imágenes de vírgenes viajeras por el espacio. Unas son traídas por soldados de Italia, Virgen de Lorito-Orito. La de Penáguila, Virgen del Patrocino, fue traída por el Capitán Fenollar desde Constantinopla. Otras son transportadas por ángeles: Virgen de Agres. O aparecen en barcos a la deriva: Virgen de la Asunción de Elche, Virgen del Sufragio en Benidorm. Todas, después del viaje, quieren quedarse ya como abogadas y patronas. Es el caso de Elche, pues en la caja de madera donde venía la imagen había un letrero, «*Sóc per a Elig*».

d) Imágenes talladas por misteriosos peregrinos: Virgen de Gracia, en Biar, Virgen de las Virtudes, en Villena.

e) Imágenes donadas por obispos y nobles. El arzobispo de Valencia regala, en 1746, una imagen de la Virgen de los Desamparados a Moraira. Y el obispo de Orihuela, dona la Virgen del Desamparado a La Vall de Gallinera.

f) También hay advocaciones de la Virgen traídas por congregaciones religiosas que vienen a dar misiones tanto a cristianos como a moriscos: Virgen del Rosario (dominicos) del Remedio (trinitarios), del Carmen (carmelitas), de la Merced (Orden de la Merced), de los Ángeles (franciscanos).

La *Mare de Deu de Gracia* encontrada por un labrador

Otros patronos traídos por las órdenes religiosas

Además del patronazgo de la Virgen, las órdenes militares de la conquista traían también sus patronos predilectos: los patronos de la Orden de los Templarios eran San Juan Bautista, Santa Magdalena y San Bernardo.

Más tarde, los que habían sido misioneros de estas tierras, elevados ya a la categoría de santos, se convierten también en patronos e intercesores desde el cielo: Sant Domenech, San Vicente Ferrer, San Luis Beltrán, San Francisco de Borja. Curiosamente, el famoso San Juan de Ribera no ejerce ningún patronazgo en tierras alicantinas, aunque sí en la provincia de Valencia.

Cambios de patronos. Patronos adaptados a cada necesidad

Pero no acaba aquí la proliferación de patronos. Algunos santos que habían sido patronos o titulares de sus primitivas iglesias no adquirieron demasiado arraigo y con frecuencia son relegados a sus templos y cambiados por otros en los que, sin duda, el pueblo tenía más fe. Son nuevos santos patronos que van surgiendo en cada grave necesidad: terremotos, pestes, tormentas, pedrisco, sequías, plagas de langosta. O se convierten en sanadores de enfermedades concretas: mal de garganta, mal de pechos de las mujeres. Y así van surgiendo nuevos santos patronos a los que se dedica o una ermita o un altar en la parroquia y se les nombra patronos de algunos lugares para obtener su protección.

A estos santos para cada necesidad se recurre en calamidades. Adquieren un especial protagonismo: San Antonio Abad protector de los animales tan necesarios en la economía rural; Santos Abdón y Senén, abogados contra los temidos pedriscos. San Roque, protector contra la peste; Santa Bárbara, auxiliadora en las tormentas; Santa Águeda, a la que acuden las mujeres para que las proteja contra enfermedades de los pechos. Santos Cosme y Damián, médicos.

SANTOS PATRONOS PARA LAS RECTORÍAS DE MORISCOS. EL FALLIDO INTENTO DE SU CONVERSIÓN

¿Y que pasó con los patronos asignados a las rectorías de moriscos de estas tierras a las que los árabes conocían como *Sharq al-Andalus?* ¿Sirvieron las predicaciones para atraerles a la fe cristiana? La primera idea de Jaume I fue expulsar a los moros. Pero después se inclina por la evangelización e integración en el nuevo *reyno* cristiano sin cuyo requisito la conquista no hubiese tenido mucho sentido. Y encarga, entre otros, a los franciscanos y dominicos, esta tarea. Él, que ha vivido su juventud en Montpellier, conoce la obra evangelizadora que los dominicos realizaron en el sur de Francia con los albigenses. El foco de esta evangelización será el Colegio Santo Domingo de Valencia, creado ya en 1239 sobre unas tierras donadas por Jaume I. El intento de evangelización de los mudéjares duró tres siglos y medio sin éxito alguno. Una evangelización fallida.

Después de la conquista, la población quedó socialmente dividida. En principio, las élites conquistadoras ocuparon los castillos, donde ubicaron las primeras parroquias y pronto se crearon nuevas villas repobladas con cristianos viejos traídos de Aragón y Cataluña. Para ellos se construyeron iglesias utilizando el material de las mezquitas destruidas. A estas primeras iglesias se denominaron pronto parroquias antiguas. Los mudéjares quedaron relegados a las alquerías rurales trabajando para los nuevos amos.

Los resultados de la primera evangelización fueron nulos. Los moros seguían aferrados al islam. Por otra parte, a los nobles y señores de cada lugar les interesaba la mano de obra mora, sobre todo agrícola. Por eso durante mucho tiempo se llegó a un *statu quo*.

Pero en tan largo tiempo, también la población cristiana creció desmesuradamente poblando burgos. Y en sus gremios de artesanos surgió la revuelta socioreligiosa de los llamados *agermanats*. Iban contra la prepotencia nobiliaria, a quienes acusan de utilizar la mano de obra más barata de los mudéjares como contra estos, acusándoles de ser quintacolumnistas que facilitaban a los piratas berberiscos sus incursiones y razias. Dirigidos por Vicente Peris, recorrieron el Reino de Valencia obligando a los mudéjares a bautizarse y aniquilando a quienes se negaban. Esta guerra o sublevación duró de 1519 a 1523. Quizá, para agraciarse con los *agermanats*, Carlos V promulgó un decreto en 1925 obligando a los mudéjares a bautizarse. A estos mudéjares obligados al bautismo se les denominó, en adelante, moriscos.

Bautismo masivo de mudéjares

A partir de este decreto parece que nacieron las prisas para convertirlos y bautizarlos. Se crearon comisarios apostólicos que hacia el 1535 comenzaron a desmembrar, de las parroquias antiguas, nuevas parroquias para los mudéjares con el fin de acercarles la evangelización. A estas nuevas parroquias o rectorías de moriscos se les dio también un titular o Santo Patrono.

Esta nueva evangelización se encargó tanto a curas no reglados como a las órdenes religiosas. Sin duda, los protagonistas fueron los dominicos, formados en el convento de Santo Domingo de Valencia. Y también, desde el convento de los dominicos de Santa Ana, en Albaida se ejerció una misión en las tierras alicantinas del norte, en Agres, Cocentaina, Alcoi, etc.

Dominicos como Fray Juan Mico, experto en árabe o Fray Luis Beltrán, futuro santo, ejercieron su labor misionera en estas tierras alicantinas. Pero según reconocen ellos mismos, con escaso éxito. «Fue cortísimo el fruto de su apostólica predicación». «Los más de ellos o todos eran sacrílegos apóstatas i mortales enemigos de la fe de los cristianos, no deseaban otra cosa que con fingidos y frívolos pretextos ganar tiempo para sublevarse socorridos de los de África, recobrar este Reyno que antes dominaron sus ascendientes». Y de Fray Luis Beltrán, que predicó a los moriscos durante 7 años, se dice «que nunca le llamó su espíritu a predicar a esta gente teniéndolo como tiempo perdido».

Luis Beltrán, en 1562, tira la toalla y se marcha de misionero a evangelizar a los indios de la selva junto a Santa Marta. Siete años después vuelve de América y el patriarca Ribera le toma como colaborador para, de nuevo, evangelizar a los moriscos. Al final, teme por la monarquía, piensa en un ataque moro sobre todo después de la invasión pirata de Cullera y de la sublevación mora de Granda y se inclina, ya en 1577, por la primera intención que tuvo Jume I, expulsar a los moros del nuevo Reyno.

LA EVOLUCIÓN DE LAS FIESTAS PATRONALES. LA FIESTA GANA EN VISTOSIDAD

Conforme avanzan los tiempos, la fiestas, originariamente religiosas, se van enriqueciendo con formas sociales que dan vistosidad a la fiesta religiosa. Entre estas, podemos destacar en la provincia de Alicante, El Porrate, Las Procesiones con el *Pá Beneït*, romerías, los *Goigs* y los Cantos de Aurora.

El Porrat o Porrate

El *Porrat* era una pequeña feria que se montaba en torno a una ermita o santuario y donde se vendían frutos secos y turrón. Comenzaron en los ss. XVI y XVII. Porrat es una palabra de las tierras de la Corona de Aragón que, al castellanizarse, pasó a denominarse Porrate. Pero, curiosamente, tres autoridades del lenguaje no se ponen de acuerdo en su etimología. Para Covarrubias, en su *Tesoro de la Lengua Castellana,* porrate significaría prorrateo y vendría de «*pro rata parte*», pues en esta ferias-fiestas se hacia un prorrateo para sufragar los gastos. Para Orellana vendría de «*pro reatas*» y significaría que se lograba en estos santuarios la exoneración de culpas mediante un jubileo. Y Coromines lo asocia a que la gente llegó a confundir «*torrat*» y «*porrat*», ya que se instalaban puestos de *torrat* o tostado, frutos secos, turrón.

Estos productos, frutos secos, mercancías muy propias de bereberes, confirman que los puestos, antes de la expulsión, eran instalados por moriscos. A estos frutos posteriormente se fueron añadiendo juguetes y cerámica.

Torre de les Maçanes. Procesión del *Pá Beneït*

Procesiones del *Pá Beneït*.

Para algunos tendría un origen pagano ligado a la salud y a la fertilidad. Pero aquí aparecen unidas a festividades cristianas. Mujeres muy jóvenes, acompañadas de sus prometidos o de sus familiares, caminan en procesión hasta la iglesia, ataviadas originalmente y portando sobre sus cabezas grandes panes u hogazas quemados. Antes, los panes iban sobre pesados platos de cerámica y ahora de aluminio. A estas mujeres se les denomina *clavariesas* y entroncan con las encargadas de las llaves de los camarines de los santos. Llegados a la iglesia, este pan, que significa salud y fertilidad, es bendecido y repartido. Son célebres sobre todo las Procesiones del *Pá beneït* de La Torre de les Maçanes y también de Gata y Benifallim.

Els Goigs. Los Gozos

Pronto la gente comenzó a improvisar coplillas o pequeñas composiciones loando, agradeciendo o pidiendo nuevas gracias a Dios, a la Virgen o a los santos. Son una plegaria y una alabanza que comenzaron en la Edad Media. Una hermosa y popular manera de orar. *Els Goigs* forman un auténtico florilegio de poesía popular. Se dan en toda la Corona de Aragón extendiéndose hasta el Rosellón. De ellos escribía Pau Casals:

«Recollir i publicar els gois tradicionels és un pas nou cap al retrobament de l'ànima del poble».

Los Cantos de Aurora. Los Auroros

Los Cantos de Aurora o Cantos de *despertá* existieron en toda España, Aragón, Andalucía, Navarra. Eran una invitación hecha al alba, a rezar el Rosario. Lógicamente vinieron de los dominicos que crearon las cofradías del Rosario. El primer dominico que fundó una cofradía del Rosario fue el francés Alain de la Roche, en Douai, en 1470. Aunque ya San Vicente Ferrer había promovido el rezo del Rosario, las cofradías nacieron después. La primera, en Orihuela, 1510.

En principio, las cofradías del Rosario de las que se llegaron a contabilizar 400 en el Reino de Valencia impulsaron las procesiones del Rosario, pero claustrales, dentro de las iglesias. Pero pronto salen a la calle, al alba, el primer domingo de mes. Y se llamó el Rosario de la Aurora, cuyo horario coincidía con el de Laudes de los Monasterios, es decir, la primera hora de la mañana. Y en estas procesiones matinales surge ya el folklore religioso pues se invita a los fieles a despertar y rezar el Rosario con cantos o coplas de *despertá*. Tuvieron gran auge a finales del XIX y principios del XX. Pero elementos anticlericales y liberales protestaron porque les cortaba el sueño Y de esos enfrentamientos surgió el dicho, «Acabar como el Rosario de la Aurora».

En la provincia de Alicante, los Cantos de Aurora han sido muy importantes, sobre todo en la Vega Baja por irradiación del Convento de Dominicos de Orihuela. 22 pueblos de la Vega Baja los han celebrado tradicionalmente. Solo participan hombres, los llamados *Auroros*, agrupados en cofradías. Una pequeña procesión al alba con tres elementos: el estandarte, la campanilla y el farol. Estas *Despertás* crearon una serie de copas sencillas en torno al Rosario. Veamos unas Cantos de Despertar de Granja de Rocamora:

«Todos demos los muy buenos días
a las tres personas de la Trinidad
Padre, Hijo y Espíritu Santo.
Todas las tres gracias nos han de ayudar.
Vamos a coger la rosa
fragante y hermosa
que siembra María
con luz y con fe.
Los faroles ya están encendidos,
por falta de hombres no pueden salir;
llamaremos ángeles del cielo
que al Santo Rosario vengan a asistir.
Vamos sin tardar a rezar
el Rosario a María
si el Reino del cielo
queréis alcanzar».

LA INCORPORACIÓN DE LAS *FILAES* DE MOROS Y CRISTIANOS A LAS FIESTAS PATRONALES

Los Moros y Cristianos comenzaron como juegos o simulacros de batallas entre moros y cristianos pero, en principio, sin ninguna relación con procesiones o fiestas patronales. Mas tarde, la *soldadesca*, milicias del *reyno* que acompañan a las procesiones desde las ermitas, serán el embrión de las famosas fiestas de Moros y Cristianos de las tierras alicantinas. Pronto esta *soldadesca* se convirtió en una comparsa cristiana a la que se opuso otra de moros. Así nacía su carácter bélico, de lucha convertida en drama teatral.

Ya consolidadas las Fiestas de Moros y Cristianos como parte integrante de las fiestas patronales, Alicante ha logrado una de las aportaciones fiesteras mas características. Es verdad que, en principio, solo existieron en sitios determinados, Foco de Alcoi, Foco de Biar, pero a partir de los 60 muchas localidades se apuntaron por mimetismo a esta forma de celebrar las fiestas patronales.

1º. Simulacros de batallas o juegos de Moros y Crsitianos. Fiestas de Denia

Los simulacros de combates o Juegos de Moros y Crsitianos se celebraban ya en la Edad Media en toda la península, en Levante, Jaén, País Vasco. El primer documento que lo atestigua es el de Lleida en 1156. Incluso llega a México. Se organizan, o bien por los gremios como festejo popular o bien como homenaje a reyes, etc. En la provincia de Alicante se documentan en Orihuela, entre 1579 y 1609, en Denia en 1599 y en Alicante ciudad entre 1599 y sobre todo en 1700.

FIESTAS
DE DENIA
AL REY CATHOLICO
FELIPO III.
DE ESTE NOMBRE.

DIRIGIDAS
A LA EXC.ᴹᴬ SEÑORA
Doña Cathalina de Zuñiga, Condesa de Lemos , Andrada, y Villalva , Virreyna de Napoles.

POR LOPE DE VEGA CARPIO,
Secretario del Marquès de Sarria.

Impresso en Valencia en casa de Diego de la Torre. Año 1599.

En Denia, en 1599, con motivo de la visita del rey Felipe III y su esposa Isabel Eugenia, se celebran festejos que Lope de Vega describe en un largo poema titulado *Fiestas de Denia*. En él incluye un simulacro de batalla entre Moros y Cristianos que resumimos.

Llega a las Costas de Denia el Pirata Maroto y salen los cristianos a defenderse.

«Estaban juntos en oculta parte,
por emboscadas de la incierta vía
cien moros con sus tocas y bonetes.
Ya en carrera, ya en diestros caracoles
furiosos a galope el campo cruzan,
y como vengativos españoles
Parece que entre sí los desmenuzan».

Pero enseguida Lope de Vega explica que no es más que un juego o una broma

«Ya que todos entienden que fue traza
para alegrar la tarde y el camino,
dejan los moros descubierta plaza
Al César, acudiendo al mar vecino».

Fiestas de Moros y Cristianos en Alicante de 1700

En Alicante se celebraron simulacros de luchas entre moros y cristianos desde 1599. Sin duda, las más espectaculares fueron las de 1700 en que se celebraba el centenario de la consagración de San Nicolás como coleguita. Del 27 de julio al 3 de agosto se hicieron estos simulacros, con desembarco de los moros en el puerto. Y ya tuvieron sus embajadas, su conquista y reconquista de la fortaleza. Al final, vencidos los moros, fueron paseados por las calles atados de pies y manos, con el regocijo del personal. Estos primitivos juegos de Alicante fueron solo un simulacro puntual y no se integraron en las fiestas patronales ni en las procesiones.

La *soldadesca* de las procesiones y romerías en el inicio de la fiestas de Moros y Cristianos

El inicio de la integración de las Fiestas de Moros y Cristianos en las fiestas patronales hay que buscarlo en la llamada *soldadesca* (milicia general del reino, gastadores militares) que ya participaba en romerías y procesiones. Primero participan en las bajadas de la Virgen y de los Santos, en procesiones desde las ermitas donde disparan ya sus arcabuces.

Al integrarse las fiestas de Moros y Cristianos en las procesiones patronales, la *soldadesca* pasa a comparsa cristiana con la misma estructura de mandos, capitán, alférez, sargento y cabo. De ellas deriva el alarde de armas o el *Alardo*, que es el paso de revista de la tropa; el Juego de Banderas o *Ball de Banderas, Ball de Espíes,* el disparo de pólvora con arcabuces. Al crearse las comparsas moras imitan el mismo esquema jerárquico. Esta nueva forma entusiasma a la gente pues da vistosidad a sus fiestas religiosas y admiten la participación del pueblo.

1. La incorporación real a las fiestas patronales. El foco alcoyano

Históricamente la integración en las fiestas religiosas comienza en la festividad de San Jorge de Alcoi, en 1741.

Comparsa de Moros. Dibujo de Ramón Castañer

En principio fue un elemento más de la celebración religiosa. Los Moros y Crsitianos se incorporaron como una obra dramática histórico-religiosa, casi como un auto sacramental, en que luchan dos contendientes y hay solo dos bandos o dos comparsas, Moros y cristianos, la cruz y la luna, con la victoria siempre cristiana. Luego, moros y cristianos se van incorporando como acompañamiento a las procesiones y donde el fuego de los arcabuces, la pólvora y la música dan un nuevo estilo a las fiestas. Es el momento en que se ha logrado aunar el sentido religioso y el popular y mágico de las fiestas.

El hecho de que surgiese en Alcoi tiene que ver con la pujanza económico-industrial de fábricas de papel y textiles de esta ciudad en aquella época. Esta economía permite construir el castillo, enriquecer los trajes, aumentar las *filaes* y comparsas.

Aquellos santos patronos venidos en auxilio de los cristianos de tantos lugares diferentes y alejados, ¿pueden hoy sentirse satisfechos? Es verdad que no han logrado convertir a la religion cristiana ni unir a toda la gente en la fe que ellos tenían. Unos ciudadanos las celebran con mucha fe, otros con escasa o nula. Para otros, haciendo abstracción de la fe, lo que cuenta es ser fieles a las tradiciones populares por tan largo tiempo conservadas. Lo que sí han conseguido es que sus fiestas se hayan convertido en un hecho social importante, un acto de convivencia, de buena vecindad, de deseo de participación y de ganas de vivir.

La irradiación del foco alcoyano

Este modo de integrar Moros y Crsitianos a las fiestas patronales locales irradia rápidamente las comarcas de l'Alcoiá, (Benilloba, 1756, Banyeres, 1792), la Foia de Castalla (Onil, 1799), El Comtat y el Alto Vinalopó (Villena, 1757, Biar, 1802) y Medio Vinalopó que siguen un esquema similar, aunque con algunas variantes. En principio, solo son dos comparsas, una mora y otra cristiana. Se introducen las embajadas, los textos de embajadas, los castillos de madera (*paper* o *aduar*), la espectacularidad del desfile, los trajes suntuosos. Algunas localidades introducen *la Mahoma*, la efigie de Mahoma o *mahomad*. Una característica es que se incorpora la antigua *soldadesca* que ya acompañaba a las procesiones de las romerías. Las comparsas cristianas adoptan el traje militar de la antigua milicia y su estructura militar, escuadras, capitán, alférez, sargento, cabo. Y las nuevas compasas de moros copian la misma estructura, pero con el traje «a la turca».

Cuando llegan al litoral, a La Vila Joiosa, estas fiestas adquieren el carácter de combate naval, una naumaquia.

2. El foco de Biar

El llamado foco de Biar tiene gran importancia, pues irradia en todos los municipios vecinos. Villena, Beneixama, etc.

Tiene tres etapas

1.º. Bajada de la Virgen de Gracia desde su santuario. En la *bajada a*parece el Alardo de la *soldadesca*. Alardo o Alarde, palabra ya en desuso, significaba paso de revista a la tropa y a sus armas. Pronto estas tropas se dividen en dos bandos y adquieren carácter de lucha y dramatización.

2.º. La conquista del castillo. Ya divididos en dos bandos viene la lucha por la conquista del castillo. La primera referencia en Biar a esta forma de fiesta aparece en 1808. Es ya una representación dramático-mítica.

3.º A la vez, en la plaza, se representa una comedia dramática sobre el tema para recaudar fondos para la fiesta.

La *Mahoma* y el *Ball dels Espíes*

La (figura o estatua de) *Mahoma* aparece en el castillo, ya conquistado por los moros, pero de una forma grotesca, con un cabezón que entronca con las figuras de Gigantes y Cabezudos. Una vez reconquistado el castillo por los cristianos, a *la Mahoma* se le hace explotar pólvora en la cabeza como en Villena, desde 1900 o se le quema. Esta práctica se realizó hasta no hace mucho, en Biar, Villena, Benejama, Bañeres, Bocairente, Castalla. Con el Vaticano II algunas poblaciones ven contraproducente esta figura y la van suprimiendo, empezando por Elda o Petrer.

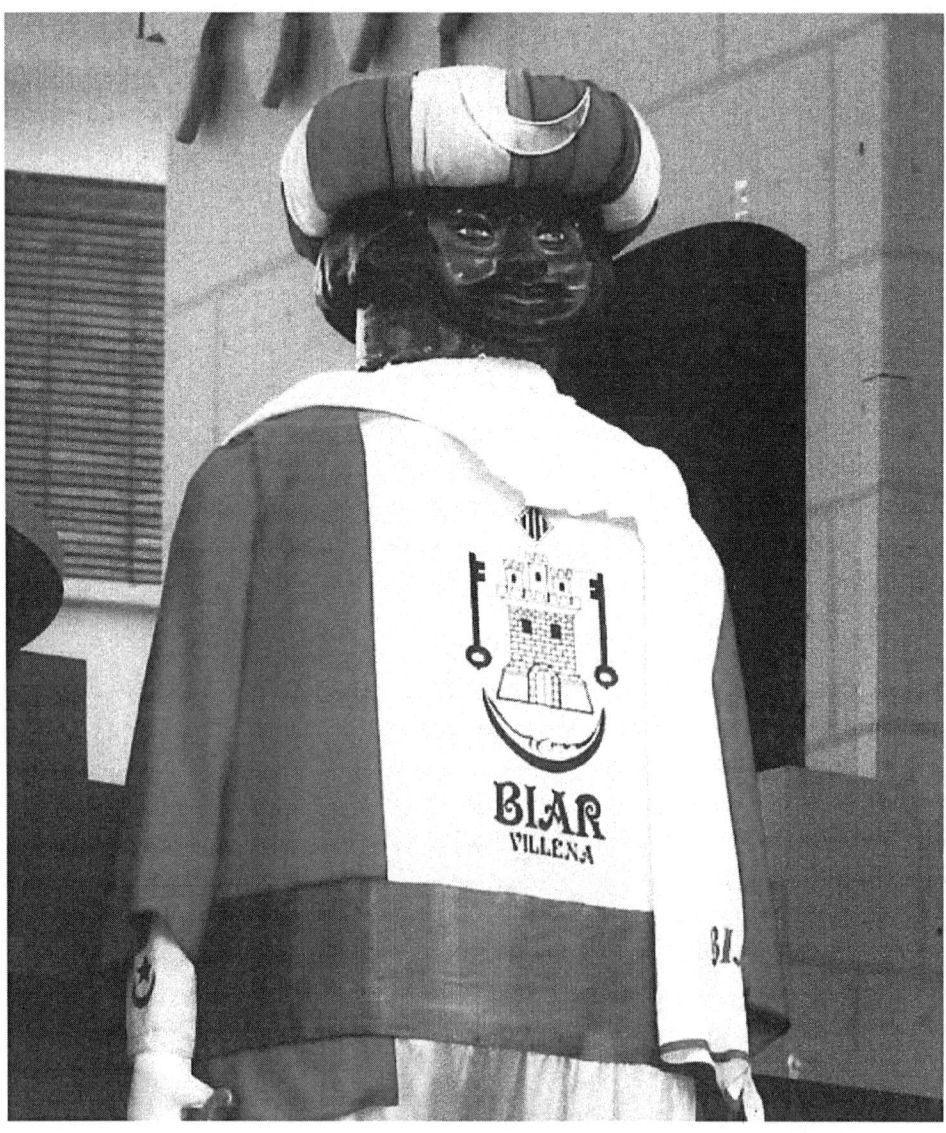

El *Ball dels Espíes* se origina también en Biar. Los moros, antes de conquistar la ciudad, envían espías con *regla y cartabón* para medir calles, puertas y ventanas. Una vez conquistado el castillo estos espías comienzan el *Ball dels Espíes*.

Algunas localidades se apuntan a las modas políticas para nominar a sus comparsas, como Sax. En 1874, coincidiendo con el famoso político-revolucionario Garibaldi, se crea la Comparsa de Los Garibaldinos que aún perdura.

La masificación de las fiestas de Moros y Cristianos. Extensión territorial

Por mimetismo, sobre todo a partir de la década de los 60, muchos pueblos han incorporado las fiestas de Moros y Cristianos a sus fiestas patronales, acompañadas de disparo de arcabuces, de pólvora, de fuego y de música, surgiendo lo que se han llamado Moros y Cristianos modernos. Aparte del mimetismo, piensan que los desfiles de Moros y Cristianos dan visibilidad a sus fiestas y, a la vez, satisfacen el deseo de participación y de diversión del pueblo.

A partir de los 60 del s. XX hay una expansión por numerosos pueblos de la provincia, bien por mimetismo, bien por pensar que estos desfiles resaltan y dan brillantez a sus fiestas patronales.

Y se dan características nuevas: la masificación de las comparsas con aumento de festeros; la incorporación de la mujer, la exhibición de disfraces, la exaltación de la pólvora y de la música festera.

También desde 1928 la fiesta religiosa de San Juan Bautista quedó totalmente envuelta por el fuego.

Incorporación de la mujer

Las fiestas de Moros y Cristianos son una reminiscencia guerrera medieval y, por tanto, varonil, pero en el s. XX la mujer ha irrumpido con fuerza reclamando protagonismo parejo al varonil en todas las órdenes, incluidas las fiestas de Moros y Cristianos y comenzó a luchar por incorporarse.

En tierras de Alicante interpusieron demandas judiciales para lograrlo. La primera reclamación y sentencia favorable a su admisión se produjo en Villena en 1987, desfilando ya al año siguiente. De ahí se fue extendiendo a Onteniente, Cocentaina, etc. Donde más resistencia encontró fue en Alcoi, pero en 2013 la Filà Marrakex sale ya con una escuadra femenina. El triunfo por la igualdad en las fiestas ya estaba logrado. A su vez, la mujer se incorpora masiva y entusiásticamente a la fiesta religiosa con la ofrenda de flores. Mujeres, jóvenes y niñas desfilan ataviadas con traje regional portando ramos de flores que depositan en impresionantes monumentos delante del templo del santo patrón, donde estos miles de ramos de colores dibujan bellos mantos para la imagen.

LA COSMOVISIÓN MARXISTA. UNA RELIGIÓN FANÁTICA. ALICANTE. 1931 - 1939. MARX O JESÚS

Cosmovisiones materialistas

Para una cosmovisión materialista toda la realidad se reduce a bioquímica y física cuántica. Y aunque la materia sea compleja, es solo materia. La vida y lo que llamamos espíritu, la conciencia, no son sino efluvios de la materia. Lo que llamamos vida solo sería una florescencia o floración temporal de la materia que, una vez cumplido su ciclo, volvería a la materia. Durante este breve tiempo de floración produce efluvios cuasi espirituales (cultura y civilización) que como ondas hertzianas se trasmiten a las generaciones posteriores. De las cosmovisiones materialistas, una de las que más ha influido en los últimos tiempos ha sido el marxismo, del que hablaremos en relación con nuestras fiestas patronales.

La cosmovisión marxista como una religión fanática

El marxismo, aunque era una contrarreligión, se mostró como cualquier religión fanática, sobre todo en la Rusia del 17 y en la España del 31 al 39. ¿Por qué asaltó centenares de iglesias, quemó centenares de altares, mutiló o destrozó las imágenes de los santos patronos en estas tierras alicantinas?

En tres fechas se sucedieron oleadas de incendios masivos de iglesias en la provincia: 11 de mayo de 1931, febrero y marzo de 1936, cinco meses antes de comenzar la Guerra Civil, y julio y agosto de 1936.

El marxismo, en su cosmovisión, argumentaba dos poderosas razones para intentar aniquilar al cristianismo: Primero, la religión había degradado al hombre. La religión era el opio del pueblo. La religión había convertido a España en la España leprosa. Segundo, el arte religioso era un arte burgués y debía de ser sustituido por el arte del realismo social.

1. La religión es el opio del pueblo. La degradación del hombre por la religión. Marx o Jesús

Jesús no había prometido la felicidad en esta tierra, la había pospuesto a un cielo ulterior. Para Marx, pensar en la felicidad celeste es algo así como «qué largo me lo fiais». Para él, por el contrario, lo que podamos obtener de felicidad se debe conseguir en este mundo.

«El primer requisito para la felicidad de la gente es la abolición de la religión. La religión es el suspiro de la criatura agobiada. La religión es el opio del pueblo».

Había que dilucidar este dilema o antinomia de dos gigantes históricamente enfrentados, Marx o Jesús. (*L'Alternative.* Roger Grauday). Y el marxismo eligió como campo de ensayo, después de haberlo hecho en Rusia en 1917, la II República española. La Revolución Rusa de octubre de 1917 se convirtió en un mito para la izquierda y la cosmovisión cristiana quiso ser sustituida por la cosmovisión marxista.

Y no es que todos los republicanos alicantinos de aquella época fuesen marxistas. En absoluto. Muchos (la provincia más republicana según el periódico *El Luchador*) seguían la estela de un ilustre republicano, Maisonnave, que se había definido en contra de dos puntos claves del Marxismo, la abolición de la propiedad privada y la destrucción de la religión.

«Como mis ideas han sido siempre claras, como no quiero pasar por socialista (marxista) ni aquí ni fuera de aquí, porque no lo soy. Bajo el punto de vista de que nosotros debemos aspirar a las reformas sociales que están dentro del Derecho, yo soy socialista como lo somos todos, pero yo, Sr. Pidal, no acepto la doctrina social que tiene como objeto universalizar la propiedad» (Discurso en las Cortes).

Y en cuanto a la religión, aunque él no se confiesa creyente, reconoce el inmenso valor social aportado por el cristianismo. «Vino Jesús al mundo predicando con su inmensa sabidora el gran principio de la fraternidad universal. Los hombres, entonces, se amaron los unos a los otros, el señor bajó hasta el esclavo y el esclavo se elevó hasta su señor; la preciosa semilla de la igualdad cayó sobre la tierra y fructificó, el pobre paria abandonó los bosques y el desgraciado siervo salió de su tugurio, donde la hediondez le consumía, para formar parte de la gran familia humana» (*Conferencia*, 27. Feb. 1868).

Pero el marxismo se había colado por todas las venas y cañerías del incipiente régimen republicano.

2. El arte religioso, un arte burgués

Para el comunismo soviético que dirigió al comunismo español, el arte religioso era un arte burgués. Y no solo el religioso, sino también el de las Vanguardias que florecieron en Rusia en las primeras décadas del siglo XX, debía ser sustituido por el llamado arte del realismo social, que exaltase a los líderes, al trabajo, a la juventud comunista como ejemplo del hombre nuevo. El realismo social se impuso por decreto en la época estaliniana de 1930-1950. El nuevo arte social fue definido por Gorki: «El arte debe de tener cuatro componentes: ser proletario, comprensible para el trabajador, típico, es decir, sobre escenas de la vida del pueblo, realista y partidario, apoyando los ideales del Estado Comunista».

Curiosamente en la dos primeras décadas del s. XX en la Unión Soviética, incluso ya establecido el régimen comunista, Rusia se había convertido en el foco de las Vanguardias, Futurismo, Cubofuturismo, Constructivismo. Quizá el cuadro más significativo sea *La Danza de Yuschenko*. Impuesto por decreto el realismo social, en los años 30, Kandinsky, Malevich, Bladimir Tatlin, y otros artistas de las vanguardias debieron abandonar la Unión Soviética.

Boris Kustódiev. Bolchevique (realismo socialista)

¿Cómo influyó esta nueva cosmovisión en las fiestas patronales y en las romerías de las tierras alicantinas? Fue catastrófica para un patrimonio religioso notable: se asaltaron los templos tardogóicos, barrocos, neoclásicos, ardieron los altares, se destruyeron o mutilaron las imágenes patronales, algunas de gran belleza, El arte cristiano para el marxismo era un arte burgués que había que liquidar y olvidar.

Para el marxismo: «La religión era el opio del pueblo». Pero ¿era también opio del pueblo la belleza del arte religioso y había que destruir templos, altares e imagines? Es más, ¿había que atacar a la belleza de sus fiestas y tradiciones, de sus romerías, del bello y popular canto de sus romances, de sus alboradas? En Alicante se produjeron tres oleadas de incendios masivos de iglesias, ermitas y conventos.

Los incendios de 11 de mayo de 1931

El 10 de mayo, al mes de proclamada con entusiasmo la República, se produjeron los primeros incendios de iglesias y conventos en Madrid. Al día siguiente, 11 de mayo, Alicante quiso imitar, en grado sumo, aquel que se consideraba como «deporte republicano». Si en Madrid, con más de un millón de habitantes ardieron 11 iglesias y conventos, aquí, con 60 000 h., ardieron 16, solo en la capital. Y ardieron como en un ritual, de 7 tarde a 3 de la madrugada; como si tratase de adelantar la *cremà* de las ya próximas hogueras de Sant Joan. Los religiosos huyeron y los colegios religiosos, incendiados, dejaron de funcionar durante 9 años. Los días siguientes, lejos de criticar la hazaña, periódicos republicanos promarxistas la alaban lanzando furibundas diatribas contra los religiosos.

«Los hijos del Averno. Alicante está avergonzado de tenerlos en su suelo… Alicante os considera réprobos y os cierra las puertas de la hospitalidad. ¡Idos fuera de aquí! Las bestias solo pueden vagar por los bosques» (13 de mayo).

«Nuestra posición frente al clericalismo al que seguiremos combatiendo hasta su exterminación total… Ni monjas ni frailes, ni escuelas religiosas» (*Diario de Alicante*).

La religión, para aquellos marxistas, era en verdad el «opio del pueblo» y constituía «La España leprosa».

Los incendios de febrero y marzo de 1936. El débil argumento de la sublevación militar

Los incendios de febrero y marzo de 1936, cinco meses antes de comenzar la Guerra Civil, fueron un ensañamiento contra numerosas iglesias. Sobre todo, el ataque fue dirigido a lugares icono de las fiestas patronales y Romerías: Basílica del Misteri d'Elx, Virgen de las Nieves, de Hondón, etc.

El 20 de febrero de 1936, grupos marxistas recorrieron la ciudad de Elche incendiando iglesias y conventos. Clarisas, Parroquia del Salvador, Parroquia de San Juan. Y se cebaron en uno de los iconos más significativo de las fiestas patronales de la provincia, la Basílica de Santa María, espectacular escenario del *misteri* y que el año anterior, 1931, había sido declarado monumento nacional. Ardieron, el cielo, pintado en 1897 por José González Páez, las tramoyas, el trono. Y desapareció la imagen de la Patrona de las Fiestas, la Virgen de la Asunción. Y se destruyó el magnífico órgano que marcaba la armonía musical de la *festa*. La iglesia, chamuscada, fue dedicada a taller de milicianos, almacén y garaje.

Otros templos icónicos fueron incendiados en esas mismas fechas: iglesia de la Virgen de las Nieves, de Hondón, el convento de Agustinas Descalzas de Denia, el santuario de Nta. Sra. de Orito, el templo de San Blas en Sax, el templo de la Purísima Concepción de Torrevieja. Lo que hizo escribir a Azaña:

«En Alicante han quemado alguna iglesia. Esto me fastidia. La irritación de la gente va a desfogarse en iglesias y conventos y resulta que el Gobierno republicano nace con el 31, con chamusquinas». *Diarios de Guerra*. Crónica de dos días. 20 de febrero de 1936.

Los incendios de julio y agosto de 1936

El súmmum sabemos que se produjo en los meses de julio y agosto de 1936. Asaltados centenares de templos, iglesias, ermitas, conventos que albergaban estas imágenes patronales, incendiados los altares, algunos bellísimos y de un gran valor artístico, destruidas o mutiladas las imágenes de sus patronos, suprimidas las fiestas. Los nombres de pueblos referidos a un santo, San Juan, San Vicente del Raspeig, San Fulgencio o los barrios con nombre de santo, San Blas, etc., sustituidos por nombres marxistas.

A través del libro iremos viendo cómo influyó la cosmovisión marxista en la destrucción del patrimonio de la provincia, un valiosísimo y riquísimo patrimonio cultural y artístico.

MARINA ALTA

LOS PRIMITIVOS PATRONOS EN LAS COMARCAS DE LAS MARINAS

Realizada la conquista, algunos caballeros se instalan en castillos almohades (Gallinera, Relleu, Finestrat, Polop, Guadalest, Torre de Altea) en cuyo espacio funcionarían las primeras parroquias y se les asigna ya un titular o santo patrón. Luego se van creando enclaves (villas), algunos en el interior y los más en la costa, que se van repoblando con cristianos viejos traídos del norte de la Corona de Aragón: Denia, Pego, Xàbia, Teulada, Benissa, Calpe, La Vila. Y, aunque hay poblaciones mixtas habitadas por cristianos y mudéjares, como Ondara, Murla, Callosa d' Ensarrià, la población quedó dividida y los mudéjares son relegados a las alquerías rurales y valles interiores.

Para los cristianos viejos se crean las primeras parroquias (parroquias antiguas), utilizando, al principio, las propias mezquitas y luego construyendo templos nuevos con material de las derribadas. A estas parroquias antiguas se les asigna un titular o patrón.

Durante casi tres siglos hubo un *statu quo*, diríamos, sin presionar demasiado a los mudéjares que seguían aferrados al islam. Pero la revuelta de los *agermanats* contra nobles y mudéjares, forzando a estos a bautizarse, y el decreto (cédula) de Carlos V decretando el bautismo obligatorio para todos los mudéjares del Reino de Valencia, hacen que, a toda prisa, se intentara llevarles la fe. Tarea encomendada primero a los comisarios apostólicos y seguida por el patriarca Ribera. Para esto comienzan desmembrando de las parroquias antiguas las llamadas parroquias o rectorías de moriscos. Es el caso de las 6 que se desmembraron de la parroquia de Denia, o la creación de la rectoría de moriscos del Valle del Girona, o las desmembradas de la parroquia de Pego. A estas nuevas parroquias de moriscos, de construcción mas pobre, se les asignan, también, titulares o patrones. Todo esto ha sido bien estudiado por Benítez Sánchez Blanco: *Las Parroquias de Moriscos en la Marina, Evolución histórica*.

Los titulares para estas parroquias tanto antiguas como rectorías para moriscos son advocaciones de Cristo como Epifanía, Santa Cruz; o de la Virgen,

Nuestra Señora Santa María. También buscan santos que diríamos de prestigio del primitivo cristianismo: San Juan Bautista, San Miguel Arcángel, San José, Santa Ana, los apóstoles San Pedro, San Andrés, Santiago, y los primitivos mártires: San Esteban, Santa Bárbara, San Dimas, San Sebastián, San Cristóbal.

Y aquí vino el primer gran escollo. Los mudéjares o ya moriscos, aferrados y acostumbrados a un Dios absoluto, dios de cielos y tierra, que lo llenaba todo, el universo y la mezquita, aquella multitud de santos de la corte celestial no les decía nada ni les movía a la conversión. Es más, se cuenta que las mujeres moriscas, obligadas a asistir a los sermones, excitaban a sus niños para que hiciesen ruido y no se oyesen.

FIESTAS PATRONALES DE DENIA. LA SANTÍSIMA *SANG*

«ENVUELTO CON SU SANGRE COMO VARÓN QUE PISA LOS RACIMOS»

Dianiium, Diana, la diosa romana virgen, patrona de la naturaleza y de la caza. Con los árabes, *Dàniyya*. Cuando el califato saltó en pedazos, Denia se convirtió en la capital de una próspera taifa (incluía las Baleares) y donde se refugiaron poetas y teólogos árabes. Denia soñada por el Cid.

> «Y aún más abajo,
> a Denia, la plaza
> junto al mar, la tierra de moros
> con dureza le trata».

Denia soñada y lograda por Jaume I. *«I Zaen era encara a Dènia i ens envía a dir que es veuria amb nos»* (*Llibre dels Fets*. 307).

Denia, capital de una taifa y capital de un marquesado.

Santa María

El primer templo de Denia después de la reconquista se dedicaría, ¡cómo no!, a la nueva reina de los cielos, a Santa María, nombre escueto pero sonoro que los conquistadores, Jaume I y el príncipe Alfonso, llevaban en sus labios y en su corazón. Templo gótico, construido en la ladera del promontorio y dentro del recinto amurallado del Castillo. Santa María sería la primera patrona de Denia. La iglesia de Santa María se convirtió, desde entonces, en su epicentro religioso. ¿Acaso se iban a enfadar las piedras del castillo islámico de que a su lado estuviese Santa María? El Corán nos dice: «Oh, María, Dios te ha elegido y te ha purificado. Te ha elegido sobre las mujeres de los mundos» (C. 3.42).

Y no fueron los musulmanes los que destruyeron la primitiva iglesia de Santa María. En 1708, Guerra de Sucesión, el general francés D'Asfeld sitia Denia. La gente se refugia en el castillo y el general bombardea, la iglesia de Santa María se derrumba y con ella la historia de tres siglos de Denia.

Nueva iglesia, nueva patrona

Los dianenses no querían quedarse sin iglesia. Y comenzaron a construir otra, dedicada a la misma señora, pero con advocación distinta, Nuestra Señora de la Asunción. A la construcción de este templo hacen referencia tanto Madoz, 1850, como Sanchis y Sivera:

«La actual parroquia comenzó a construirse en 1734, tardando más de veinte años en construirse, que es muy capaz, de orden compuesto, cuyo titular es la Asunción de Nuestra Señora, en la cual existen restos de un retablo que pintó Juan Reixach y Martín Tomar en 1492 y una hermosa escultura representando a San Roque, obra del siglo XVI.Los franceses, de nuevo los franceses, la destruyeron en su mayor parte en 1813, Guerra de la Independencia».

Pero como no hay dos sin tres, 16 de enero de 1936, seis meses antes de comenzar la Guerra Civil, el marxismo se ensañó en Denia con iglesias, retablos e imagines: iglesia de la Asunción, barroca, San Antonio, S.XVI, Nuestra Sra. de Loreto, S.XVII, y el monumento al Sagrado Corazón edificado en 1927, dinamitado. Curiosamente, cuando ardía la iglesia de Loreto, donde estaba la imagen de la *Santísima Sangre*, un anarquista de apellido Baldó y que había estado preso por los sucesos de Asturias de 1934, entró y salvó la imagen ya chamuscada. La imagen ha sido después restaurada. Pero añoran, sobre todo, la pérdida de tres joyas artístico-religiosas: el *Retablo de Sant Pere*, gótico, de finales del XV, la imagen de la Verge del Roser, de 1500, y el *Retablo de Sant Röc*, gótico del XV, hoy en el Museo catedral de Valencia.

El patronazgo de Denia: *La Santissima Sang*

Pero ni Santa María ni la Asunción lograron el favor de los dianenses, pues un milagro, según la tradición, en el s. XVI, cautivó a la población que desde entonces tiene a la imagen de la Sangre de Cristo por patrona.

Denia, en 1587 esta poblada por cristianos viejos. En tiempos del patriarca Ribera se construyó una ermita dedicada a la Mare de Déu de Lorito

(Loreto) encargada a las Monjas Agustinas Recoletas. En la misma se fundaría la cofradía de la sangre y era veneraba una imagen de la *Santissima Sang*. El marqués de Denia, duque de Lerma, mandó construir una nueva iglesia conventual para las monjas a cuya inauguración, en 1604, asistió el rey Felipe III en su tercera venida a Denia y a ella se trasladó la imagen de la *Santísima Sangre*.

A pesar de la belleza y realismo de la imagen del Cristo yacente y ensangrentado, tamaño natural, policromado, de madera posiblemente de ciprés, hubiera quedado en segundo lugar si, en 1633, ante una epidemia de cólera en que murieron muchos dianenses, no hubiera acudido fray Pere Estve, el pare Pere, quien bendijo muchos panes y repartió entre los enfermos. Y estos curaron según la tradición.

Fiestas patronales de la Santísima Sangre

No se celebran en honor de la titular de la Parroquia, Nta. Sra. de la Asunción, sino en honor de la Santísima Sangre, del 6 a 14 de julio. Y, curiosamente, Denia, pionera en festejos de batallas de Moros y Cristianos, hoy no los asocia a sus fiestas patronales. Prefiere los *Bous al Mar*. Estos, aunque se celebraban ya en el siglo XVII, tomaron protagonismo con ocasión de la ampliación con una nueva dársena del puerto. Durante siete días se torean vaquillas con intención de que estas se lancen al mar, con el consiguiente regocijo del personal. El día principal de las fiestas se dedica a la patrona, Santísima Sangre, con misa y procesión. Y los dianenses cantan con fe sus Gozos.

Gozos de Denia la Santísima Sangre

«Ríos de sangre corrieron
de vuestro cuerpo sagrado,
cuando a golpes maltratado,
con tanto azote os hirieron;
toda una llaga os hicieron
siendo el hombre el ofensor.
Por vuestra Sangre Preciosa
Dadnos, Jesús, vuestro amor».

Fiestas de Moros y Cristianos asociadas a la festividad de San Roque

Denia, que había sido, sin duda, pionera en celebrar festivas y lúdicas batallas de Moros y Cristianos, ya en 1599 lo hizo para agradar al marqués de Denia, duque de Lerma y al rey Felipe III, pero sin relación alguna con festividades religiosas. Lope de Vega lo reflejó en su libro, *Fiestas de Denia*.

Pero no ha querido descolgarse de la moderna corriente imperante de incorporar Fiestas de Moros y Cristianos a alguna festividad religiosa. Y así, desde 1980, las ha asociado a una festividad veraniega, la de San Roque, los días 13 al 16 de agosto.

La advocación de la Sangre de Cristo en la Iglesia católica

Surge esta devoción a finales del s. XVI y con la contrarreforma y el Concilio de Trento. Y, curiosamente, Valencia fue adelantada en esta devoción. En 1585 se concede a la archidiócesis valenciana el rezo de un oficio de la Sangre de Cristo, aunque la fiesta no sería elevada de categoría litúrgica hasta 1849, con Pío IX. En el rezo del oficio de vísperas se reza, de forma casi poética:

«¿Quién es este que viene
recién atardecido,
envuelto con su sangre
como varón que pisa los racimos?».

EL VERGER. *LA MARE DE DÉU DEL ROSSER*

«VOSTRES GOIGS AMB GRAN PLAER, CANTAREM, VERGE MARIA, PUIX LA VOSTRA SENIORYA ES LA VERGE DEL ROSSER».

El Verger, atravesado por el río Girona, no lejos de su desembocadura. Relegados allí los moriscos, trabajaban un campo apto para el cultivo huertano para alimentar a Denia. Fueron siempre rebeldes y Felipe III, por Real Pragmática Sanción de 1563, les prohibió usar armas. El señor de Verger, Joan Jeroni Vives, fue el encargado de desarmarles requisando un centenar: ballestas, puñales, arcabuces, espadas, etc. Y dada su relación con los piratas de Argel y Temencen, Felipe II había ya mandado construir torres-vigía en la costa. En Verger, la de la Almadraba.

En el momento del Decreto de Expulsion de 1609, ejecutado por don Francisco de Sandoval y Rojas, duque de Lerma, marqués de Denia y señor de Verger, había 80 casas y 360 habitantes. La repoblación se hizo con gentes de Denia, Jávea y Baleares.

La parroquia de moriscos y sus santos patronos

A estas nuevas parroquias de las alquerías mudéjares se le asignan anexos, en el caso de Verger, Miraflores, Mirarrosa y Cella. La desmembración se realiza, primero por comisarios apostólicos, en 1534-41, seguida por el patriarca Ribera en 1574. La nueva parroquia se crea con el titulo de Nuestra Señora, a la que se añade otro titular, San Cristóbal, en honor de don Cristóbal Gómez de Sandoval y de la Cerda.

La Verge del Rosser

El titular principal de la parroquia iba a cambiar en el s. XVII con motivo de la predicación en Verger de los dominicos del convento de Santo Domingo de Llutxent, de La Vall d'Albaida, quienes introdujeron la devoción a la *Verge del Rosser*. En 1732, se construye uno nuevo templo dedicado ya a Nta. Sra. del Rosser como titular. Pero también se añade como titular a san Roque. «Se celebran Fiestas a su titular y al patrón que es San Roque, el primer día de octubre y el día siguiente» (Sanchis y Sivera). La iglesia tenía importantes obras artísticas, como relicarios, custodias, un Lignum Crucis, donados por el patriarca Ribera y una copia del santo cáliz de Valencia. Destaca el campanario «de horas», La *campana grosa* dedicada a la Verge del Rosser en cuyo día grande se realiza el «Toque de Descoberta» o «Volteo General».

Iglesias, altares e imagines ardieron en 1936. El magnífico retablo fue restaurado en 1941 y la nueva imagen de la Verge del Rosser es de Moller Franch. Y se ha labrado un nuevo gran lienzo de San Cristóbal, recordando que fue su patrono, de Antonio Pastor

Fiestas Patronales. *La Verge del Rosser*

Las fiestas aquí no se celebran el 7 de octubre, sino del 10 al 16 de agosto. Añaden a la patrona, la fiesta de San Isidro y, sobre todo, la de San Roque, el día 16. Y desde no hace mucho tiempo se ha la incorporado la fiesta de Moros y Cristianos. Comienzan con la *Entrada de la Murta*, una costumbre que se repite en otras localidades de Valencia. El 11, celebran una gran tamborrada, el 12, día de las carrozas y comparsas, entrada de Moros y Cristianos, conquista del castillo; el 15, día grande dedicado a la Verge del Rosser con misa mayor. El 16 es el día de la procesión de los patronos, la Virgen y San Roque, acompañada por Moros y Cristianos.

Goigs a la Mare de Dèu del Rosser

> «*Vostres goigs amb gran plaer*
> *Cantarem, Verge Maria*
> *Puix la vostra Senorya*
> *Es la Verge del Rosser.*
> *Maná vostra Senyoria*
> *Als Frares Predicadors*
> *Que de vostra Confraria*
> *Fossim instituidors;*
> *Y aixi ells la han fundá*
> *Obeïnt vostre voler*».

Origen de la devoción a la Virgen del Rosario en la Iglesia católica

La devoción a la Virgen del Rosario se atribuye a Santo Domingo de Guzmán. Pero la costumbre de rezar con un cordón con nudos es anterior, pobremente nacida en Irlanda en el s. IX. El hecho de que los monjes recitasen los 150 salmos en latín y que el pueblo no pudiese seguirles, hizo que este recitase, para sustituir a los salmos, padrenuestros o avemarías y que se inventase un artilugio, un cordón con nudos, para no perder la cuenta. Este sistema de orar repetitivamente a ayudándose de un cordón con cuentas, también se da en el islam, probablemente importado a Irán de hindúes y budistas. El artilugio islámico es un cordón con 33 a 99 nudos, denominado *tasbih o masbaha*.

Algunos, con mucha memoria, recitan los 99 nombres de Alá, mientras que otros repiten solo uno o los que recuerdan.

La Iglesia católica atribuye la Devoción del Rosario a Santo Domingo de Guzmán. En 1218, en el Montero de Prohuile, cuando predicaba contra los albigense se el apareció la Virgen y le entregó un rosario enseñándole el modo de rezarlo. Y él se lo enseñó a los soldados de Simón de Monfort que obtuvieron así la victoria en la Batalla de Muret. La devoción decayó, pero la victoria de las naves cristianos en 1571 contra los turcos en Lepanto hizo que el papa Pío V estableciese la festividad de Nta. Sra. de las Victorias, añadiendo a la Letanía de la Virgen, *Auxilium Cristianorum*, estableciendo su fiesta el 7 de octubre. Gregorio XIII la cambió por Festividad de Nta. Sra. del Rosario, la devoción aumentó con León XIII que dedicó el mes de octubre al rezo del Rosario y añadió a la Letanía, reina del Smo. Rosario. Y aún creció mas la devoción cuando en 1917, según la tradición, la Virgen se apareció a tres pastorcitos en Cova de Iría, Portugal, y les exhortó a rezar el Rosario.

La iconografía de la Virgen del Rosario es numerosísima en pinturas, esculturas, mosaicos. Quedémonos con Alberto Durero, *La Fiesta del Rosario*, 1506, hoy en el Museo de Praga; Murillo, la *Virgen del Rosario con el Niño*, Museo del Prado, o el lienzo de Alonso Cano en la catedral de Málaga, de 1665.

Y son numerosas las localidades alicantinas que celebran la Festividad de Nta. Sra. del Rosario, sobre todo en la Vega Baja. Y nació, a la vez, la costumbre de rezar el Rosario procesionando, al alba, el *Rosario de la Aurora*, que pronto fue acompañado de improvisadas y populares canciones por parte de los fieles, los llamados *Cantos de Aurora o Auroros*. (Ver Auroros)

PEDREGUER. «CATEDRAL DELS BOUS AL CARRER» Y SAN BUENAVENTURA DE TOSCANA

«DESPIERTA, PEDREGUER, A LOS CLAMORES DEL HIMNO DE TUS HIJOS AL PATRÓN. ¡POR SAN BUENAVENTURA, A LA VICTORIA!».

Pedreguer, «suelo pedregoso», situado entre promontorios y barrancos y asomado a la planicie del río Girona. Eran cinco alquerías moras administradas y defendidas por el castillo de Olocaiba (Castell de l'Ocaive) sobre un alto rocoso. Hoy en ruinas. Conquistado, Jaume I entregó las tierras y así aparece en el *Llibre de Repartiments*: «A Andilo y Albert de Flex…, treinta jovadas en las alquerías de Benimarmust que está en el territorio de Ocaive y en su defecto en la alquería de Pedreguer que está en el término de Ocaive».

Luego Pedreguer pasó por diversas familias: Ros de Corella, Conde de Anna, Corvella y seguía habitado por un gran número de moros dedicados a la agricultura. Había 216 casas que, después de la expulsión, una vez repoblado con mallorquines y algún catalán, quedaron reducidas a la mitad.

Parroquia de moriscos

Como lugar de numerosos moriscos, en 1520 sufrió los ataques de los agermanados, obligándoles al bautismo forzoso. Tenía una parroquia dependiente de Denia que se independizó en 1544, por obra de los comisarios apostólicos, convirtiéndose en rectoría de moriscos. Pero en 1574 dejó su impronta en Pedreguer el patriarca Ribera, pues se construyó un nuevo y hermoso templo sobre el anterior gótico, a quien se le dio por titular la Santa Cruz. La fachada, plateresca y el interior barroco, estilo contrarreforma. Y el escudo del patriarca, un cáliz y una hostia, aparece en sus muros.

Un hermoso altar de la escuela de Vergara fue incendiado en 1936. El actual es de José Francés y Javier Ferragut. También fue destruido el órgano de 1883.

Desde 1609 el cuidado de la parroquia quedó a cargo de los Franciscanos, quienes trajeron la devoción de un santo de su congregación, San Buenaventura. Y caló esta devoción en el pueblo de tal forma que el 90 % de los niños llevaban en la partida de bautismo el nombre o sobrenombre de Buenaventura. Y en 1655, recordando esta tradición, fue declarado oficialmente como patrón principal de Pedreguer, quedando la Santa Cruz solo como titular de la iglesia.

Fiestas patronales en honor de San Buenaventura

Pedreguer celebra sus fiestas patronales del 11 al 20 de julio. Pero a la fiesta religiosa unió, tradicionalmente, además de *L'Entrá de Murta*, todo lo relacionado con los toros: *Entrá de bous*, *Suelta de vaques*, dejando al lado la corriente moderna de asociar a la fiesta religiosa, la de Moros y Cristianos. El Día Grande, 15 de julio, Día de San Buenaventura, misa y procesión. Y acaba el pueblo cantando con fervor su Himno al santo patrón.

> «Despierta, Pedreguer, a los clamores
> del himno de tus hijos al patrón
> y prenda en cada pecho un haz de flores
> en símbolo fragante de oración.
> Camina, Pedreguer, hacia tu gloria.
> ¡Por San Buenaventura, a la victoria!

La fe de sus mayores
revive en Pedreguer
al canto de loores
en este amanecer».

Pedreguer, «Catedral dels Bous al Carrer»

Celebrar la festividad de un santo patrón no quitó a la gente las ganas de divertirse, todo lo contrario. Los pueblos, a sus santos patronos medievales, les fueron incorporando festejos de toda clase. Unos de ellos fueron los toros callejeros en diversas modalidades, *Bous al Carrer o Corre bous* (toros en la calle,), *bous embolats*, *bous cerrils* (o toros encajonados, que luego se sueltan), suelta de vaquillas y, en menor medida, *bous a la mar, bous de cordo* y concursos de *recortadors*. De ahí surgieron los *emboladors*, los *rodaors*, etc. Desde los ss. XIV y XV se celebran en numerosos pueblos del antiguo Reino de Valencia.

Y aunque es La Vall d' Uixó, de Castellón, la más famosa en estos festejos, Pedreguer, por su gran afición, fue llamada *Catedral dels Bous al Carrer*. Y los asoció, desde antiguo, a sus fiestas patronales de San Buenaventura. Se celebran durante 10 días de julio, con 20 entradas o sueltas, Últimamente, esta tradición popular cultural antiquísima se ha visto envuelta en la polémica de los animalistas y su denuncia de maltrato animal. Y parece que la respuesta de la administración ha sido declarar la Fiesta BIC (Bien de Interés Cultural)

San Buenaventura de Fidanza

Juan de Fidanza conocido como Buenaventura de Bagnoreno (Toscana), fue un humilde franciscano del siglo XIII, General de la Orden, cardenal y declarado en 1588 doctor de la iglesia. En sus escritos, *Sobre la vida de perfección, Soliloquios, Sobre el triple camino*, reflexiona constantemente sobre las delicias del cielo, por lo que se le denomina doctor seráfico. También es el santo de las pequeñas cosas.

«Dios, todos los espíritus gloriosos y toda la familia del rey Celestial nos esperan y desean que vayamos a unirnos con ellos». «La perfección del cristiano consiste en hacer perfectamente las cosas ordinarias, la fidelidad en las cosas pequeñas».

San Buenaventura fue muy repetido en tablas flamencas y góticas (Vittore Cuvelli) y lo fue, aún más, en el Barroco. En España le dedicaron pinturas Murillo (Museo Bellas de Sevilla), Francisco Herrera el Viejo (Museo del Prado) y, sobre todo, Zurbarán. Sus Buenaventuras están dispersos por los

Museos del Mundo, Prado, Louvre, D'Orsey, Dresde (Galería de Pintores antiguos). Sin olvidar la magnifica talla de Martínez Montañés (Convento de Santa Clara. Sevilla)

GATA DE GORGOS. EL CRISTO DEL CALVARIO Y *EL MIRACLE DEL ARBRE BLANC*

«EN LA FRANCESA INVASIÓN, HALLARON NUESTROS MAYO-RES EN LA ERMITA, SALVACIÓN».

Gata de Gorgos. Gorgos es un pequeño río que va de Benigembla a Javea. Fue una alquería de Denia. Después de la conquista fue dado a Gaspar de Hijar y con el tiempo pasaría al conde de Almodóvar. Poblado por moriscos, en 1609 salieron 160 familias y fue repoblado, con Carta Puebla de 1611, con mallorquines de Lluchmanor.

Iglesia parroquial

Obligados los moriscos a bautizarse, por el Decreto de Carlos I de 1526, en Gata, Pedreguer y Jalón se produjeron revueltas. En 1535, por obra de los comisarios Apostólicos, se crea una capilla dedicada a San Miguel Arcángel. En 1574 es visitada por el Patriarca Ribera quien escribe en el libro de visitas: «Una capilla que es so invocación de San Miquel». A partir de esta visita se amplía la capilla y luego se construiría un nuevo templo por orden de la duquesa de Almodóvar, concluido en 1582.

Ermita del Santísimo Cristo del Calvario

Aunque el titular de la parroquia era San Miguel, un hecho iba a cambiar al patrono del pueblo. A finales del XVIII, Vicent Mulet, beneficiado de la Catedral de Valencia, pero nacido en Gata, paseando por las playas de Denia vio una pequeña imagen de Cristo crucificado flotando sobre las aguas. La llevó a Gata y en 1762 se inicia la construcción de una ermita, en un alto-zano, para albergar el crucifijo. Una ermita sencilla y rústica con espadaña y campanilla. Y se erigió un viacrucis con sus 14 estaciones en la subida al cerro. Llegó la llamada Guerra del Francés o Guerra de la Independencia. Las tropas galas se acercan a Gata y la gente se refugia en la ermita. Los ga-bachos se dirigen hacia ella y, en ese momento, un árbol blanco (un álamo) se interpone entre ellos y la ermita, empieza moverse y lanza resplandores que asustan a los caballos y los gabachos huyen. El patronato del Santísimo

Cristo del Calvario quedaría consolidado con este hecho llamado el «*miracle del arbre*».

En la Guerra Civil, tanto la parroquia como la ermita fueron asaltadas. Ardieron, en la parroquia, el altar mayor con San Miguel y 8 altares laterales: San Roque, Purísima, Divina Pastora, San José, San Antonio Abad, Virgen del Carmen, San Francisco de Paula, San Vicente Ferrer, Corazón de Jesús, Virgen del Rosario y San Luis Gonzaga. La iglesia fue dedicada a hospital. Después de la guerra se restauró adquiriendo un aspecto neoclásico sencillo. El retablo de S. Miguel fue restaurado por Postes Francés.

La ermita, las 14 estaciones del viacrucis y el Cristo fueron destrozados. No obstante, después de la guerra se pudo reconstruir la imagen del Cristo del Calvario en un taller de Valencia.

Fiestas en honor del Smo. Cristo del Calvario.

Unas fiestas a principios de agosto que se convierten en una romería a la ermita donde acude toda la comarca. Y no podían faltar los *Bous al Carrer*. El día 27 de julio se baja la imagen del Cristo de la ermita a la iglesia de San Miguel. El 6, Día Grande del Cristo, misa y procesión y vuelta a la ermita. Y una escenificación del «*Miracle del arbre*» donde, como lo exige el guion, se acaba con música de Tchaikovski y con el canto de *La Marsellesa*.

Gozos al Smo. Cristo del Calvario. *La Llegenda del arbre blanc*

«Con religioso fervor
cante el pío vecindario:
Sed de Gata protector
Cristo Jesús del Calvario.
En la francesa invasión
hallaron nuestros mayores
en la ermita salvación
contra sus perseguidores
en el Cristo un defensor
contra el cruel adversario.
Los franceses al llegar
al árbol blanco, cegados,
en la ermita al registrar
no ven a los refugiados
mas, vueltos, con estupor
Ven el pueblo solitario».

Los franceses en la ermita y el *Miracle del arbre blanc*

VALLE DE LA RECTORÍA

La rectoría es hoy una pequeña comarca en el Valle del río Girona. Comprende cinco pequeños pueblos: Sagra, Ràfol d'Almunia, Benimeli, Sanet i Negrals, Tormos. Fue obra de los Comisarios Apostólicos, en 1535, y consolidada en 1574 por el Patriarca Ribera quien creó esta entidad administrativo-religiosa desmembrada de Denia. La sede parroquial estuvo, unas veces en Sagra y otras en Ràfol.

SAGRA. *ELS SANTS DE LA PEDRA*

«GUARDAD LOS CAMPOS DE PIEDRA, ABDÓN Y SENÉN SAGRADOS».

Sagra, *Sacra*. Otro pueblecito, alquería mora, al pie del monte Cabal, en el Valle del Girona. Tras la conquista pasó por las manos de Pérez de Cullera, Pérez de Tarazona, Jimeno de Ayerbe. En el s. XIV la Orden de Calatrava estableció aquí una encomienda.

Parroquia de San Sebastián

En 1535, los comisarios apostólicos desmembraron de la parroquia de Denia, el Valle del Girona, creando la rectoría de moriscos, cuya cabeza estuvo alternativamente en Ràfol o Sagra. En 1574, el patriarca Ribera dio orden de derribar la mezquita y construir la primera iglesia, dedicada a San Sebastián. Su altar mayor, de 1846, de Francesc Otra, y una hermosa capilla al Santo Cristo del Consuelo.

Fiestas patronales

Aunque el titular de la parroquia era San Sebastián, con el tiempo y quizá atemorizados por las pedriscos que destrozaban sus cosechas, los sagratinos eligieron por patronos de Sagra a San Abdón y San Senén, *Els Sants de la Pedra*, abogados contra pedriscos y tormentas. Aunque Sagra fue añadiendo nuevos patronos, como la Purísima o el Santísimo Cristo del Consuelo y al titular de la iglesia, San Sebastián. Las Fiestas se celebran en agosto. El 11, San Sebastián, y Santos Abdón y Senén. El 12, además de la entrada del Carro de Murta, homenaje a la Inmaculada. El 13, al santísimo Cristo del Consuelo, también con misa y procesión.

Gozos en honor de los santos Abdón y Senén

«La Piedad Divina os hizo
dulcísimos protectores
contra la piedra y granizo.
Pues por vosotros deshizo
rayos, vientos y nublados;
guardad los campos de piedra,
Abdón y Senén sagrados».

Santos Abdón y Senén en la Corona de Aragón

Su devoción en la Corona de Aragón se remonta a los primeros tiempos de la conquista. Sin duda tuvo que ver con que ya se les veneraba en el Monasterio de Nta. Sra. de Arles–sur-Tech (Perpiñán), que conocería bien Jaume I. A este monasterio habían llegado en la Edad Media desde Roma parte de sus reliquias. Fueron los primeros patronos del campo aunque tuvieron competidores como Santa Bárbara, abogada contra rayos y centellas, San Gregorio Ostiense, patrono contra plagas de langosta y luego San Isidro, a quien alguno consideró intruso en estas tierras. Sueca, Algemesi, Cullera, Sagunto, Benimaclet, en Valencia; Sagra, Almoradí, La Algueña o Campo de Mirra, en Alicante, les tienen como patronos o dedicado una ermita. Los dichos agrícolas del Reino de Valencia se refieren con frecuencia a estos santos: «*Reseu als Sants de la Pedra, tingueu-los contents en tot, que está la collita en el aire i si apedrega nos fot*».

Historia de los Santos Abdón y Senén

S. Abdón y Senén. Jaume Huguet, *Retablo gótico catalán* (1460). Tarrasa

Su historia es algo confusa aunque ya son citados en *Deposito Martyrum 354*, el calendario romano cristiano más antiguo y en la *Passio Vetus*, Pasión Antigua. Se les representa con ropajes de nobles, con diadema, corona y espada en la mano, pensando que eran nobles persas, por su nombre. Lo que sí parece es que Decio ordenó apresarlos por enterrar a mártires cristianos. Fueron llevados a Roma y presentados a Claudio, pontífice del Capitolio, quien les conminó a que abrazasen la fe pagana. Ellos solo reconocieron a Jesús como Dios, fueron echados a las fieras, que no les hicieron daño. Entonces se les degolló ante una gran imagen del Sol y fueron sepultados en las catacumbas de Ponciano. Se veneran sus reliquias en la iglesia de San Marcos de Roma, aunque otros lugares como Arles, se disputan la tenencia de estas. Si, en principio fueron abogados de los enterradores, luego lo fueron contra el pedrisco. La razón, que al rodar al suelo sus cabezas degolladas, cayó un gran pedrisco. Patronos del campo, se les representa, a uno con una gavilla de trigo y al otro con un racimo de uvas.

TORMOS. S. LUIS BERTRÁN, VALENCIANO, DOMINICO Y MILAGRERO

«BERTRÁN, SANTO Y MILAGROSO, HONRA Y LUSTRE DE VALENCIA».

San Luis Bertrán, honra y lustre de Valencia

Tormos, *Túr,* vocablo prerromano de origen celta indoeuropeo = risco. Y, en efecto, Tormos está situado en una zona rocosa junto a la Sierra de Resingles. Es uno de los cinco pequeños municipios que conformaban el valle o rectoría de moriscos. Tuvo importancia en las luchas del s. XIII porque el castillo de Tormos fue uno de los varios castillos que poseía Al-Azrac. Hoy, en ruinas.

Iglesia de San Luis Beltrán

En 1578 Tormos entró a formar parte de la rectoría de moriscos. Probablemente se construyó una iglesia sobre otra mezquita, pero la que conocemos es del s. XVIII, estilo neoclásico, con columnas y capiteles del mismo estilo. La torre, no obstante, fue de espadaña. El retablo mayor está presidido por el patrón, San Luis Beltrán y hay un retablo dedicado a la Mare de Déu del Rosari, muy de los dominicos. La parroquia no fue independiente hasta 1953. Además, Tormos tiene una ermita dedicada a la Virgen de los Desamparados. Tormos eligió como patrono a un valenciano, dominico y milagrero al estilo de San Vicente Ferrer. Provenía del cercano Convento de Santa Ana de Albaida, donde San Luis Bertrán estuvo de prior desde 1557 a 1560.

Fiestas patronales en honor de San Luis Bertrán

Se celebran a finales de agosto y primeros de septiembre. Son eminentemente religiosas, aunque no falta la *Entrá de la Murta* y otros festejos.

Gozos de Valencia a San Luis Beltrán

«El mundo por vos dichoso
os llama por excelencia;
Bertrán, santo y milagroso
honra y lustre de Valencia.
Pues tiene el pecho amoroso
de Dios tan grande clemencia
por vuestra patria Valencia
rogad santo milagroso.
Sed clemente, sed piadoso
en cualquier mal y dolencia».

San Luis Bertrán Reixach, decepcionado predicador de moriscos

Valencia es patria de santos milagreros dominicos, Vicente Ferrer y Luis Bertrán, nacido en 1526. Este viste el hábito de dominico en 1544. Prior del

Convento de Santa Ana de Albaida, puro asceta, en la puerta de su celda figuraba este párrafo: «Si tratase de agradar a los hombres no seria siervo de Jesucristo». Desde Albaida realizó misiones de evangelización de moriscos por las hoy tierras alicantinas, Agres, Alcoi, Cocentaina, ¡un total fracaso! Al final piensa que fue una equivocación el Decreto del Reino de Valencia de 1525, que obligaba al bautismo de los niños moros.

«Hay evidencia moral de que serán apóstatas como ellos y más vale que sean moros que herejes o apóstatas».

Misionero en Colombia

Luis Bertrán tiró la toalla y, a pesar de su precaria salud, dejó a los moriscos y marchó de misionero a los bosques de Santa Marta y Baja Magdalena. Se enfrentó, como Bartolomé de las Casas, a colonizadores sin escrúpulos. Su predicación cautivó tanto a indígenas como a criollos. Y todos le empezaron a endosar milagros y más milagros. Así como la figura de Vicente Ferrer había excitado la imaginación de los valencianos atribuyéndole fabulosos milagros, con Luis Beltrán se calentaron las cabezas, tanto la de los indígenas colombianos como de los paisanos de Valencia

Según aquellos, acababa con las sequias, caminaba sin hundirse sobre la aguas cenagosas del Manzanilla. Le intentaron envenenar con una pócima, vomitó, salió de su boca una culebra y sanó. Tenia el don de lenguas, predicaba en español y todos los indígenas le escuchaban en su idioma. Neutralizaba a las fieras, apagaba incendios y sanaba los enfermos solo con el roce de su Rosario. San Luis recrimina a un indígena su vida sexual desordenada y este saca su espada y cuando está a punto de matarle, surge entre ambos un árbol que se convierte en Cruz e impide la acción. El último milagro que se le atribuye en América fue la cruz impresa en un árbol. Predicaba San Luis sobre el poder salvífico de la cruz y se le acercó un cacique queriendo se lo explicase. San Luis, inspirado por el cielo, abrió los brazos en forma de cruz y esta, con el mismo tamaño, quedó grabada en un árbol. De todas formas, Colombia le está muy agradecida y le nombró su patrón.

Pero también ha entrado la figura de San Luis Bertrán en algo similar al curanderismo, quizá traído de América. Y se le rezan ensalmos, conjunto de oraciones y letanías parecidas a las que usan los curanderos o santeros para sanar a los enfermos. Y hasta tiene éxito entre los veganos.

Ensalmo de San Juan Bertrán para curar el mal de ojo y enfermedades

«Criatura de Dios,
yo te conjuro y bendigo
En el nombre de la Sma. Trinidad,
Padre, Hijo y Espíritu Santo
y de la Virgen María nuestra señora.
Y por la gloriosa Santa Gertrudis,
once mil vírgenes, Señor San José,
San Roque y San Sebastián
y por todos los santos y santas
de tu corte celestial».

Nuevo fracaso con los moriscos de Valencia

Vuelto a España en 1569, el patriarca Ribera le asoció, de nuevo, a la evangelización de moriscos. ¡Vano intento el de su conversión! Al final, Luis Bertrán piensa lo mismo que Jaume I a medidos del s. XIII, que mejor hubiera sido la expulsión. Y así escribe en un informe: «Echar a los moros de España porque los más de los moriscos bautizados eran sacrílegos y apóstatas y mortales enemigos de la fe, deseando sublevarse, con fingidos pretextos, para recobrar estos reynos que antes dominaron sus ancestros».

Iconografía de San Luis Beltrán

La iconografía de San Luis Bertrán se la debemos, sobre todo, al contestano Jacinto Espinosa, *Muerte de San Luis Bertrán*, Museo Bellas Artes de Valencia y *El milagro de la cruz impresa en el árbol,* Museo del Prado. Milagro que repite José Orient en el Colegio de Corpus Cristi de Valencia.

PEGO. EL *ECCE HOMO* TALLADO POR LOS PROPIOS ÁNGELES

«DE DONDE HA SIDO ENVIADO NUESTRO SIMULACRO HERMOSO».

Pego, palabra latina, *pagus,* explotación agrícola. El *Llibre dels Fets* cita al Castillo de Pego como uno de los que Al-Azrac arrebató a Jaume I incumpliendo el Pacto del Puet.«*Sabeu quins castellsens han pres? I el digué: Gallinera, Serra i Pego*» (361).

Desde el principio quisieron los conquistadores convertir Pego en una fortaleza frente a posibles invasiones. La rodearon de una muralla con 16 torres y 3 puertas. En 1279 se repobló con catalanes, cristianos viejos, a los que se obligaba a residir allí «*ubi fiet villa sive poble*». Y para darle más protagonismo, en 1262 se crea la baronía de Pego y a finales del XIII ya está constituida la Villa de Pego. Además de fortaleza defensiva, intentaron fuese un foco de irradiación cristiana frente a los valles, todos hondamente mahometanos. El cristianismo en Pego fue, durante siglos, muy ferviente y arraigado.

Iglesia de Nta. Señora de la Asunción.

Sobre las ruinas de la mezquita se construyó la primera iglesia con aire gótico. En 1599 se comienza un nuevo templo, gótico-renacentista, dedicado a Nta. Señora de la Asunción. Esta advocación, bastante antes de que se declarase dogma, se repite en muchos sitios en tierras alicantinas: Penáguila, Planes, Guadalest, Gorja, Biar, Castalla, Sax. La iglesia de la Asunción de Pego, enriquecida con valiosos Retablos (*Virgen de la Esperanza,* s. XVI), cuadros (*Doble Verónica*, s. XIV), Cruz Procesional (s. XV). El Campanario es de 1700. Convertida en iglesia arciprestal llegó a tener 16 beneficiados.

Capilla del *Ecce Homo*, ermitas, altares en las calles

El *Ecce Homo* de Pego tallado por los ángeles

La capilla y la imagen del *Ecce Homo*, aunque aparecen documentadas en 1667, probablemente sean del s. XVI, pues en 1579 existía ya la Cofradía de la Santísima Sangre en la capilla de un hospital. Esta capilla se derrumbó en 1757 y se construyó una nueva para el *Ecce Homo* en 1776, que quedó en el centro del pueblo. Octogonal y con campanario triangular. Pero la imagen del *Ecce Homo* tiene su tradición y su leyenda: Había sido tallada por dos ángeles que llegaron como peregrinos al hospital y allí la depositaron, «de donde ha sido enviado nuestro simulacro hermoso».

Pego se convirtió en una especie de Lourdes o Fátima, con numerosas ermitas: San Miguel, S. Antoni, S. Joaquín, S. José, S, Juan Bautista, S. Sebastián, S. Llorenç, unas dentro del casco y otras fuera. Además, sus calles se llenaron de capillas y retablos de cerámica en los muros y en los arcos, dedicados a una infinidad de santos: Santo Domingo, S. Agustín, S. Luis, Santa Bárbara, Santos Médicos, San Buenaventura, N. Sra. de la Paz. Hasta 11 capillas y 68 retablos de cerámica había en sus calles.

La iglesia, altares e imágenes ardieron en 1936. También la Capilla del *Ecce Homo*. Curiosamente se salvó la preciada imagen porque alguien utilizó una estratagema, se lo llevó a su casa dejando, en sustitución, una imagen falsa. El retablo de la iglesia fue sustituido en 1950 por otro de Cardells. El resto de la imaginería fue repuesta en 1940.

Fiestas Patronales del *Ecce Homo*

Las fiestas del *Ecce Homo* celebradas a finales de junio, son puro fervor religioso. Aunque ya tardíamente, en 1969, se incorporó el desfile de Moros y Cristianos, con 13 *filaes*. Comienzan trasladando el *Ecce Homo* desde su capilla a la iglesia arciprestal donde es velado. Al día siguiente, misa y procesión. Acaban con la vuelta a su capilla.

Gozos al *Ecce Homo* de Pego

«De donde ha sido enviado
vuestro simulacro hermoso
con modo maravilloso
Es de todos ignorado
y pues lo habéis escondido
para más admiración,
pues consuelo en la acción
siempre *Ecce Homo* habéis sido.
Amparad a quien rendido
busca vuestra protección».

El *Ecce Homo* en el arte

No hay una procesión de Semana Santa desfilando por los centenares y centenares pueblos de España en la que no figure una imagen del *Ecce Homo*. Se basa en un pasaje del Evangelio de Juan, 19,5. Jesús, abofeteado, flagelado, ensangrentado, escarnecido, zarandeado durante toda la noche, es presentado a la muchedumbre judía por Pilato intentado obtener la compasión y el perdón para aquella piltrafa humana, y así lavar su propia conciencia. Pero todo fue inútil. «Y salió Jesús llevando la corona de espinas y el manto de púrpura. Y Pilato les dijo: *Ecce Homo*. He aquí el hombre».

Y los artistas del Renacimiento, queriendo resaltar la humanidad de Cristo a través de sus padecimientos y el Manierismo, como anticlasicismo, intentando unir dramatismo e inocencia del reo, y el Barroco con sus formas retorcidas recordando el ictus del dolor, se lanzaron a reflejarlo en el arte: pintura, Masaya, Antonello di Messa, el Bosco, Durero, Tiziano, Juan de Juanes, Caravaggio, Rubens, Guido Reni, Murillo. Pero que me perdonen los grandes pintores. Creo que fueron los tallistas e imagineros, quizá porque añadían la volumetría corporal, los que elevaron las cotas del arte con el *Ecce Homo*. El granadino Pedro de Mena, combina la doliente humanidad y la majestad divina; Berruguete, dramatismo e inocencia del reo; Gregorio Fernández, estudio anatómico perfecto del dolor. Basta acercarse al Museo de Arte de Valladolid o a diversos lugares de Andalucía par comprobarlo.

LOS VALLES INDÓMITOS DEL RÍO GIRONA

Fueron los valles rebeldes en torno al río Girona, primero con Al-Azrac, en el s. XIII y, luego, en 1609, con Mellini, nombrado por los propios moriscos su rey. Pequeños pueblos que reciben el nombre de su pequeños valles: La Vall de Gallinera, La Vall d'Alcalá, L Vall d'Ebo, La Vall de Laguart. Pequeños pueblos subdivididos, a su vez, en diminutos núcleos (La Vall de Gallinera tiene 8) a los que el naturalista Cavanilles denominó «lugarcitos» y que intentan resistir el olvido de la historia. Cada uno celebra su fiestas patronales por separado como un intento de supervivir. Sus patronos son los repetidos, no todos de la hora prima, dados por los comisarios apostólicos, sino otros que se han ido incorporando a través del tiempo: Asunción, Mare de Déu dels Desamparats, Virge del Rosser, San Roque, San Miguel, Santos Abdón y Senén, San Antonio. Alguno de hechura más moderna, como San Francisco de Borja o San Pascual Bailón. La Vall de Laguart tiene por patrona a una santa muy querida por los dominicos, Santa Ana, y cuyo patronazgo y festividad se repite por toda la geografía alicantina.

LA VALL DE LAGUART

«SAN JOAQUÍN FUE VUESTRO ESPOSO, JOSPH, YERNO VENERABLE, MARÍA, FRUTO ADMIRABLE DE PARTO TAN PRODIGIOSO»

Al-Aqwar, *las cuevas*. Un valle entre dos montañas, la Sierra de la Carrasca o d'Ebo y la de Migdia. Naturaleza fiera donde el río Girona forma el Barranco del Infierno.

«Furia de zarzales y encinas viejas, monstruosas, apretadas, bajan hasta lo profundo como una condenación de almas del sueño de Dante» (Gabriel Miro).

Tuvo varias alquerías árabes defendidas y vigiladas por el castillo de Laguart que, tras la expulsión, quedaron reducidas a tres: Campell, Benimaurel y Fleix y últimamente la de Fontilles. Tanto el valle como el único municipio llevan idéntico nombre, La Vall de Laguart. Este hermoso valle fue uno de los últimos escenarios de la presencia morisca en tierras norteñas de Alicante.

Mellini, rey de los moriscos. *«CON GRAN ESTRUENDO DE CAXAS Y BOZES».*

Publicado el Decreto de Expulsión, en 22 de septiembre de 1609, los primeros moriscos en rebelarse fueron los de Muela de Cortes (Valencia) y pronto se sumaron los de todos los valles del norte de la actual provincia de Alicante. El historiador Escolano enumera los valles y localidades que se sumaron a la revuelta: Valles de Alcalá, Pego, Gallinera, Alhauar, Ebo, Guadalest, Alcalali, Parcent, Tárbena, Castell de Castells, Relleu, Sella, Planes. Se dirigieron a La Vall de Laguart *«con gran estruendo de caxas y bozes»* y *«grande alboroto de gritos como ellos suelen en cosas de sus regocijos».*

Y antes de marcharse de sus lugares «el pánico de los moriscos se había tornado ya en ira, atacaban a los cristianos viejos, profanaban las iglesias, robaban ganados», «quemando los más de los pueblos, las iglesias y cosas sagradas». En Xaló, «desamparando el lugar y *dexando* con muchas cuchilladas la imagen de Nuestra Señora y el Niño Jesús hecho pedazos».

Al final se reunieron en La Vall de Laguart un número superior a 16 000. Y si a medidos del XIII, el caudillo de la sublevación fue Al-Azrac, un noble y apuesto visir, ahora los moriscos iban a elegir rey a un habitante de Confrides, Gerónimo Mellini, molinero de oficio, según el historiador Escolano. El capitán Antonio del Corral narró los hechos: «Levantaron y reconocieron por su caudillo, dándole el nombre de rey a Gerónimo Millini, natural de Confrides, de La Vall de Guadalest, hombre pobrísimo, vil, inquieto y sedicioso». Mellini se puso a la tarea, organizó un pequeño ejército nombrando capitanes, alféreces y sargentos, fortificó el valle. Y lo primero que hicieron sus huestes fue asaltar y desbastar la parroquia de Santa Ana.

Pronto llegaron desde Murla el general Agustín Mejía con sus tres tercios, de 200 hombres cada uno: Nápoles, Sicilia y Tercio de los Galeones. Ejército escaso en comparación con el morisco, pero bien pertrechado y experimentado ya en batallas italianas. Los moriscos, por su parte, muy numerosos, carecían de armas, «bocas de fuego». «Solo tenían pedernales, pistolas, escopetas y unos pocos arcabuces». Los moriscos hubieron de huir al cercano monte de Cavall Vert, a 794 metros de altitud. Hasta allí les persiguieran las tropas de Mejías, por lo que bajaron a la llanura de Petracos, donde fueron derrotados. El total de moriscos muertos se calcula, según los autores, entre 1 500 y 3 000, entre ellos Mellini. Allí fueron hechos prisioneros y trasladados a Denia, de donde embarcaron para el exilio.

El Cavall Vert quedó en el imaginario de los moriscos como el sueño de una profecía árabe fallida: «Un caballo verde vendría por los aires a salvar a los fieles de Mahoma cuando ya no les quedase ningún reducto». La profecía no se cumplió y el Cavall Vert es ya solo un impresionante risco cuya cima asemeja a una silla de montar.

La iglesia de la Vall de Laguart

La Vall de Laguart tenía cierta importancia por el número de mudéjares que allí habitaban en sus alquerías: Campell, Fleix y Benimaurel, etc. Por eso, ya en 1279 existía una parroquia, anexa a la de Murla, posiblemente en una mezquita. En 1534, dada la importancia del valle, se desmembró de la de Murla, como rectoría de moriscos con varios anexos. Y desde el principio se le dio la titularidad de Santa Ana. El patronazgo de Santa Ana se repite en varias iglesias de estos valles. Y ello, sin duda, tuvo que ver en que quienes daban las misiones a los moriscos eran los dominicos, entre ellos el luego San Luis Beltrán que fue rector, durante 7 años, del convento dominico de Santa Ana, en la no muy lejana Albaida. La devoción de Santa Ana fue muy divulgada por los dominicos. Fue un dominico francés, Vicent Beauvais, quien popularizó su devoción en su libro *Speculum Historiae*.

Con la destrucción de la parroquia de Santa Ana por parte de los moriscos, luego, a principios del s. XVII, se edificó un templo para los nuevos repobladores, de planta rectangular, bóveda de cañón y capillas laterales. Y el crucero y altar mayor son de 1700. Curiosamente, así como en otros sitios cambió la titularidad de la iglesia y la de las fiestas patronales, en La Vall de Laguart han sido fieles al patronazgo de Santa Ana desde sus primeros tiempos.

Fiestas patronales

Cada una de las entidades del municipio de La Vall de Laguart celebra sus fiestas patronales, Fleix, Santa Teresa y San Pascual, Benimaurel, Santos Cosme y Damián. Después se añadió la de San Ignacio, del Sanatorio de Fontilles, como devoción por haber sido un jesuita, Carlos Ferris, el fundador del sanatorio en 1902.

Campell es el que ha heredado la iglesia de Santa Ana y celebra las Fiestas más importantes de La Vall de Laguart, del 25 al 27 de julio. Eso sí, Santa Ana no está sola, sino acompañada de la Divina Pastora y del Cristo de la Paz, a cada uno de los cuales se dedica un día de las fiestas.

Gozos a Santa Ana

«San Joaquín fue vuestro esposo,
Joseph, yerno venerable,
MARÍA, fruto admirable
de parto tan milagroso
para fin tan prodigioso
de ser Madre del Señor.
Pues de nuestro Salvador
sois la santa más valida,
socorred, Ana querida,
a quien os pide favor».

Santa Ana

El nombre de Ana como esposa de Joaquín y como madre de la virgen María no aparece en el Evangelio. Se debe, por tanto, a una tradición oral. Pero su presencia en la historia viene del llamado Protoevangelio de Santiago, un Evangelio apócrifo que la iglesia nunca admitió como histórico y menos como texto de revelación divina. En la primera parte de este texto se nos describe el ruego ante Jhavé de Ana, estéril, pidiéndole un hijo. Entonces se le aparece un ángel: «Ana, Ana, el Señor ha escuchado tu ruego. Concebirás y darás a luz y de tu prole hablará todo el mundo (IV, 1). Dio a luz una niña a quien se puso el nombre de Marian» (V, 2).

La figura y la devoción de Santa Ana se hicieron muy populares en Alemania, en la Baja Edad Media. Y la ciudad de Apt, en la occitana francesa, se reclama poseedora de su tumba, dedicándole una basílica. Y en España proliferan iglesias, ermitas, retablos e imágenes dedicados a Santa Ana, sobre todo en el s. XV.

Iconografía de Santa Ana

Y no podían faltar los más ilustres pintores y escultores a la cita artística. Estos, según las diferentes leyendas, realizan varios modelos de pinturas y esculturas de Santa Ana: *La Triple Generación*: Arriba Santa Ana, luego María y abajo el Niño Jesús. Un segundo modelo es la llamada *Sagrada Parentela*, en que no se refleja solo a la abuela, madre y nieto, sino a todo el contorno familiar judío. Un tercer modelo es el de *Santa Ana, maestra de la Virgen,* en actitud de enseñarla a leer o recitando con la Niña María las Escrituras. Y un cuarto modelo artístico es el llamado *Abrazo en la Puerta Dorada.* Cuando Joaquín y Ana se enteran del embarazo, se abrazan delante de la Puerta del Templo. Cualquiera de estos modelos, según su predilección, sirvió a Leonardo da Vinci, Rafael, Velázquez, Murillo, Martínez Montañés, Salzillo, etc.

LA VALL DE POP

En 1991 se unieron 8 pueblos para formar la Mancomunidad de los Pueblos del Valle del Pop: Benichembla, Murla, Parcent, Alcalalí, Xaló, Lliber, Senija, Castell de Castells. Recibe el nombre de La Vall de Pop por estar junto a la montaña del mismo nombre. Valle atravesado por el rio Jalón-Gorgos. El Castillo de Pop era el vigía del Valle del mismo nombre. En 1244, Al-Azrac entrega este castillo al príncipe Alfonso, hijo de don Jaime, en cumplimiento del Pacto de la Jovada. Pero Al-Azrac no cumplió su palabra y se sublevó, por lo que Jaime I hubo de doblegarle de nuevo en 1257. Arqueólogos e historiadores dudan donde estaba realmente el enigmático castillo.

MURLA. LA DIVINA AURORA

«PUES SOIS NORTE, LUZ Y GUÍA, MARÍA, DIVINA AURORA».

Murla, una alquería dependiente del Castillo de Pop, fue entregada con este a Carroz, señor de Rebollet. Pronto se repuebla con cristianos viejos quedando los moros en el Raval. Resultó, pues, una localidad mixta. Y en 1262 se crea ya el

Municipio de Murla dentro del patrimonio real de infante don Pedro. En 1609 tuvo un papel importante. Conocido el Decreto de Expulsión, moriscos de los valles se reunieron en Murla y de allí ascendieron al Cavall Vert, en un intento de escapar.

La iglesia-fortaleza de Murla y la Ermita de la Sangre o de la Divina Aurora

Población mixta al 50 %, en tiempos del patriarca, relegados los moros al Raval, se construyó una iglesia gótica de arcos ojivales, no para los moriscos sino para los cristianos viejos, aprovechando la fortaleza existente, perdido ya su carácter defensivo. Fue dedicada a San Miguel Arcángel. En el s. XVIII se le añadió un alto campanario de 25 metros que se derrumbó en 1990. Pero el patrón, al final, no fue San Miguel Arcángel, sino la Divina Aurora. En el centro de Murla aparece ya en 1587 un hospital y, a la vez cárcel, con una capilla dedicada a la virgen, que se convirtió enseguida en la patrona de Murla con la advocación de la Divina Aurora. Sin duda, la imaginería, representándola sobre nube de ángeles y el Sol radiante a su espalda, contribuyó a esta denominación. La ultima imagen conocida era del escultor Esteve, de 1857. En Murla ardieron, en 1936, iglesia parroquial y ermita y con ellas la imagen de la Patrona repuesta en 1979.

Fiestas en honor de la Divina Aurora y Cristo del Salvador

Se celebran a principios de agosto. El día grande, el 5, fiesta de la Divina Aurora, donde, por la noche, resplandeciendo, la imagen es trasladada a hombros desde la Ermita de la Sangre a la iglesia parroquial. Junto a estas fiestas religiosas no podían faltar los Juegos de *pilota valenciana*, donde Murla es campeona de la comunidad. Y, últimamente, han introducido un día la entrada de Moros y Cristianos. El pueblo de Murla, como los de Benichembla, Polop o Sella cantan a la Divina Aurora.

«En Vos, como protectora,
nuestra devoción confía,
pues sois norte, luz y guía
María, Divina Aurora.
En este timbre sagrado
muy propio a vuestra grandeza,
pues fuiste Aurora en belleza
del Sol divino, encarnado,
todo viviente postrado
os reconozca, señora».

La Divina Aurora o Nuestra Señora de la Aurora

El cristianismo ha relacionado la naturaleza y sus ciclos con la teología. Tres fases de la Naturaleza coinciden con tres fases del cristianismo para pasar de lo visible a lo invisible: La noche, las tinieblas, representa al mundo pagano: la aurora, el amanecer, que augura la luz del día, la Divina Aurora, María, madre de Jesús. La Divina Aurora, María, anunciadora del radiante Sol, Jesucristo, luz del mundo. Ya en 1648 escribía Naxera: «Cuando a las estrellas les anuncian el peligro, ya María, Aurora, madre del Sol, vivía segura en sus mismas luces y porque la serpiente no manchase el esplendor con sus ojos, la hirió hasta cegarle esta Aurora, con sus reflejos».

PARCENT. SAN LORENZO Y EL SANTO GRIAL DE VALENCIA

«AGRADECIMIENTO ETERNO TE DEBE TODA VALENCIA».

Parcent, palabra romana de etimología discutible: de Persius o de Percennius (Menéndez Pidal). Situada en el Valle de Pop por donde pasa el río Xaló o Gorgos. Conquistada en 1256, los moros no aceptaron la nueva cosmovisión cristiana y fue lugar, en el s. XIII, de sublevaciones. Y, también, lugar de llegada de piratas avisados, quizá, por los moriscos, con toma de cautivos por parte del corsario Barbarroja. En 1509 recorría sus posesiones don Pere Andreu de Roda, barón de Parcent y benefactor de la Cartuja de Nuestra Señora de las Fuentes, en los Monegros. Estando en el mar, fue capturado por los corsarios y llevado a Constantinopla, donde murió a los 15 años de cautiverio. Hecho luego ha sido cantado en romances y coplas.

> «Margarita de Roda me llamo,
> nacida en Zaragoza de Aragón,
> los turcos mi marido me llevaron,
> quince años ha que lloro su prisión».

Don Pere Andreu de Roda había dejado en testamento las tierras de Parcent a la Cartuja de los Monegros. El abad de la Cartuja, Francisco de Almuner, convertido en señor de la baronía de Parcent, después de la expulsión hubo de hacerse cargo en 1612 de la repoblación de Parcent con gentes de Murla, Pego, Ibiza y Santa Pola.

Iglesia parroquial

Se erigió una primera iglesia en 1535, por obra de los comisarios apostólicos, desmembrándola de Murla. Posiblemente se utilizaría como templo una mezquita y se dio como titular a Nta. Señora de la Asunción. En 1630-1638 se derrumba el antiguo edificio y se comienza la construcción de uno nuevo y se cambia de titular de la iglesia por la Purísima (Purísima Xicoteta). La iglesia fue ampliada en 1734. Destaca el campanario, de cuatro alturas y con vistosos motivos neogóticos construido en 1929.

Fiestas patronales

Parcent, aunque la titular de la iglesia sea la Purísima, se ha olvidado de ella y ha elegido patrón principal de sus fiestas a *Sant Llorenç*, un santo muy ligado a la Corona de Aragón, por su nacimiento, y a Valencia por la creencia de que está en posesión del cáliz de la cena que San Lorenzo habría enviado a Huesca y de allí pasara a Valencia. Eso sí, las fiestas acumulan veneración de santos patronos:

El 10 de agosto. Día de Sant Llorenç, Misa y procesión. El 11, dedicado al Santísimo Cristo de la Fe, Misa y procesión. El 12. Día de la Divina Aurora, Ofrenda de flores, Misa y procesión. Sus actos religiosos están alternados, no con desfiles de Moros y Cristianos, sino con campeonatos de *pilota valenciana*, que tienen en estos valles sus grandes campeones.

San Lorenzo

Nacido en Osca (Huesca) según la tradición, fue nombrado archidiácono por el papa Sixto II. El emperador Valeriano proclamó un edicto prohibiendo el culto cristiano. Por negarse a entregar, según la tradición, los bienes de la iglesia que consideraba tesoros de los pobres, fue quemado vivo en una parrilla en Roma. Y el papa Sixto II, decapitado. El 10 de agosto de 258 Lorenzo fue enterrado en la Catacumba ciriaca. El papa Dámaso, en el Siglo IV, escribió en su tumba: «Los flagelos del verdugo, las llamas, los tormentos, las cadenas, han podido ser vencidos solamente con la fe de Lorenzo». Y mandó construir una Basílica en su honor, hoy una de las 7 basílicas papales, la Basílica di San Lorenzo fuori di Roma.

Agradecimiento del Reino de Valencia a San Lorenzo

No solo Roma, no solo Huesca que se atribuye su nacimiento. También Valencia le venera por creer que la ciudad se hizo con la preciosa reliquia, la copa de la cena, que él guardaba como diácono y tesorero de la iglesia de Roma.

Según la tradición, el camino hasta la llegada a Hispania habría sido el siguiente: San Pedro y San Marcos llevan la copa a Roma. Con el asesinato del papa Sixto II, su diácono, Lorenzo, la envía, en 259, a la casa solariega de sus padres en Huesca. En el s. IV pasa la reliquia a la iglesia de San Pedro el Viejo y en 720, ante la llegada de los musulmanes, es escondida en diversos monasterios de la montaña, San Pedro de Sirera, etc., hasta acabar, ya en 1021, en el monasterio de San Juan de la Peña, donde se le añadirían las asas de oro y las naveta de la base.

En 1399, Martín el Humano la lleva a la aljofararía de Zaragoza y en 1424 el rey Alfonso el Magnánimo la trasladaría a Valencia, cediéndosela, en 1437, al cabildo de la Catedral de Valencia. Esta copa o cáliz tiene partes bien diferenciadas y de épocas muy distintas: la copa superior, de ágata, está fechada por algunos arqueólogos en el siglo I. Las asas y base, añadidas en el s. XII. He aquí un gozo de agradecimiento a San Lorenzo por haber enviado la reliquia a Hispania para acabar felizmente en Valencia.

«Agradecimiento eterno
te debe toda Valencia,
ya que por ti hoy tenemos
aquel cáliz de la cena,
famosísima reliquia,
orgullo de nuestra tierra».

Iconografía de San Lorenzo

El Martirio de San Lorenzo ha sido motivo muy atractivo para pintores, arquitectos y poetas. Fray Angélico pinta *La Ordenación de San Lorenzo*. Los demás se decantan por su martirio: Zurbarán, Murillo, Tiziano, El Greco, Goya. El Monasterio de El Escorial, de Herrera, la octava maravilla del mundo, mandada construir por Felipe II en su honor, en forma de parrilla invertida. Un santo también de la literatura. Ya el poeta latino Prudencio, en su *Preistephanon*, le dedicó un poema, «Los Tormentos de San Lorenzo». Y sin duda los más bellos e ingenuos versos son los de *El Martirio de San Lorenzo*, de 105 estrofas, de Gonzalo de Berceo:

«*En el nomne precioso*
Del Rey omnipotent
Que fase sol e luna
Nacer en orient
Quiero fer la pasion
Del Señor Sant Laurent
En romanz que le pueda
Saber toda la gent.

Las flamas eran vivas
Ardientes sin mesura,
Ardié el cuerpo sancto
De la gran calentura,
De lo que se tostaba
Firvié la asadura
Qui tal cosa asmaba
No li mengüe rencura».

Catedral de Valencia. El papa Sixto II decapitado y San Lorenzo

ALCALALÍ. ORIGEN DEL «*PORRAT*». SAN JUAN BTA. DE MOSQUERA

«AMADO JUAN DE MOSQUERA, HAZ QUE AMEMOS AL SEÑOR».

Al-qalalin, los alfareros. Después de la conquista, 1245, fue donado a D.ª Berenguela Alonso de Molina. En 1300, Jaime II vendió todo el Valle de Pop a Bernat de Sarriá y ya en 1325, Alcalalí pasó a Hugo Cardona y luego a Castellvi. Después de la expulsión, en 1610, recibió carta puebla y la repoblación se hizo con gentes de Baleares. En 1610 se crea la baronía de Alcalalí más dos poblados, La Llosa y Mosquera, aunque la repoblación en estos fue nula. En Mosquera sí quedó una ermita de los tiempos moriscos, la de San Juan Bautista, que sería fundamental para el origen de sus fiestas patronales y que nos explica el origen del *Porrat*.

Iglesia de la Natividad de Nuestra Señora
Probablemente hubo en Alcalalí, en tiempo del patriarca, una iglesia cristiana instalada en la mezquita. En 1582 se construye otra y la actual,

entre 1768 y 1808, de estilo neoclásico. Tenía tallas de valor artístico, como el Cristo de la Salud y otros objetos.

En el asalto e incendio que sufrieron iglesia de Alcalalí y ermita de Mosquera, en 1936, se salvaron algunas imágenes y objetos religiosos escondidos por los vecinos.

La ermita de San Juan Bautista de Mosquera

La antigua alquería de Mosquera, según Madoz, en 1845, ya había desaparecido. Pero quedaba la ermita y un aljibe. Y los alcalalinos se sentían orgullosos de su San Juan Bautista, de su niño, a quien cariñosamente denominaban San Joanet.

«San Antonio está en Benissa
Santo Domingo en Jalón,
San Juan está en la Mosquera
Jesus Pobre, bajo el Montgó».

Fiestas patronales

Sus fiestas mayores, a finales de junio, tienen dos patronos, San Juan Bautista y el Smo. Cristo de la Salud, a los que han añadido últimamente al Beato Francisco Tomás Serré. El día 23 es la venida de la imagen de San Juan desde la ermita a la iglesia parroquial. El 24, con la *Despertà,* se anuncia el día grande, San Juan Bautista. El 25 se dedica al Cristo de la Salud y después de la misa se reparte el *pan beneït.* Y, el 26, al Beato Francisco Tomas Serré. El 27, traslado de San Juan a su ermita.

Gozos a San Juan Bautista de Mosquera

«Alcalalí te venera
con viva fe, puro amor.
Amado Juan de Mosquera,
haz que amemos al Señor.
Fueron tu nombre y señera,

El mejor de los apriscos
desde los tiempos moriscos,
para Alcalalí y Mosquera.
Ningún hijo vio esta tierra
por siglos sin tu favor».

El *porrat* de San Juan Bautista de Mosquera

Recordar la historia del *porrat* es volver a la época de los moriscos en el Reino de Valencia. Quizá no habría muchos momentos en que cristianos y moriscos pudieran relacionarse. Uno de ellos era el *porrat.* Si los cristianos celebraban una festividad religiosa en una ermita o santuario, a la vez se convirtió en pequeña feria de comestibles. Los moros extendían sus mesas y vendían frutos secos: *cigró sec, xufes, ametles* y dulces como el turrón. El nombre de *porrat* o *torrat* parece significar *cigró torrat*, (garbanzo tostado), repartido por los musulmanes en sus fiestas y bodas. Por supuesto, los moriscos pagaban un canon para la ermita. Después de la expulsión, siguió esta costumbre típica de toda la región valenciana, donde hubo moriscos y abarcaba a un gran número de fiestas de santos. Comenzaba en enero con el Porrat de San Antoni del Porquet y acababa en diciembre con Santa Lucía, celebrándose en medio el Porrat de Sant Vicent Mártir, de Sant Blau, la Magdalena, etc. El Porrat de San Juan Bautista de la Mosquera fue regulado en 1740 por el Barón de Alcalalí. ¡Tiempos pasados!

XALÓ. LA MARE DE DÉU LA POBRA Y EL PORRATE DE SANT DOMENEC

«LOS VECINOS DE ESTE VALLE, EN BENIBRHAIM, HALLARON VUESTRA IMAGEN Y ADMIRARON UNA TAN GRAN MARAVILLA».

Xaló, Exalon, Jalón, en el Valle de Pop o de Jalón y atravesado por el río del mismo nombre. Xaló, palabra de raíz indoaria, *sal-* relacionada con río. Desde aquí se asciende, por su lado norte, a la Sierra de Bernia y al Fuerte de Bernia. Era un conjunto de alquerías árabes. En 1310 se dio este valle al almirante Bernardo de Sarriá. En 1609, después de la expulsión, el lugar de Ràfol de Xaló fue repoblado con mallorquines de Santa Margarita. Tierra de viñedos, en el pasaje se dibuja el Riu Raus para el secado de la pasa moscatel. Pero si en 1609 sufrió la despoblación por el exilio de los moriscos, a mediados del XIX, la *filoxera* acabó con los viñedos emigrando su gente a Orán.

La iglesia parroquial de Santa María de Xaló
La parroquia de Xaló fue una de las primeras en desmembrarse de la de Denia, en el s. XIII. En 1316 ya acude el rector de Exalon al sínodo del obispo Gastón. Sin duda, se utilizó al principio una mezquita. Esta vicaría tenía anexos: Alcalalí, Lliber y Llosa de Camacho. El patriarca mandó edificar un nuevo templo en Rafal de Xaló. En 1609, enterados los moriscos del decreto de expulsión, acuchillaron la imagen de la virgen.

El templo se amplió en 1733. Tuvo 10 altares, pero muy deteriorado con la Guerra del Francés, 1800, en 1816 se construye uno nuevo para cumplir el testamento de la duquesa de Almodóvar y Baronesa de Xaló.

El Porrate de Sant Doménec y Capelleta de la Mare de Déu la Pobra.

Xaló iba a tener dos patronos. No surgieron en esta iglesia parroquial, sino en la Ermita de Sant Doménec y en la Capelleta de la Mare de Déu la Pobra, ambas a las afueras de Xaló. Cada uno de estos patronos tiene una historia y origen bien distinto.

La ermita de Sant Doménec está ubicada a las afueras de Xaló, en Benibrahim. El acta del ayuntamiento de 1760 en que se nombró a Sant Doménec patrono de Xaló, dice: «Desde tiempos inmemoriales viene celebrándose en esta población de Benibrahim el Porrate denominado de Santo Domingo». En 1691 se construye la ermita impulsada por la Cofradía del Rosario. Restaurada en varas ocasiones, 1884 y 1971, tiene un aire neogótico y espadaña neoclásica. En la plazuela de la ermita, el día del santo se celebraba el Porrate de Sant Doménec, un mercadillo con tenderetes de productos secos y turrón, lo que da idea de que pudo ya existir en tiempos moriscos.

La *Mare de Déu Pobra* encontrada por un labrador

La historia de la imagen Mare de Déu la Pobra es de 1732, cuando un labrador, Tío Canet, al arar la tierra, encentró una caja de madera con una imagen de la Virgen de la Consolación. Dado el deterioro de la imagen se empezó a denominar Mare de Déu Pobra. En el lugar del encuentro hay una capelleta que lo recuerda con un mosaico de azulejos, aunque en la actualidad la imagen está en el altar mayor de la parroquia.

El día 16 se va a Benibrahim desde la iglesia. Allí se representa el hallazgo de la imagen de la Mare de Déu. Luego, la bajada y en la iglesia, ofrenda de flores. El día grande de la Mare de Déu Pobra, misa, reparto de *pa beneït* y procesión.

Himno a la Mare de Déu Pobra

«Pues sois en nuestra tristeza
Madre de eterna alegría.
Consoladnos, virgen pía,
con título de pobreza.
Los vecinos de esta villa
en Benibrahim hallaron
vuestra imagen y admiraron
una tan grande merced
y os doblaron la rodilla
rendidos a tal belleza».

Fiestas patronales de Sant Doménec

Los dominicos tuvieron gran actividad misionera en estas tierras. No es de extrañar que Santo Domingo de Guzmán sea patrono de una localidad de estos Valles. Los dominicos fueron encargados por Jaume I, en el s. XIII, de evangelizar a los moriscos de Reino de Valencia. Pero fue en el XVI cuando realizaron aquí su actividad, bien mediante misiones o regentando rectorías para moriscos. Su éxito en esta tarea evangelizadora, según declararon ellos mismos, fue nulo (Ver introducción).

Los jalonenses se sienten orgullosos de tener a Sant Doménec como patrón. Sus fiestas se celebran del 4 al 6 de agosto. Aunque esencialmente religiosas, se combinan con vaquillas y *Bous a la Plaça*. Y también con desfiles de carrozas y de *festers*. El 4 y el 5, dedicados al patrón, con misa y traslado del santo a la ermita.

Santo Domingo de Guzmán

Domingo de Guzmán nació en Caleruega, Burgos, en 1170. Canónigo en Osma, acompañó a su obispo a Dinamarca y Roma para concertar la boda del príncipe Fernando, hijo d Alfonso VIII. Al ver a los cátaros o albigenses, al sur de Francia, pensó que se les podía hacer volver al redil mediante la predicación por lo que creó la Orden de Predicadores. La palabra sería el instrumento para lograr la conversión.

A Santo Domingo de Guzmán se le considera, en cierta medida, el fundador del Santo Rosario, una práctica que usaban ya desde el s. IX los cristianos incultos que, al no saber recitar los salmos, rezaban avemarías o padrenuestros siguiendo los nudos de una cuerda, método que también usaban otras religiones. Al sustituir los salmos por avemarías se denominó el salterio de la virgen. El arma de evangelización de la orden de predicadores fue el sermón. Con los dominicos el sermón llegó a ser casi un género literario, constituyendo, con el teatro, las dos formas de la llamada literatura de oralidad. El sermón coincidía con el teatro, además, en un cierto dramatismo. Algunos acusaron al sermón de un excesivo culteranismo o conceptismo. Hubo un dominico francés, Lacordaire, que elevó el sermón a la máxima categoría en las predicaciones cuaresmales de Notre Dame de París y a donde iban a escucharle nada menos que Alejandro Dumas, Balzac, Victor Hugo, Chateaubriand, Lamartine, Tocqueville.

CIUDADES COSTERAS DE LA MARINA ALTA: IGLESIAS-FORTALEZA

Realizada la conquista, pequeños grupos de cristianos viejos quedaron en los castillos, otros ocuparon alguna localidad interior, Pego, Murla y muchos se establecieron en nuevas villas en la costa, Xàbia, Benitachel, Teulada, Benissa, Calp. Estas localidades de cristianos viejos iban pronto a tener problemas por los continuos ataques berberiscos. Por eso se procedió a su fortificación y amurallamiento. A la vez se construían torres vigía a lo largo de sus costas y sus iglesias se construyeron como iglesias-fortaleza, estilo Renacimiento.

XÀBIA. EL NAZARENO SALVA A LOS *XAVIENS* DE LAS PESTES

«DIVINO NAZARENO, DE JAVEA EXCELSO HONOR».

Xàbia, antigua alquería. Posiblemente del árabe *Xibia*, «abundante». Situado en la parte derecha de la Marina Alta, allí se encuentra el punto de tierra más avanzado de la península en el Mediterráneo, el Cabo de la Nao. Resguardada de vientos por el Montgó, 750 metros de altitud, Javea goza de un microclima agradaba. Algunos conquistadores y cristianos viejos venidos del norte la eligieron asiento. Y esto iba a marcar las diferencias con las alquerías de los valles del interior donde se arrinconó a los moriscos. En 1392, Xàbia, aunque sigue dependiendo de Denia, recibe el título de villa, todo un privilegio. Sus dos características, residencia de cristianos viejos y situación junto al mar, van a marcar su evolución. Por una parte hay que defenderla de posibles ataques berberiscos con murallas. Estas permanecieron hasta 1877. Se construye a la vez una *iglesia-fortaleza*, por titular San Bartolomé. Al tratarse de templos para cristianos viejos eran construidos con mayor riqueza arquitectónica que las vicarías para moriscos. Por último, localidad costera amenazada por las pestes que vienen en barcos, asustada, cambia de patronos pidiendo auxilio a nuevos abogados del cielo, San Sebastián y el Nazareno

Iglesia-fortaleza de San Bartolomé
A la primera iglesia del XIV la siguió una esplendida del XVI del arquitecto Domingo Urteaga. Supo compaginar en la construcción del templo la riqueza artística, una joya del gótico isabelino y la severidad de una fortaleza: muros robustos con almenas y saeteras. Se le dio por titular a San Bartolomé. Junto a la iglesia madre surgieron numerosas ermitas, conventos y capillas en los hospitales.

La época de 1936 fue devastadora en Javea, pues no quedó ninguna iglesia o ermita sin ser asaltada e incendiada. Las imágenes actuales son todas reposiciones.

Fiestas patronales. La Bajada y la Subida del Nazareno
En Javea da la impresión de que no acertaban a dar con el patrón del cielo que colmase sus aspiraciones. O quizá fuesen los habitantes del cielo quienes se peleaban por entrar en Javea como patronos. Comenzó teniendo, posiblemente desde el s. XIV, a San Bartolomé como titular patrono de su iglesia-fortaleza y como patrono de su localidad. En 1844 Madoz confirma que es únicamente San Bartolomé al que se dedican las fiestas. Al final no

arraigó en el corazón de los xabieros. Había una ermita medieval a las afueras, hoy desparecida, dedicada a San Sebastián. Vino la Peste Negra que arrasó a Europa y los xabieros acudieron a este mártir pensando tendría más poder en el cielo y le nombraron patrono de Javea. Pero tampoco debió de cuajar pues, a pesar de ser su patrón, su fiesta quedó imperceptible y hoy se reduce a una Misa en enero, aunque ahora intentan recuperarla con suelta de vaquillas, etc.

Avanzando el tiempo, seguían amenazando las pestes llegadas en barcos. Y esta vez, s. XVIII, acudieron al que más manda en los cielos, la 2.ª persona de la Trinidad Divina, Jesús. En 1767 llega a Javea una imagen del Nazareno, talla de madera y con una corona de espinas. Se le construye a la afueras la Ermita del Cristo del Calvario y allí acude la gente con tanta fe que desbanca al patrón de la localidad, San Sebastián. En 1967, siguen fieles a su fervor y le nombran alcalde perpetuo de Javea, de manera que las fiestas en honor del Nazareno, aunque no sea el patrón, son originales, emotivas, multitudinarias. Son las auténticas fiestas patronales de Javea, acompañadas de la Virgen de Loreto. Su originalidad consiste en celebrar la Fiestas en dos fases y fechas: espectacular Bajada del Nazareno desde la ermita hasta la iglesia parroquial, en marzo, y la Subida, tres meses después, cuando vuelve a su casa.

Himno al Nazareno de Javea

Divino Nazareno,
de Javea excelso honor,
sed siempre de amor lleno
su amable protector.

Javea, a quien mil favores
prestó vuestro poder,
inciensos y loores
justo será que os dé».

Fiestas de Moros y Cristianos

Javea no podía permanecer ajena al movimiento extensivo de las Fiestas de Moros y Cristianos. En un claro mimetismo se inician en 1979. Pero no las asociaron al marginado San Sebastián, en enero, ni a la apoteósica Bajada y Subida del Nazareno y buscaron una fecha y un santo *ad hoc*, San Jorge, 25 de julio, para introducir sus desfiles con 12 filaes, seis por cada bando.

TEULADA. VICENTE FERRER, *EL MIRACLE DE LA FONT SANTA*

«ANGEL, PROFETA I DOCTOR, I ANUNCAIDOR DEL JUDICI, SIGUEU AMB TEULADA PROPICI DE QUI SOU LLUSTRE I HONOR».

El nombre de Teulada, antigua alquería árabe, aparece documentada por primera vez en el *Llibre de Repartiments* del s. XIII, Situada en el interior, a 6 km de la costa, estuvo alejada del mar durante siglos por miedo a los piratas berberiscos, salvo una torre del XVI en Moraría, Cap d'Or, construida como defensa. «No hay en las cercanías población alguna hasta Teulada que dista de la mar casi una legua hacia el NO» (Cavanilles, *Observaciones*. 1797).

El núcleo de Teulada fue repoblado en la segunda mitad del XIII con cristianos viejos relegando a los mudéjares a alquerías rurales. Y como en todos estos sitios, el señorío o propiedad pasó por diversas manos: señores de Rebollet, Roger de Laura, Bernat de Sarrià, condes de Oliva, marqueses de Ariza. Pero su cercanía al peligroso mar y, a la vez, esta soledad de Teulada hizo que tuviera que fortificarse con murallas, iglesia-fortaleza y torres vigía en la costa.

Iglesia-fortaleza de Santa Catalina

Por ser la población cristiana, en el XIV ya se construyó una iglesia estilo gótico, dedicada a Santa Catalina. Pero la inseguridad hizo que en 1579 se iniciase una iglesia- fortaleza, estilo renacentista, con robustos muros, que debió acabarse hacia 1643. Era una parroquia para cristianos y no una rectoría de moriscos. Luego se fue ampliando y modificando. En 1793 realiza unas pinturas de interior Blai Estruch. En 1895 se derrumba la Torre del Chorote y se sustituye por una torre hexagonal. En 1936 ardieron iglesia y ermitas. En la parroquia se quemó el altar mayor pero se salvó una tabla del XV, *Adoracio del Reis,* atribuida al Maestro de Teulada.

Teulada pegó el salto acrobático y eligió patrono a San Vicente Ferrer. En tiempos de Madoz, 1848, Santa Catalina seguía siendo, no solo la titular de la iglesia, sino la patrona de Teulada, y así se le cantaba:

«Al instante de expiar
ángeles se trasudaron
al Monte Sinaí y dejaron,
tu cuerpo en aquel lugar.
Y pues que más os implora
desde allí la devoción
pues, que héroe venerada,
Gozas, Catalina el don,
merezca tu intercesión
quien te invoque, protectora».

San Vicente Ferrer, santo milagrero en Teulada. Las ermitas de Sant Vicent

Vicente Ferrer, viajero infatigable por toda Europa, Francia, Italia, Alemania, no podía dejar de visitar Teulada, donde vivía su hermana Constanza. Una fecha constatada fue el 20 de agosto de 1410. Y milagrero como era, no pudo abstraerse a las peticiones de su hermana y de los vecinos de realizar algún milagro. Y los realizó en cantidad, según el imaginario colectivo. Unos milagros entrañables y otros, hasta simpáticos. El *miracle de la font santa* que lo realizó en el lugar de la hoy ermita. Unos dicen que fue su hermana, sedienta, que le pidió agua, otros que fueron los niños que jugueteando, acabaron sedientos. Sacudió con su bastón el suelo y manó agua en chorro regular que aún hoy continúa y que todos creen curativa. Y curó a un niño que nació ciego. Y, a las afueras, realizó el *miracle de la creueta del avemaría*. Amenazaba la peste bovina y amenazaban los piratas. Vicente bendijo aquellas tierras, clavó una cruz en el suelo y prometió que Teulada pasaría libre de la peste y que las balas de los piratas jamás atravesarían el pecho de ningún teulense. Pero el más simpático, el *milagro de los pésoles*. Su hermana quiso preparar la comida, arroz con pésoles. Como no la tenía en casa se fue al huerto del vecino y los cogió. Sentado a la mesa, Vicente se percató de ello y ordenó a los pésoles que volviesen a sus plantas. Y estos, en fila india, obedecieron.

La devoción a su Vicente, casi paisano, fue en aumento y le erigieron dos ermitas y solicitaron a la Santa Sede que lo nombrara patrón de Teulada. Tardó mucho la sede apostólica y en 25 de septiembre de

San Vicente Ferrer, patrono de Teulada

2012, por proclamación canónica *Apud Duem,* accedió a que San Vicente fuese el patrono de Teulada. A Santa Catalina la dejaron un tanto marginada aunque se la venera con misa y procesión en el mes de noviembre.

Fiestas patronales en honor de San Vicente Ferrer

Las verdaderas fiestas patronales de Teulada lo son en honor de San Vicente Ferrer, en el mes de abril. Se mezclan actos religiosos, ofrenda de flores, traslado de la imagen desde su ermita a la parroquia, misa, procesión, nuevo y emocionante traslado de la imagen a la ermita de la Font Santa en una alegre romería, con *dolçaines* y *tamboretes.* Y se mezclan actos cívicos, suelta de vaquillas, *bous al carrer.*

Los Moros y Cristianos, muy recientes, se han dejado para Moraira, en junio, que en julio celebra la Mare de Déu dels Desamparats y la Virgen del Carmen.

Gojos a Sant Vicent Ferrer, patró de la Vila de Teulada

«*Ángel, profeta i doctor*
I anunciador del judici,
Sigueu amb Teulada propici
De qui sou lustre i honor.

A consgue-nos del Senyor
La salut per la vostra mà,
Sigueu-nos pare i defensor
Santo Apóstol valencià».

BENISSA. *LA PURISSIMA XIQUETA*

«JA QUE TOTS OS VENEREM, COM LA MAS PURA Y PERFECTA, FEC, PURISIMA XIQUETA, QUE SEMPRE VOS IMITEM».

Benissa, *Ben-Issa,* hijos o tribu de Issa. Era una alquería árabe dependiente del Castillo de Calp. Situada en una pequeña colina de 200 metros de altitud, a 4 km del mar y bordeada al sur por la Sierra de Bernia. Benissa, nombrada en el *Llibre de Repartiments*, pronto fue ocupada por cristianos viejos, relegando a los mudéjares a alquerías más rurales. Pero pronto, en los ss. XVI y XVII, como las otras localidades de la costa, tiene que ser amurallada contra posibles ataques berberiscos.

La iglesia-fortaleza de San Pedro

Y como las demás, erige un baluarte defensivo, una iglesia-fortaleza y que actuaba con castillo central, dedicada a San Pedro, el primer patrón de

Benissa. La construcción se inició hacia 1550. La iglesia debió ser más bien parroquia para cristianos viejos que rectoría de moriscos, como lo prueba que pronto llegó a tener 9 beneficiados. El templo aguantó siglos, pero a mediados del XIX empezó a tener problemas. Mientras tanto, se inició, en 1929, el bello y grandioso templo de la Purísima y la iglesia de San Pedro fue derribada en 1940.

Purísima Xiqueta. La Leyenda de los pobres peregrinos

Las leyendas de ángeles o pobres peregrinos portando un cuadro o una imagen se repiten en estas tierras. Y se repite el tema; guardados en un arcón se resisten a permanecer escondidos y salen a flote una y otra vez (caso del lienzo del Santa Faz). En 1524, dos pobres peregrinos deambulan por las calles de Benissa portando una pequeña tabla de la Inmaculada, de 38 x 27 cm sin que nadie les diera hospedaje. Al final, el notario Juan Vives los recibe en su casa. Al día siguiente, al despedirse, le dejan la tabla como regalo. Su mujer la guarda en un arcón y lo cierra con llave, pero la tabla se resiste a permanecer allí y sale a flote una y otra vez. Históricamente todo pudo ser más sencillo y menos rocambolesco, pues estamos en la etapa en que la Escuela de Juan de Juanes llena el Reino de Valencia de salvadores e inmaculadas. Posiblemente Juan Vives encargó esta tabla a un pintor de esta Escuela, quizá Nicolás Borrás. Benissa pronto sintió un gran amor y devoción por la tabla de la Purísima y el pequeño tamaño de la imagen (la tabla mide 38 x 27 cm), hizo que la bautizasen cariñosamente como *Purísima Xiqueta* y que, desde entonces la tuviesen como patrona relegando a San Pedro a segundo plano.

La iglesia de la Purísima. La catedral de la Marina

En 1902 se cimienta, por suscripción popular, una grandiosa iglesia que se termina en 1929. Estilo neogótico, de 3 naves y un bellísimo cimborrio que impregna de luz el templo. En el altar se coloca un relicario en el que se sitúa la pequeña tabla. Por su majestuosidad y belleza la iglesia ha sido definida como la Catedral de la Marina. Durante la guerra del 36, después de ser asaltada e incendiada, acabó como almacén.

Fiestas patronales en honor de la Purísima Xiqueta

Se celebran en abril. El acto más simbólico y que llena de emoción a la muchedumbre es *La Baixada de la Virgen*. Se hace mediante un sistema hidráulico para que la tabla no sufra daño alguno, se expone para su culto y es llevada en procesión los días de la fiesta. Junto a lo religioso, verdadero centro de las fiestas, se mezcla lo cívico, entrada de toros y vaquillas, etc.

Purísima Xiqueta. Escuela de Juan de Juanes

Las fiestas de Moros y Cristianos no tenían tradición histórica en Benissa. Pero en 1978, los claverisos que acompañaban a la Inmaculada introdujeron en su programa un desfile de Moros y Cristianos en las fiestas de abril. Tuvieron gran aceptación y pronto se formularon como fiestas de Moros y Cristianos completas, con el esquema general de estas fiestas: esplendor de entradas, boato, vistosidad de trajes, embajadas, etc. Y les pareció más oportuno trasladarlas a la festividad del copatrono de Benissa, San Pedro, a finales de junio. Pronto incorporaron a ellas las mujeres aunque las filaes de hombres y mujeres fueron separadas.

Goigs en lloança de la Purísima Xiqueta, patrona de Benissa

«Ja que tots os venerem
Com la mes pura y perfecta,
Feu, Purísima Xiqueta
Que sempre vos imitem.
Dos peregins a Benissa

Vos duem (no's sab d'ahon)
Y el bon Juan Vives fon
El primer que vos divise;
Sa pietat ben satisfeça
Va a quedar según sabém».

La Escuela pictórica valenciana de Juan de Juanes. Nicolás Borrás

La escuela de Juan de Juanes llena la pintura valenciana del s. XVI. La Purísima Xiqueta se inscribe en esta época en que Juan de Juanes (Vicent Joan Maçip (1510-1578) y sus discípulos llenan las iglesias y conventos del Reino de Valencia de salvadores eucarísticos y de inmaculadas. Valencia era adelantada en preconizar a María sin mácula, *la virgen tota pulcra*. Además, las pinturas de la Escuela de Juan de Juanes responden a la línea religiosa marcada por el arzobispo Santo Tomás de Villanueva, que predicaba la bondad y el amor de Dios, una religión de bondad y optimismo. «De todas partes se nos muestra Dios muy amable». Los cuadros de Juan de Juanes y sus discípulos están llenos de bondad, para incitar a la devoción. Personajes bondadosos, estilizados, serenos, dulces y candorosos, a veces relamidos. A la vez, la pintura valenciana durante el Renacimiento está muy relacionada, como toda su vida política y cultural, con Italia. Y en Juan de Juanes existe un indudable Rafaelsimo, de figuras también bondadosas... La tabla de Benissa es del corte joanesco, rasgos dulces y candorosos. Juan de Juanes llena una época valenciana. Su fama y respeto se reflejan en estos versos de un soneto que le dedicó en su muerte Cristóbal de Virues:

«Ni lágrimas de pena o desconsuelo
vierto, dichoso Johanes, por tu muerte,
sino de envidia y de consuelo en verte
partir lleno de gloria a la del cielo».

Valencia está llena de cuadros de Juan de Juanes, Museo del Patriarca, de Bellas Artes de Valencia, Museo Catedral de Valencia, ayuntamiento, iglesias de los Jesuitas, de San Nicolás de Bari. Y el Museo del Prado contiene más de 20 obras del pintor valenciano: *La Última Cena, El Salvador, el Ecce Homo,*

Cristo camino del Calvario. Y *El Sumo Sacerdote Aarón* y seis tablas de la vida y martirio de San Esteban procedentes del Retablo del altar mayor de la iglesia de San Esteban de Valencia.

Nicolás Borrás. Algunos atribuyen *La Purissima de Benissa* al pintor de Cocentaina, Nicolás Borrás (1530-1610), el discípulo y continuador de la obra de Juan de Juanes a quien llama, «mi perceptor y queridísimo maestro». Para Hernández Guardiola, Borrás «no es un simple imitador de Juan de Juanes, sino que se desliga de él incrementando el keynesianismo y que estuvo preparando la revolución ribaltesca». Pintó 171 cuadros, pinturas devotas, repartidos por todo el Reino de Valencia: *Adoración de los pastores, San Nicolás de Bari* (Cocentaina); *Santa Cena, Adoración de los Magos, La Sagrada Familia con Santa Ana* (Museo de Bellas Artes de Valencia)*; Misa de Ánimas* (concatedral de Alicante); *Misterios del Rosario* (Colegio Santo Domingo, Orihuela).

CALPE. LA IMAGEN DEL CRISTO QUE EXUDA

«CANTEM UNITS TOTS EL CALPINS LA GESTA GORIOSA DEL NOSTRE SENYOR».

«Calpe, suelto, desgajado», *Años y Leguas*, Gabriel Miró.

No es la primera vez que se cuenta que una imagen religiosa exuda, pero vayamos al Calpe del s. XVI. El obispo de la Diócesis de Valencia, Juan de Ribera, regala a la iglesia de Calpe una imagen del crucificado proveniente de Italia. La talla era conocida como el Cristo de la Buena Muerte. El 13 de marzo de 1682, según la tradición, observan que la imagen suda copiosamente. Se limpia cuidadosamente y vuelve a sudar. Se vuelve a limpiar y de nuevo vuelve a sudar. La feligresía atónita. El Cristo ya no será el de la Buena Muerte sino el *Santissim Crist del Suor*. Y se le proclamó patrón de Calpe. El 13 de agosto de 1936 fue incendiada la iglesia y el Cristo. La imagen actual, de 1939, es de Mulet de Gata.

Las incursiones berberiscas

Calpe, como un portaviones avanzado sobre el mar, siempre estuvo en la mira de los piratas. Curiosamente sus dos grandes ataques procedentes de Argel se producen ya después de la expulsión de los moriscos, en 1637 y 1744, siglos XVII y XVIII.

«En el año 1637, a 3 días del mes de agosto, llegaron cinco galeras de 26 bancos de Argel cuyo corsario era Ali Puchili. Se llevaron cautivos a todos los vecinos».

La de 1744 fue más novelesca. Un ataque de piratas llamados por un habitante calpino, Moncófar, hijo de moros que hizo de quintocolumnista, el moro traidor. Lograron desembarcar a 800 piratas de 7 galeotes. Calpe, una ciudadela, tenía una sola puerta, el Portalet. Entonces, un muchacho, Caragol, se encomienda al *Santssim Crsit del Suor* y él solo logra cerrar la puerta y así se consiguió que los piratas no penetrasen en la ciudad. Es lo que ha quedado como el *Miracle del Santssim Crist de Suor*.

Talla antigua del Crist del Suor

Las fiestas de Moros y Cristianos en honor del *Santissim Crist del Suor*

En 1977, muy recientemente, un grupo de los calpinos se inventaron la fiesta de Moros y Cristianos en honor del *Santissim Crist del Suor*. En ella se mezclan, historia, leyendas, fervor, espectáculo y ganas de vivir y de divertirse. Las fiestas se han convertido en fantasía: pólvora, fuego, música. El Peñón al fondo, como si fuese un escenario mágico. Y varios son los actos principales: el desembarco, el desfile y la llegada a la Plaza Mayor, donde aparece el muchacho Caragol y se escenifica el *miracle* que conmemora la hazaña. Luego, la ofrenda de cirios al *Santissim Crist*. Y mientras en la iglesia recitan los Gozos al Santísimo Cristo, las comparsas de Moros y Cristianos, con letra de Ybarra Moreno, cantan un himno que quiere firmar la paz entre moros y cristianos.

«*Cantem units tots el calpins   el Nostre Santssim Crist de la Suor.*
La gesta gloriosa del Nostre Senyor.   Cristians i Moros son ara festers
La Vila salvá en actes divinis   Que junts gogem en temps de pau».

¡MOROS EN LA COSTA!

«Y armándose de ofensas y reparos/ Vino de "ronda" al puesto por la posta/ por ver si había **moros en la costa**». Lope de Vega. La Gatomaquia

«Hay moros en la costa», grito consigna de los soldados apostados en las torres-vigía. Durante casi seis siglos, las costas de la actual provincia de Alicante, 212 km, aunque también las del sur de la de Valencia, como Oliva o Gandía fueron atacadas repetidas veces por los piratas argelinos en busca, sobre todo, de rehenes par pedir luego por ellos altos rescates. Las primeras incursiones, a finales del XIII, eran del Reino Nazarí de Granada. Pero el verdadero peligro vino cuando el terrible Klair ed-Din Barbarroja, con ayuda de Constantinopla (*La Puerta*) fundó el Señorío (*Beylerbey*) de Argel. Este reinado duró casi un siglo, de 1516 a 1587, en que fue absorbido por Constantinopla. A sus órdenes actuaban los arráez, capitanes corsarios. Célebres fueron Dragut, Piali Pachá, Sanan Bajá, etc. Felipe II intentó defender las costas construyendo las torres-vigía, 22 en Alicante, además del Fuerte de Bernia.

Los cristianos piden auxilio al cielo

Desde Denia a Guardamar fueron atacadas Javea, Calpe, Benidorm, Villajoyosa, Playa de San Juan y también algunas del interior, como Benissa o Callosa d'en Sarrià. Sus habitantes, asustados, y no sin razón, acudieron al cielo. Y así, en Villajoyosa, nombraron patrona contra los piratas a Santa Marta, que tenía allí una ermita, Calpe invocaba al Santísimo Cristo del Suor y Callosa d'en Sarrià nombró patrona a una imagen profanada por los piratas; la Virgen de las Injurias.

Klair ed-din, Barbarroja

MARINA BAIXA. SANTOS CONTRA PIRATAS

La Marina Baixa o Baja, es una comarca separada de la Marina Alta por la Sierra de Bernia, perpendicular al mar. Tiene 66 km de costas con clima muy suave. En el interior, valles intrincados y clima continental. En esta comarca se encuentra la mayor altura de la provincia, la Sierra de Aitana.

Algunos conquistadores se quedaron a vivir en los castillos de Polop o de Guadalest ocupando, los mudéjares, los intrincados valles del interior. La costa estaba casi despoblada salvo alquerías sueltas y, por tanto, campo fácil para la entrada de la piratería berberisca. En 1.300 se crea la Vila como forta-leza cívico-militar.

Varias festividades patronales tienen que ver con el fenómeno de la pira-tería: La Vila, Callosa d'en Sarrià, Calpe, incluso la incorporación a las mis-mas de los Moros y Crsitianos, en La Vila se configura como un desembarco berberisco.

LA VILA JOJOSA. SANTA MARTA, *LA DEL POALET*

«SANTA MARTA LA VELLA, LA DEL PORTALET, QUE EMPONEABA LAS BALAS AMB UN POALET».

La Vila era, en el s. XIII, un lugar casi despoblado, salvo alguna alquería dispersa, como Torres. Conscientes del peligro de incursiones moras, primero procedentes del reino de Granada y luego de Argel, Jaime II dona el territorio a un militar, el almirante de la Corona de Aragón, Bernardo de Sarria, barón de Polop quien, en 1301, erige la Vila y concede Carta Puebla que se realiza con militares y cristianos viejos. En el mes de abril el municipio rememora la concesión de la Carta Pobla con un acto simbólico en el que cada año un vilero representa a Bernat de Sarrià.

La nueva Villa se fortifica con unas primeras murallas y vivió casi toda su historia defendiéndose de los piratas berberiscos. El ataque de 1538 daría lugar a sus fiestas patronales. Estos ataques fueron creciendo y Felipe II mandó realizar nuevas fortificaciones con murallas renacentistas. Se construye también la iglesia-fortaleza adosada a las murallas y se erigen 11 Torres-vigía en las costas: Torres del Aguiló, de Dalt, Xauxelles, del Xarco, etc.

Iglesia-Fortaleza de Nta. Sra. de la Asunción

La iglesia–fortaleza, Nta. Sra. de la Asunción, que no obstante su carácter defensivo se enmarca en el ojival tardío valenciano y en el renacentista. Su portada, del XVIII, es ya barroca, pero sencilla y sin recargos. La devoción a Nta. Sra. de la Asunción vino a estas tierras procedente de la Corona de Aragón, donde ya era muy venerada con mucha anterioridad a que se proclamara su dogma. A varias de las primitivas iglesias de la actual provincia de Alicante se les dio, entonces, esta titularidad.

En la Capilla de la Comunión, de 1740, está la imagen de su patrona, Santa Marta Peregrina. Lleva en una mano un cubo y en la otra un hisopo con la que venció al Dragón (la Tarasca), que simbolizaba al diablo y a los corsarios.

Los templos de La Vila sufrieron diversos saqueos: de los piratas y de las tropas francesas el 5 de febrero de 1812. Y los marxistas, en 1936, atacaron los símbolos tan queridos de sus tradiciones: asaltaron la iglesia, incendiaron retablos e imágenes, fundieron las campanas para material bélico y convirtieron la iglesia emblemática de Nta. Sra. de la Asunción en garaje.

Ataque pirata de 1538. Santa Marta salva a Villajoyosa con el cubo y el hisopo

En las fechas de este famoso ataque, la devoción a Santa Marta ya estaba presente en Villajoyosa, probablemente en alguna ermita. En el ataque pirata de 1538 dirigido por Zalle Arráez en la desembocadura del río Amadorio, los vileros acudieron a Santa Marta quien les salvó pues las balas y fuego de los piratas se estrellaban en el sencillo cubo de Marta.

> *«Santa Marta, la vella,*
> *La del Portalet,*
> *Que emponeava las balas*
> *Amb un poalet».*

Desde aquel día, los vileros proclamaron a Santa Marta patrona de su ciudad. En 1607 se funda en La Vila el convento-ermitorio de San Agustín por frailes de esta orden y se le da la titularidad de Convento de San Pedro y Santa Marta. Afectado el convento por la desamortización de Mendizábal, la imagen pasó a una capilla en la Parroquia de Nta. Sra. de la Asunción.

Pero Santa Marta no había terminado de hacer milagros: les salvó de la peste y les trajo el agua tan necesaria. El 8 de mayo de 1653, durante una sequía, lloró durante dos horas. Unas semanas más tarde llegó una misiva del rey Felipe IV que autorizaba la construcción del pantano de Relleu, que regaría la Huerta de La Vila. Este hecho quedó como Las Lágrimas de Santa Marta.

Las fiestas de La Vila. Desembarco de Moros y Día Grande de la patrona

Las Fiestas, del 24 al 29 de julio, honran a Santa Marta en su día grande y rememoran con gran realismo el ataque pirata de 1538. Curiosamente, después de Alcoi, fue la segunda que asoció, ya en 1753, las Fiestas de Moros y Cristianos a la festividad religiosa, pero en la modalidad de desembarco moro. Todo ese día es ambiente de guerra: 30 barcos piratas esperan en la

Santa Marta la vella, la del Portalet

bahía mientras las tropas cristianas se agitan por la ciudad. La noche es retumbar de cañones, arcabuces, pólvora, fuego. El momento álgido es la madrugada del 28 de julio, cuando centenares de moros desembarcan. La lucha es enconada, pero los moros logran subir y conquistar el castillo que, por la tarde, habrán de recuperar los cristianos. El día 29, ya todos más serenos, se celebra la procesión de Santa Marta portada por beduinos y cristianos, hechas las paces y en gloriosa armonía, lo que hace a las fiestas de la Vila muy vistosas y concurridas. Pocas localidades han logrado la asombrosa conjunción de historia, religión y espectáculo casi mágico en una cálida noche de verano de finales de julio.

Al final, el día Grande de la patrona. Después de la misa en la Parroquia de Nta. Sra. de la Asunción, procesión de la patrona por el casco antiguo, rememorando la batalla en sus mismas murallas, acompañada de reyes moros y cristianos. El caballero abanderado invita a los vileros y estos responden con el canto de los Gozos a Santa Marta

Gozos de La Vila a Santa Marta

«Cuando el bárbaro africano
abordó la vez primera
su armada nuestra ribera,
salióle su intento vano:
vuestro uuxilio soberano
defendió a Villajoyosa.
Pues sois tan milagrosa
y alcanzáis tanto de Dios,
amparadnos, siempre vos,
oh, Santa Marta Gloriosa».

Fiesta de las Lágrimas de Santa Marta

No quisieron los vileros dejar de celebrar este segundo milagro de Santa Marta, cuando, con sus lágrimas, logró que el rey Felipe IV se compadeciese y autorizase la construcción de un embalse para enviar agua a Villajoyosa. Se celebran en mayo, misa, procesión acompañada por 700 músicos y un gentío inmenso de 4000 personas. Y ofrenda de flores que se depositan en un inmenso *caleffall*.

La leyenda de Santa Marta. Vida e iconografía

Marta es una figura, diríamos, simpática, de los Evangelios. Mujer hebrea, casera, hacendosa y con un deje de quejica, de quejarse de todo: se queja de que su hermana no le ayuda, se queja de Jesús de no haber llegado antes para ver a su hermano aún con vida. Pero luego ha sido mujer de leyendas. La más conocida es la de Provenza, del s. XII. A esta región habrían venido los tres hermanos a predicar el Evangelio. Enterados de que en Tarascón (Provenza) había un Dragón llamado Tarasca, fueron allí y Marta, con el hisopo rociado en agua bendita, acabó con sus maleficios. Es más, sus habitantes afirman que el cuerpo de Marta descansa en Tarascón, en la cripta de la Colegiata de Santa Marta. Una iglesia de 1197 ampliada en los siglos XIV y XV.

Marta ha sido muy venerada y, por tanto, muy reproducida en el arte, tanto en la Iglesia ortodoxa con iconos, como en la católica, aunque generalmente en escenas con su hermana María o en la *Resurrección de Lázaro*. *Marta y María*, de Caravaggio, es un cuadro de una gran belleza. Pero quizá ningún como el de Velázquez que, con su gran realismo, pinta un cuadro, género-bodegón, donde refleja la escena de Marta en la cocina: una doncella con un almirez, dos platos con huevos, 4 pescados, un jarro y una guindilla. Muy alejada, al fondo (superposición que nos recuerda a *Las Meninas*), otra escena bien distinta, María, despreocupada y en animosa charla.

VALLE DE GUADALEST

Valle y Castillo de Guadalest. En el *Llibre de Repartiments* aparece como *Godalest*. Estratégicamente situado en la entrada del Valle del río Guadalest, entre la Serrella, al norte, y al sur, la Sierra de Aitana. Enlazaba con una red de catillos interiores del valle: Torre del Peñón. Castell de Alcalá y Castell de Confrides. Había hasta 16 alquerías de las que solo quedaron, al final: Guadalest, Benimantell, Benifato, Beniardá, Abdet y Confrides. El valle se lo repartió el marquesado de Castell de Guadalest y, en occidente, más humilde, la baronía de Confrides con solo tres alquerías.

En el Castell de Guadalest, donde quedaron algunos conquistadores, se estableció la primea parroquia que atendía, teóricamente, a todo el valle, hasta que se crearon tres nuevas parroquias de moriscos. En 1936 todas las iglesias del valle fueron asaltadas e incendiados altares e imágenes.

CASTELL DE GUADALEST. LA VIRGEN DE LA CAMA

«AL CIELO SUBÍS, MARIA, DE ÁNGELES CORONADA».

Ascendemos desde Polop a Castell de Guadalest y a 590 m de altitud, sobre unos peñascos, los restos del impresionante castillo árabe del s. XI y, a su derecha, una solitaria torre blanca, sin iglesia, pero con campanas. Este castillo fue conquistado en 1248. Recibió, luego, el nombre de Castillo del Rey y Castillo de San José. Era un recinto amurallado, torres rectangulares y anillo de baluarte. En 1293, Jaume II se lo dona, con todo el territorio, al almirante Bernat de Sarrià. Dentro del castillo se habilitaron varias viviendas para cristianos viejos, mientras el resto del valle seguía con mudéjares. En 1519 llegaron al valle los *agermanats* obligando a los moriscos a bautizarse. En 1543 Carlos V concede a los Cardona el título de marqueses de Guadalest. En 1609 queda despoblado y en 1611 recibe Carta Puebla.

Dos terremotos, 1644 y 1746 y dinamita en la Guerra de Sucesión, 1706, lo dijeron en este lamentable estado. En 1699, después del primer terremoto, los Orduña quedaron como alcaldes perpetuos de Guadalest.

La iglesia de N. Sra. de la Asunción (la Virgen de la Cama)

¿Fueron los aragoneses, muy devotos de la Virgen de la Cama, que acompañaron a Jaume I en la conquista y reparto, quienes trajeron esta devoción tan genuina y extendida en Aragón?

La primera parroquia estuvo dentro del propio castillo y atendía, teóricamente, a todo el Valle. En Castell se construyó una primitiva iglesia en 1369 de la que habla el patriarca Ribera y que atendía a 16 alquerías. Luego se desmembraron, para el Valle, tres rectorías de moriscos. Del retablo de esta primitiva iglesia queda una hermosa tabla de 1527 del maestro de Alzira, que representa *La Dormición de la Virgen* y que corresponde a la tipología aragonesa *La cama de la Virgen*. María, ricamente vestida y recostada sobre un lecho. En 1743 se construyó una nueva iglesia, barroca, atribuida a José Sierra.

Castell de Guadalest. La Virgen de la cama

En 1936 fueron destruidas la iglesia y la imagen procesional de la Dormición de la Virgen. La iglesia actual es un templo pequeño, de una sola nave. Y la actual imagen procesional, realizad en 1962, es una copia de la anterior.

Fiestas patronales

Las fiestas patronales en honor de Nta. Sra. de la Asunción se celebran en agosto. Primero se traslada la Dormición desde la Casa Orduña, donde está depositada todo el año, hasta la parroquia. Allí se realiza el 2.º día la ofrenda de flores. El 3.º, la misa solemne y el 4.º, al anochecer y acompañada por todos los vecinos con velas encendidas, se realiza la procesión de Las Dormiciones. La Virgen va en la llamada Cama Ceremonial. El paso de esta procesión, al anochecer, entre peñascos, resulta un espectáculo de religiosidad y simbolismo y lleno de emoción. Y se vuelve la imagen a la Casa Orduña donde quedará depositada hasta el año siguiente. En ese momento la gente canta con fervor los

Gozos de Castell de Guadalest a la Virgen de la Asunción

«Al cielo subís, María,
de ángeles rodeada.
Del padre sois coronada
con júbilo y alegría.
Tal fiesta dan este día

a vuestra gran majestad,
pues que hoy subís al cielo,
viren con gran majestad.
Enviad a los del suelo,
paz, amor y caridad».

Desde la *Koinesis* a La Virgen de la Cama

La Asunción de la Virgen, la gran fiesta del verano, 15 de agosto, era como un respiro en las duras labores de la recolección. Volteaban las campanas de casi todos los pueblos de España. Una modalidad o representación iconográfica de la Virgen Asunta o transportada a los cielos es la de la Dormición de María. Comienza esta devoción en el s. IV en la Iglesia de Oriente con el nombre de *Koinesis,* dormición o sueño de la muerte. En occidente, Alemania, Flandes, Francia, en los siglos XI–XII se realizan retablos de la Dormición en algunas catedrales y abadías. Jaume I trajo esta devoción a la Corona de Aragón. Posiblemente existía en Montpellier, donde él vivió su juventud.

En Aragón se extiende pronto el culto a la Dormición, pero a la que los aragoneses denominaron, vírgenes de la cama. En efecto, ricamente vestida, María se recuesta en una cama procesional, portada por las calles el día 15 de agosto. Calatayud, Atea, Castejón de Araba, Paracuellos de Jiloca, Morata de Jiloca, Aranda de Moncayo, Olvés, Acered, etc., etc. También se hicieron retablos de la Dormición en Cataluña, Mallorca y Valencia. La catedral de la capital del Turia figura como la primera en procesionar, en 1378, el catafalco con la imagen de la Virgen Dormida. Y 39 parroquias del Reino de Valencia tienen, desde la Edad Media, como patrona a la Asunción. De la provincia de Alicante, Denia, Pego, Cocentaina, Guadalest, Penáguila, Gorga, Planes.

¿Llegaron los moriscos de Guadalest a respetar esta devoción de La Dormición? El Corán, que siente una gran devoción por María, no hace referencia alguna a su posible subida al cielo, aunque pudiera interpretarse que está latente cuando, en Cr. 3.42, dice: «¡Oh, María! Ora ante tu Señor, póstrate e inclínate con los que se inclinan».

Tal entusiasmo popular tenía la Asunción de María a los cielos en el pueblo, que los grandes artistas lo plasmaron en sus obras, en retablos y esculturas en las catedrales e iglesias. Y de los grandes pintores asiduos a este tema podemos contemplar sus obras en las grandes pinacotecas: unos la dibujan como Asunta, transportada: Francesco Botticini (National Gallery), Valdés Leal; (Museo de Prado), Carraci; Tiziano (Venecia), El Greco (Toledo, Monasterio de Santa Cruz), Pussin, (Louvre), Rubens. (Amberes). En Valencia, en los Santos Juanes, Gil de Mena.

En la modalidad de La Dormición a la que pertenece la de Castell de Guadalest, podemos quedarnos con los cuadros, el de Caravaggio, en el Louvre, el de Mantegna en el Prado. La *Morte de la Virgine*, de Caravaggio, es un cuadro que se ilumina de manera tenebrista. La luz cae en diagonal desde el cielo sobre la sombra de la mortalidad. En el Prado, el impresionante cuadro de Correa de Vivar, con una María agonizante rodeada de los apóstoles. Y como buen manierista no falta en la escena de un moribundo el bodegón y los membrillos sobre una bandeja de plata. En la Comunidad Valenciana, el *Tránsito de la Virgen* de Vicente Maçip en el Museo Catedralicio de Segorbe. Por último, a Eugenio D'Ors le impresionó la obra. *El Tránsito de la Virgen*, de Mantenga y escribe en *Tres horas en el Museo del Prado*: «De fervientes del arte sé que si un día el fuego debiese consumir todo este museo y estuviese en sus manos salvar una obra nada más, no vacilarían y se precipitarían hacia el Mantegna».

BARONÍA DE POLOP

El nombre de Polop lo tomó la baronía (primero fue señorío) del Castillo de Polop hacia 1457 con la familia Fatardo. Era extenso, limitado por los ríos Guadalest y Algar, e incluyendo las playas de Alfaz y Benidorm. Comprendía **Polop, Chirles, La Nucía, Alfaz del Pi** y el despoblado **Benidorm.**

POLOP. FRANCISCO DE ASÍS. EL HERMANO SOL Y LA HERMANA LUNA

«DANOS, FRANCISCO, LA MANO PAR IMITAR VUESTRA VIDA».

La leyenda del Cid en Polop

Polop, palabra de origen latino, anterior a los árabes, *populetum*, bosque de álamos. Antes de que lo conquistase Jaume I, en 1089 pasó por aquí Rodrigo Díaz de Vivar, el Cid Campeador. Y, como siempre, envuelto entre la historia y la leyenda. Era su segundo destierro. Pasó las Navidades en Elche y desde allí se dirigió a la Taifa de Denia empezando por Polop, a la que saqueó. Y una leyenda dice que el padre moro de una bella muchacha, Zalema, le pidió la protegiese del acoso de las tropas cristianas. Pero el padre de Zalema fue encontrado muerto con una daga en el pecho. El Cid, contrariado, no quiso dormir en el santuario y lo hizo en una cueva que luego llamarían La Cueva del Cid.

El castillo

Las árabes, a inicios del XII, construyeron un importante castillo sobre un cerro, en el actual Camini del Calvari. Conquistado por Jaume I, en un alarde diplomático se lo cede a un sobrino de Al-Azrac: *«I donaren Polop a un nebot seu que el tingues durante la seua vida, i aixó per tancar el pacte entre nós i ell»*.

Tenía doble recinto y se conservan parte de las murallas, aljibe y ruinas de una torre cuadrada. Según el historiador Escolano: «El castillo era fuerte de sitio y bueno de fábrica en lo antiguo, teniendo por guarda los cristianos que habitan en él».

Baronía de Polop. La masacre de los *agermanats*

«¡MUERAN, MUERAN! Y ASÍ, EN XVIII DE AGOSTO FUERON DEGOLLADOS MAS DE DCCC BAUTIZADOS».

El castillo pasó por varias manos hasta que en 1430 se convirtió en el centro de la baronía de Polop en manos de Rodrigo Díaz de Mendoza. Los límites de esta baronía eran los ríos Guadalest y Algar y, respetando La Vila, llegaban hasta las playas despobladas de Benidorm y Albir. En 1456, la baronía paso a los Fajardo.

El castillo fue habitado por los señores y por un grupo de cristianos viejos. Los moros quedaron en los alrededores pagando sus impuestos y suministrando bienes agrícolas al castillo. Fue una simbiosis aceptada y, en cierto modo, armónica. Pero en 1521, grupos de *agermanats* recorrieron el *reyno*. Según el historiador Vicena, contemporáneo de los hechos, en 1521 llegaron a Polop.

«Otro dia llegaron a Polop donde había en el castillo algunos cristianos y muchos agarenos con sus mugeres e hijos. Vicent Peris mandó a los cristianos que le entregasen el castillo y a los agarenos que se bautizasen y pues no quisieron obedecer plantó la artillería y batió la tierra muy reciamente quatro día. Concluydo el negocio los agarenos fueron bautizados y hechos cristianos ¡Mueran, mueran! Y ansi, a XVIII de agosto fueron degollados mas de DCCC bautizados y tomaron el rico despojo que codiciaban los matadores».

Iglesia de San Pedro apóstol y ermita de la Divina Aurora

La parroquia estaba en un principio en el interior del castillo, donde se celebraba el culto y el Patriarca Ribera consiguió que también allí estuviese la casa abadía. Luego se construyó la primitiva iglesia ya dedicada a San Pedro apóstol, pero en 1706 se inició una nueva, bendecida en 1723. Pero los polopinos dejaron a San Pedro todo serio, con sus llaves allá arriba, en el altar y en una hornacina, quizá porque les infundía demasiado respeto y nombraron patrón de Polop, posiblemente por influjo de alguna misión realizada por los franciscanos o por ser la devoción de algún barón de Polop, a un santo más popular, San Francisco de Asís.

Fiestas patronales en honor de San Francisco de Asís

Las Fiestas patronales, descartado ya el titular de la iglesia, San Pedro, se celebran a primeros de octubre en honor de San Francisco de Asís. Pero sin olvidar a la Mare de Déu dels Dolors y a la Divina Aurora. A cada uno se dedica un día con misa y procesión. La Divina Aurora, copatrona muy venerada, tiene también una pequeña ermita en el cerro, donde los auroros de la Cofradía del Rosario, al amanecer, llenaban Polop con sus Cantos de Aurora. Fue totalmente destruida en 1936 y restituida después de la Guerra Civil.

Goigs a Sant Francesc d'Assisi

«Dadnos, Francisco, la mano
para imitar vuestra vida
siendo herido, padre fiel,
en manos, pies y costado
de Cristo crucificado.

Hacéis un vivo papel
y pues sois a la de aquel,
imagen tan parecida.
Danos, Francisco, la mano
para imitar vuestra vida.

San Francisco de Asís

San Francisco de Asís es uno de los santos más cercano al pueblo. Ideó el primer belén viviente en una cueva. Fue a Egipto con intención de convertir a los musulmanes a la fe cristiana y fracasó. La tradición dice que recibió los estigmas de Jesús crucificado, llagas en los pies, las manos y el costado e inventó el *Canto al Sol* o *Alabanza de las Criaturas*.

Canto al hermano Sol o Alabanza de las Criaturas

«Loado, seas, mi Señor, con todas tus criaturas,
especialmente el señor hermano Sol.
El cual, día y noche nos calienta.
Loado seas, Señor, por la hermana luna y las estrellas.
En el cielo las has formado luminosas, preciosas y bellas.
Loado seas, Señor, por el humano viento
y por el aire y el nublado y el sereno y todo tiempo».

Iconografía de San Francisco de Asís

Como santo tan popular ha posado mentalmente tanto para pintores como para escultores. Y mientras Giotto le representa sin barba, con una cierta ingenuidad, los pintores del Barroco, españoles o italianos, como Orazio Boegiannile, dejan crecer su barba. Y, a la vez, con frecuencia le representan en una especie de éxtasis visionario: Murillo, El Greco, Mateo Cerezo o Francisco Ribalta con su *Abrazo de San Francisco de Asís al Crucificado*. Y como no, los grandes escultores, Gregorio Fernández o Pedro de Mena le dan vida en la madera.

LA NUCÍA

EL ARCÁNGEL PEREGRINO

(La) Nucía, del árabe, *Naziha,* hermosa. Alquería mora englutida por la baronía de Polop careció de independencia tanto administrativa como parroquial hasta 1704.

Iglesia de la Inmaculada Concepción

La Nucía careció de parroquia en los primeros tiempos y si alguno quería asistir a los cultos debía acercarse a Polop a más de media legua de distancia.

Pero en el momento de su segregación contaba ya con una iglesia sencilla. A finales del XVIII se comenzó la actual, construida en dos fases: 1761-72 y 1854-58, estilo Renacentista, y se dedicó a la Inmaculada Concepción. La torre, de 1913, en principio estaba separada (exenta), a la que luego se unió con un arco.

Existía, desde antiguo, una pequeña ermita dedicada a San Rafael destruida en la guerra de 1936. Una segunda se cambió de lugar por las obras de la carretera. En esta ermita estaba la imagen de San Rafael, que también fue destruida en 1936. La actual, de 1944, es obra del imaginero José M.ª Ponsada y representa a un arcángel peregrino compostelano: bordón, zurrón, capa, sombrero y con un pescado en su mano izquierda.

Fiestas cívico-religiosas. El santísimo y el arcángel peregrino

Sus Fiestas celebran su segregación, tanto al adquirir carta puebla de municipio independiente, como religiosa al crearse parroquia propia segregada de la de Polop. La creación de un iglesia nueva denominada Dedicación exigía entonces que fuese llevado el Santísimo Sacramento y así se hizo desde Polop. La fiesta de la Nucía es doble: histórica, la independencia, y religiosa, la Fiesta de la Dedicación de su nueva iglesia.

El que se asocie al arcángel San Rafael a esta fiesta responde a que ya existía una ermita con su imagen y su devoción había calado en los naceros. Un arcángel que deja de deambular por los espacios siderales y peregrina, «a pie de tierra, con los simples mortales». Un arcángel que los lleva desde el desierto hasta la tierra prometida, *Naziha,* el lugar delicioso donde emana leche y miel.

Las fiestas, del 16 al 18 de noviembre, el primer dia se celebra la Fiesta del Santísimo Sacramento; el segundo, día de San Rafael, en su ermita se produce la apoteosis con la subasta de las andas. Allí se celebran los cultos religiosos y se vuelve la imagen, en volandas, a la *Capelleta* a ritmo de tracas.

Gozos de la Nucía a San Rafael

«Pues el Todopoderoso
En vos nuestra salud fía,
Rafael, al que en vos confía.
Dadle salud y reposo.
Si un viaje con temor
emprende el joven Tobías,
vos, con nombre de Azarías,
le dais constancia y valor.
En vos halla el santo mozo
fortaleza y compañía».

ALFAZ DEL PI. EL CRISTO QUE VIAJA EN VELERO

«POR VUESTRA SANTA MORADA PARA ALFAS, AFORTUNADA».

Al-fahs, campo fértil. Pertenecía a la baronía de Polop. Estuvo despoblada por miedo a las incursiones piratas. Solo estaba la Torre Bombarda y el Faro de Punta Albir. La baronesa Beatriz Fajardo realizó un sistema de canalización y de riego, *Rieg Maior d'Alfás,* aprovechando las aguas del río Ponoig y, en seguida, surgieron a su vera molinos harineros, fuentes y lavaderos. Y fue creándose el primer núcleo de población a 3 km del mar, pero seguía llamándose Alfàs de Polop. En 1726 se consideraron ya mayores de edad y, para reivindicar la independencia, plantaron en la plaza un pino, algo así como su Árbol de Guernica. Desde entonces comenzó a llamarse Alfàs del Pi. La independencia no la consiguieron hasta 1786 y desde entonces se han plantado 7 pinos.

De la iglesia de San José al Santísimo Cristo del Buen Acierto
Hubo una ermita y, sobre ella, en 1784, se construye una iglesia dedicada a San José, a la que se conocía como iglesia de Alfàs de Polop. Su patrono era San José, pero pronto las circunstancias hicieron cambiar el rumbo.

En Valencia, con motivo de la Desamortización de 1835, muchas iglesias quedaron desmanteladas. La imagen del Cristo del Buen Acierro del Convento del Remedio de Valencia fue a parar a manos de D.ª Josefina Enjuanes Franesqui, quien la dejó en testamento a su confesor, el carmelita Pascual Baldó, oriundo de Alfàs del Pi. Él quiso mandar la imagen a Alfàs, pero con el deseo de que llegase con todos los privilegios eclesiásticos. Por eso escribió al papa Pío IX para que con jubileos e indulgencias diera más realce a la presencia de la imagen del Cristo en Alfàs. El traslado desde Valencia se hizo el 26 de marzo de 1857 en un barco velero y la fe y entusiasmo que pusieron en la venida los alfasinos fue como el viento que empujó a las velas. La llegada fue apoteósica y San José quedaba relegado a papel secundario. La talla barroca, de belleza artística, del Santssim Crist del Bon Acert, invitaba, además, a la devoción y al amor.

Desgraciadamente, la iglesia fue incendiada en 1936 y la imagen también ardió. Terminada la contienda se encargó otra al escultor valenciano Pío Mollar y el 9 de diciembre de 1939 ya estaba en camino de Alfàs, de nuevo en velero.

Fiestas Patronales Gozos al Santssim Crsit del Bon Acert
Son eminentemente religiosas aunque participan la peñas, las bandas y las damas y reinas. Y en la *Despertà*, la *xirimita* y el *tabalet*. Y hay ofrenda

de flores al Cristo. El día grande, misa y emotiva procesión con la imagen de su amado Cristo al que al final cantan los Gozos de Alfàs en honor de su Cristo del Bon Acert.

«En este inmenso desierto
de peligros sin igual,
santo Cristo del Acierto.
Sed nuestro Padre inmortal
cuando este pueblo escogiste

por vuestra santa morada
para Alfàs, afortunada.
Las puertas del cielo abriste,
pues sus almas redimiste
con cardad sin igual».

La devoción al Cristo del Buen Acierto en Valencia

Podríamos pensar que este nombre, «Buen Acierto», se lo habrían inventado los alfasinos como un jeroglífico. Per no, el Cristo ya venía de Valencia con ese nombre, cuyo origen puede ser una incógnita. El significado etimológico, de latín *certus*, cierto, indica seguridad, certeza de que hemos acertado en elegir el buen camino, en este caso al haber elegido a Jesús, Hijo de Dios, como maestro y guía.

Lo curioso que esta advocación no la encontremos en otros sitios salvo en Valencia, concretamente en el barrio marinero del Canyameler, en la parroquia de Nta. Sra. del Rosario, donde existe una capilla con altar dedicado al Santísimo Cristo del Buen Acierto, acompañado de las Marías. La antigua imagen también fue destruida en 1936 y la actual, de 1942, pertenece al escultor Inocencio Cueto. Existe allí la Hermandad de Vestas del Cristo del Buen Acierto y su procesión en la Semana Santa Marinera de Valencia es de las más impresionantes y fervorosas.

BENIDORM. DE VIRGEN DEL NAUFRAGIO A VIRGEN DEL SUFRAGIO

«NUESTROS PADRES PRESENCIARON VUESTRO ARRIBO EN UN BAJEL».

Benidorm ni siquiera es citado en el *Llibre dels Fets* de Jaume I. Luego fue un pequeño poblado de pescadores, con un simple castillo de defensa, siempre amenazado por los piratas berberiscos de Argel. Al menos en 3 ocasiones desembarcaron: En mayo de 1410 lo hacen 4 embarcaciones, llevándose cautivos. Y en 1448 y en 1502.

Amortiguado el efecto de la piratería, Benidorm, la pequeña población, sigue con su actividad pesquera causa de su crecimiento de población: de 216 habitantes en 1715 a 2 700 al fin de ese siglo.

El turismo de Benidorm comenzó en 1893 con un folleto «Baños de la Virgen del Sufragio» y con el tren botijo que venía de Madrid los fines de semana hacia Alicante y Benidorm. En principio era un turismo curativo, de aguas que consideraban casi termales. Y el *boom*, el turismo de masas, la ciudad vertical comienza en 1956. Se promociona hábilmente entre otras cosas con el Festival de la Canción de Benidorm en 1968. Pronto se convierte en el Manhattan de España, la de los rascacielos más altos, la ciudad 3.ª en plazas hoteleras de toda España. En 2017 la población censada era de 66 837 habitantes, que en verano subía a 400 000.

La Virgen del Sufragio

Al principio los benidormenses la llamaban *Mare de Déu del Naufragi,* pero el arzobispado de Valencia lo cambió por Virgen del Sufragio. Y todo empezó el 15 de marzo de 1740 ¿Historia o también leyenda? En 1965 apareció un documento en el Archivo General de Simancas que corroboraba el hecho. Un barco a la deriva por una grave tempestad llega a la Playa de Poniente y encalla. Las autoridades, por miedo a que sea portador de virus de epidemias lo mandan incendiar. Pero entre las cenizas, los muchachos encuentran una imagen de madera de la Virgen con el Niño, perteneciente al mascarón de proa del barco. Se había salvado inexplicablemente del incendio.

Se lleva a la iglesia y crece y crece su devoción. El 2 de enero de 1926 Pío IX la declara patrona de Benidorm. Y en la Guerra Civil fue de las pocas imágenes patronales que se salvaron de la quema. Escondida en una casa, eso sí, la corona y las joyas se entregaron para sufragar la guerra, en el bando del Frente Popular.

Las fiestas patronales

Su fiesta de la fecha histórica del hallazgo, marzo, se cambió a noviembre cuando volvían los pescadores de la pesca de la almadraba. Y no quiso se contagiarse con fiestas cívicas, dejándola pura y primitiva, ya que por si tenía suficiente entidad, y llevando la Fiesta de Moros y Cristianos al 7 de octubre, asociándolas a la festividad de la Virgen del Rosario. La fiesta patronal tiene su pureza y encanto. Se celebra el *Dia de les Penyes* que son las que llevan el peso de la organización de las Fiestas. Se escenifica el hallazgo en la Playa de Poniente con una obra de Pere María Orts: *Arribada d'una imatge de la Verge a Benidorm,* se traslada a al iglesia de Sant Jaume y, a la entrada, se cantan con dulzaina les «*copletes*». Fiesta pura, tradición pura.

«Virgen santa del Sufragio,
nuestra patrona serás
y en Benidorm, como madre,
tú por siempre reinarás.
Nuestros padres presenciaron
vuestro arribe en un bajel,
no habiendo encontrado en él
los náufragos que buscaron.
Así fue que sospecharon
hallar peste en la arribada.
Por tu imagen venerada,
Benidorm en ti confía.
Protégenos, Virgen Pía,
del Sufragio intitulada».

Benidorm. Virgen del Sufragio

CALLOSA D'EN SARRIÀ. LA IMAGEN INJURIADA POR LOS PIRATAS

«INJURIAS QUE A VOS FUERON POR LABIOS PECADORES».

Callosa, etimológicamente «tierra dura y seca». Tanto en época mora como cristiana, fue la localidad más importante del interior de la Marina Baixa. Después de la conquista fue entregada al almirante Bernardo de Sarriá, de ahí su nombre, *d'en Sarrià*. Y cuenta la tradición que Jaume I regaló una imagen de la Virgen para la que el almirante construyó una pequeña iglesia. La población callosina, en tiempos del patriarca Ribera, era mixta, 26 casas de cristianos viejos y 50 de moriscos. En todo este tiempo se produjeron numerosas incursiones de piratas berberiscos. Callosa d'en Sarrià se convirtió, a pesar de estar a 10 km de la costa, en objetivo de los mismos, en 1467,1526, 1581 y 1584.

Iglesia de San Juan Bautista y Capilla de la Virgen de la Injurias
La parroquia se desmembró de Polop en 1538 como rectoría de moriscos. Su titular, San Juan Bautista. La actual, edificada sobre la primera es de finales del XVIII. La capilla de la Virgen de las Injurias está en el centro del pueblo. Primero fue la casa donde estuvo guardada la imagen durante 137 años, hasta 1721. Convertida en capilla, últimamente por su mal estado se derribó, se construyeron viviendas y en la primera planta quedó la capilla.

La Virgen Injuriada
Pero lo que ha quedado como histórico, aunque no falten elementos legendarios, es la incursión pirata de 1584. «Bajando algunos moriscos de los lugares, guiaron a los piratas que serian un millar, por caminos encubiertos, al lugar de Callosa, subiendo con ellos el Gobernador de Argel. Se retiraron con el botín llevándose la imagen de la Virgen que entonces se denominaba Señora del Remedio y ya en el campo, fue pisoteada y mutilada. Salió en su persecución el capitán Briones, con callosinos y murió en el combate». La imagen mutilada fue depositada en casa de su viuda, donde permaneció 137 años, hasta 1721 en que aparece un fraile franciscano, Fray Pablo de Valencia, para crear un convento. Y solicita para el mismo la imagen de la Virgen. Pero al estar tan deteriorada, la envía a Valencia para ser reparada por el escultor Mosen Pedro Bas. Y fue este quien, al verla en tal estado, la denominó Virgen de las Injurias.

Virgen de las Injurias. Callosa d'en Sarrià

En 1855, con motivo de una epidemia, es proclamada Patrona de Callosa. Y justo desde 1860 se celebra una de las más antiguas fiestas en que a lo religioso se unen las *Filaes* de Moros y Cristianos, que se encargan, desde entonces, de organizar la Fiesta en honor de la Virgen de las Injurias. En 1936 la imagen es quemada y en 1939 se encarga una nueva al escultor José de Ponsoda. Y en 1954 la imagen recibe la coronación pontificia.

Himno a la Virgen de las Injurias

«Unidas nuestras voces,
borrar todos queremos
injurias que a Vos fueron
por labios pecadores.

Y tengan las palabras
aromas de las flores
que para nuestra Virgen
en el jardín nacieron».

Fiestas de Moros y Cristianos en honor a la Virgen de las Injurias.

Mes de octubre. Son de las más importantes de la provincia, no solo por su antigüedad, sino también por su vistosidad y peculiaridad. Comienzan con La *Arrancá* de *dolçaines i tabalets*. Luego, concursos de bailes moros y cristianos. En la Entrada Cristiana desfilan nanos, pastoretes y caballeros medievales. La Entrada Mora se distingue por el brillo de sus metales y sus grandes abalorios. Peculiares son los bailes de los nanos y pastoretes que acompañan a la procesión.

ALTEA. EL CRISTO RESCATADO DE LOS PIRATAS

«¡OH, ALTEA, DICHOSO PUEBLO / QUE TAL FORTUNA HAS LO-GRADO DE PODER VER COLOCADA / ESTA IMAGEN EN TU TEMPLO!».

Del griego *althaia* (curar) o del árabe atalaya (altura). En el Tratado de Almizra, Altea cayó del lado de la Corona de Aragón *(Llibre dels Fets*, 349). Altea es la estampa más viva del turismo de la Costa Blanca. Mar azul a sus pies, subidas suaves entre casas encaladas, y arriba, La Campana del Mediterráneo, los mejores miradores del mismo. Y junto a las calles del antiguo pueblo, *El Raval del Fornet*, en medio de la Plaza, la iglesia de Nta. Sra. de la Consuelo o de la Consolación, con sus dos cúpulas emblemáticas. La actual iglesia es de 1901, ecléctica, con retoques barrocos y conjuntos escultóricos policromados. Sustituye a otra renacentista de 1617, que en 1893 hubo de ser derruida, pues amenazaba ruina. Y en esta iglesia está la Capilla del Santísimo Cristo del Sagrario, patrón de Altea.

La iglesia fue asaltada en 1936, quemadas sus capillas, altares, imágenes, bancos, campanas. Primero fue cárcel-checa. En 1937 figuraba, con falta ortográfica, un rótulo en la iglesia, «Ospital Sangrante». Después de la guerra hubo que restablecerlo todo. La nueva imagen del Smo. Cristo se talló en Valencia en 1941. Pero a pesar del marxismo incendiario, Altea cantó siempre los Gozos a su Santísimo Cristo del Sagrario:

«¡Oh, Altea! dichoso pueblo
que tal fortuna has logrado
de poder ver colocada
esta imagen en tu templo.
Acude muy humillado
si hallar quieres consuelo».

Santísimo Cristo del Sagrario. La leyenda y las fiestas patronales

Si pasear por Altea es una delicia, no lo es menos pasear por su historia (o leyenda) por el origen de su fiesta patronal. Acaeció hace 400 años. Los piratas en Argel están a punto de echar al fuego una gran imagen del crucificado que habrían robado en sus rapiñas mediterráneas. Pero allí, en Argel, un marinero alteano, conmovido, se ofrece a pagar su peso en oro a cambio de que se lo entreguen. Y ahí viene el milagro. Puesta la gran cruz en un plato de la balanza, a la tercera moneda que se depositó en la otra, el peso se equilibró y el arráez argelino no tuvo más remedio que cumplir su palabra y entregarle la imagen.

Las fiestas se celebran del 21 al 25 de septiembre, en honor del Smo. Cristo del Sagrario y de San Blas. En 1978 se añadieron las fiestas de Moros y Cristianos. Se escenifica la llegada de la imagen por mar en un barco hasta la playa. Luego las Fiestas, la «*Entrà de la Murta*», la entrada de las bandas, las Embajadas. Para acabar, el 25 con la misa y la procesión por el casco antiguo.

El crucificado en el arte

Sería imposible analizar la estética de los miles y miles de cuadros, de tallas, que los artistas han dedicado al Cristo crucificado. Quedémonos con el *Cristo* de Velázquez, que para Eugenio D'Ors (*Tres horas en el Museo del Prado*), ni tiene la fealdad de los del Greco ni la belleza goyesca.

«Es la dignidad suprema, por lo sobrio, por lo humano, por la admirable ausencia de fealdad humana y por su divina belleza. Pues el cuerpo no es tan feo como lo pintara el Greco ni tan bello como lo sea el goyesco».

Y Unamuno, en su profundidad y angustia existencial, dedica un larguísimo poema al Cristo velazqueño:

«¿En qué piensas, tú, muerto, Cristo mío?
¿Por qué en velo de cerrada noche
de tu abundante cabellera negra
de Nazareno, cae sobre tu frente?».

FINESTRAT. EL SANTO CRISTO DEL REMEI

«ERIGIÓ CON EMOCIÓN, VUESTRA IMAGEN FINESTRAT».

Finestrat, «mar y montaña». Recostado en el mítico Puig Campana, con sus 1410 m de altura y reflejado en el mar. Finestrat aparece como un mojón en la línea divisoria del Tratado de Almizra. (349). Su castillo, conquistado por Jaume I, cayó de nuevo en manos árabes y Jaume I hubo de conquistarlo por segunda vez. «*L'alcaid Abrahim s'havia alçat, i que havia bastit un castell que nós havíem enderrecot ja feia temps, el qual s'anomena Serra de Finestrat»* (*Llibre dels Fets*, 555). Del castillo almohade, en la zona alta, solo quedan restos. Finestrat, como toda la zona, fue donada al almirante Bernat de Sarrià. Además del castillo, junto a la alquería, construyeron una torre defensiva. El castillo, al principio, fue habitado por 9 familias de cristianos viejos.

Iglesia de San Bartolomé y ermita del Santísimo Cristo del Remedio

La primera iglesia ya funcionaba en 1336 dentro del castillo y estaba dedicada a San Dimas y a San Nicolás. De esta parroquia dependió, hasta su desmembración, la de Relleu. A finales del XVI el patriarca mandó construir en los arrabales una rectoría para mriscos. En 1700 ya expulsados los moriscos se inicia, fuera del recinto amurallado, la construcción de una nueva iglesia que sería terminada y bendecida el 24 de agosto de 1752, pero ya dedicada a San Bartolomé. En 1936 ardió la iglesia y el retablo de madera del s. XVIII siendo dedicada a almacén de abastos.

A su vez, los finistrenses habían construido en 1925, en la ladera, un viacrucis cuya última estación, ya en lo alto, era una ermita dedicada a Cristo crucificado al que denominaron Santissim Crist del Remei. Y el pueblo de Finestrat compartió su gran devoción a Sant Bartomeu y al Santissim Crist del Remei conjuntamente.

Fiestas patronales

Las fiestas patronales, tal como son hoy, tienen mas de 100 años y se celebran en torno al 24 de agosto, día de San Bartolomé. Y combinan las fiestas religiosas con actos festivos tradicionales, como la pilota valencia. Comienzan con la *Vesprà* y la *arreplegà de barraques* y mucha pólvora. El momento culminante del primer día es la Bajada del Cristo desde su ermita a la iglesia. Allí se realiza la ofrenda de flores a los dos patronos. El día 24, San Bartolomé, misa y procesión. Y luego subida del Cristo a su ermita. Se acaban los actos religiosos cantando con entusiasmo los Gozos a sus dos patronos.

Gozos al Sm. Crist del Remei

«Pues sois del hombre remedio,
nuestras penas aliviad.
Remedio, Señor, pedimos
en toda necesidad.
La piedad y devoción
hacia vos, suma bondad
erigió con emoción
vuestra imagen Finestrat
Modelo de perfección,
camino de santidad».

ORXETA, ENCOMIENDA DE SANTIAGO

Castillo musulmán de Orxeta

L'Orxeta, al sur de la Sierra de Aitana. Tierra accidentada entre las Sierras de Orxeta y Relleu y el río Sella, que vierte sus aguas en el Pantano del Amadorio. Situado en un promontorio rocoso a 2 km de la localidad, parece que más bien fue una pequeña fortaleza estratégica, hoy en total ruina. Castillo y alquería fueron entregados, tras la conquista por Jaume I, a Berenguer Alfonso. En 1270 los moros se sublevaron, pero el rey los perdonó, tanto a los de Polop como a los de Orxeta, permitiéndoles cultivar sus tierras. Como toda esta zona, fue entregado a Bernat de Sarrià y en 1372 pasaron al infante Don Pedro, hijo de Jaime III. Luego Orxeta fue donado a la Orden Militar de Santiago como encomienda que la mantendría hasta 1817. Precisamente, en 1613, después de la expulsión de 1609, fue el comendador de esta orden, Gerónimo Ferrer, quien otorgó carta puebla a nuevos habitantes. Hasta 1707 perteneció a la Gobernación de Xàtiva (*Ultra Xenorum*) y luego a la de Alcoi.

Iglesia de Santa Jaume o de Santiago

La parroquia de Orxeta dependió de la de La Vila hasta que en 1535 se desmembró dándole la titularidad de Sant Jaume, cosa natural perteneciendo a la encomienda de Santiago. En 1759 se inicia un nuevo templo, acabado en 1764, estilo neoclásico, bóveda de crucero. La torre, muy elevada, sufrió en 1894 graves daños por los efectos de un rayo por lo que hubo de ser derribada en parte.

En 1936 fueron incendiados altares, imágenes, muebles y objetos sagrados, como el valioso grupo escultórico de San Nazario, de 1780, del escultor valenciano Esteve y Bonet, desapareciendo los objetos de culto. Todo fue repuesto en 1940, incluso las campanas. Santiago a caballo sigue presidiendo el altar mayor.

Fiestas patronales en honor de Sto. Tomás de Villanueva y San Nazario

Se celebran en septiembre, un día para cada patrono. Los osorchedanos tuvieron como primer patrón del pueblo al titular de su iglesia, Sant Jume. Luego cambiaron a Santo Tomás de Villanueva, arzobispo de Valencia y a San Nazario, militar romano.

Gozos de Orxeta a Santo Tomás de Villanueva

«Solo vos por excelencia
sois del pobre abogado
Tomás bienaventurado
arzobispo de Valencia.
Abrasado serafín

en fuego amoroso ardiendo,
las pisadas vais siguiendo
de vuestro padre Agustín,
imitando en la elocuencia
con el hábito sagrado».

Santo Tomás de Villanueva, arzobispo de Valencia

Nacido en Fuenllana (Toledo) en 1488, pasó su juventud en Villanueva de los Infantes, de ahí el sobrenombre de Tomás de Villanueva. Estudió en las Universidades de Alcalá y Salamanca, ingresó en la Orden de San Agustín. Fue confesor de Carlos I. Nombrado arzobispo de Valencia en 1544, sede que regentó hasta su muerte en 1555. Organizó un Colegio para moriscos conversos y el Colegio-Mayor Seminario de la Presentación de la Virgen María. Gran orador, pero no apocalíptico, sino basado en el amor, siguiendo la frase del fundador de su orden, San Agustín: «*Ama y haz lo que quieras*». Sus libros tratan del amor: *Sermón del amor de Dios. Soliloquio entre Dios y el alma*. Se cuenta que al oír sus sermones Carlos I dijo: «Este Monseñor conmueve hasta las piedras». Es patrono de muchos lugares. En tierras alicantinas se le venera en Orxeta y en Altea, en su partida Cap Negreta.

Presencia artística en Valencia: capilla de la catedral, Estatua en el Puente de la Trinidad. En Alcalá de Henares, se le dedicó el Patio de la Universidad. En Villanueva, estatua. Y las pinturas de Murillo en Sevilla: *Santo Tomás rezando y Santo Tomás dando limosna*; en el Prado, un cuadro de Francisco Camilo y una Colección de Aguadas sobre su vida y en el Louvre, cuadro de Mateo Cerezo, *Santo Tomás dando limosnas*.

San Nazario, militar romano

Este era, sin duda, por ser militar ecuestre, muy venerado por la Orden de Santiago y por eso existía en la iglesia de Orxeta un bello grupo escultórico del mismo, de Esteve i Bonet. Convertido al cristianismo, tomó el nombre de Nazarius, nazareno. Instado por el emperador Maximiliano a abjurar de su nueva fe sin conseguirlo fue degollado y echado su cuerpo a las fieras, aunque en Francia dicen tener sus restos.

La encomienda de Santiago de Orxeta. El patrón Sant Jaume

El primer patrón fue San Jaume y está relacionado con que Orxeta fue una encomienda de la Orden de Santiago. La encomienda fue una institución de la Edad Media por la que un territorio era administrado por el maestre de una orden militar.

Pero conviene aclarar la, a veces, confusión de Jaume y de Santiago. Ja'kov era uno de los dos hijos del Zebedeo (el otro era Juan) que con Pedro formaron la élite de los primeros discípulos de Jesús. Ja'kov pasó al latín como Jacovus y al transformarse en las lenguas romances adquirió diversas formas: Jacques, en Francia, Diago, en Portugal. Jaume, en la Corona de Aragón. Esta variante parece proceder del genovés Jácome, Jacme, Jaume. Más curiosa fue la simbiosis del castellano: Jak'ov pasó a Yago, que al unírsele el prefijo Sant resultó Sant-Yago, Santiago.

La aparición del nombre de Santiago en España es tardía, del s .IX, pero lo hizo con inusitada fuerza. En primer lugar, la creencia de que en Compostela estaba el sepulcro del apóstol puso en marcha a toda Europa y el camino fue el vínculo que unió a la Europa medieval, no solo en lo religioso, sino también en el arte (el Camino de Santiago es el Camino del Románico), las costumbres, etc.

Santiago apareció como un revulsivo contra los musulmanes en la llamada Reconquista, sobre todo a través de la poderosa Orden de Santiago. Nació esta en Cáceres con el nombre de Fratres de Cáceres, en 1170, entonces perteneciente al Reino de León, con dos objetivos: proteger a los peregrinos que caminaban a Santiago y expulsar a los musulmanes de la península. Pronto el arzobispo de Santiago logró trasladar allí su sede. Y cuando León y Castilla se unieron, pasó la sede al convento de Uclés. Ayudaron a Alfonso VIII a conquistar, después de 9 meses de asedio, a la inexpugnable Cuenca.

En la Corona de Aragón existían otras órdenes militares que ayudaron a Jaume I en sus conquistas, Hospital, Calatrava, Temple, Montesa y que él cita en el *Llibre dels Fets*. Pero también vino la Orden de Santiago a tierras aragonesas en 1210, ayudando a Pedro II a recuperar Montalbán, donde se crearía una encomienda y se situaría allí su casa matriz. Desde ella colaboraron en la conquista. Y en los siglos siguientes fueron recibiendo donaciones de tierras y castillos (encomiendas) que también llegaron a las actuales tierras alicantinas, como la encomienda de Orxeta.

RELLEU. *MARE DE DÉU DEL MIRACLE*. PATRONA DE COCENTAINA Y DE RELLEU

Relleu, nombre que también aparece al sur de Francia, Coflent de Relleu. En valenciano significa relieve, pero el nombre de Relleu es anterior a que aquí se hablase valenciano. El *Llibre del Fets*, escrito hacia 1275 cita a Relleu como uno de los hitos o mojones del Tratado de Almizra que separaba Castilla y Aragón (349). De todas formas, Relleu tiene un relieve quebrado y accidentado, rodeado de altas montañas, Cabezo de Oro, Sierras de Grana y del Aguiló.

El Castillo de Relleu o de Alcalans

Los árabes, junto a una alquería y en un pequeño cerro, construyeron en el s. XII un estratégico castillo, bien amurallado, en recinto poligonal, con aljibes, torres cuadradas de las que se conserva una parte importante de la Torre del Homenaje.

Perteneció, como todas estas tierras, a Bernat de Sarrià y a otros señores. En 1609, conocido el Decreto de Expulsión, los moriscos de Relleu se amotinaron y se fueron a las montañas del Cavall Vert para unirse a sus hermanos musulmanes.

La iglesia de San Jaime y la ermita de San Alberto

Después de la conquista el Castillo fue ocupado por unas diez familias de cristianos viejos, siendo muy numerosas las familias moriscas de los alrededores. Y la misa, en principio, se celebraba en el recinto, en la iglesia del castillo, subsidiaria de la parroquia de Finestrat. En 1535 se desmembró como rectoría de moriscos y se le dio por titular a Sant Jaume, sin duda por la influencia de la encomienda de Santiago que ocupaba Orxeta. Pero los patronos de Relleu iban a ser otros y muy numerosos. La iglesia posterior fue construida en el s. XVII en el antiguo cementerio, demolida a finales del XIX y reconstruida en 1931. En su altar principal, arriba, Sant Jaume y, en el plano inferior, los Santos Médicos, Cosme y Damián. El campanario, de dos cuerpos, ostenta el privilegio de tener las campanas más antiguas de la provincia. La Capilla de la Mare de Déu del Miracle, en realidad, es una iglesia diferente, adosada a la anterior. En la noche del 10 al 20 de febrero de 1936, seis meses antes de comenzar a Guerra Civil, fueron incendiadas la iglesia y la ermita de San Alberto.

Abundancia de Patronos, San Alberto, Santos Médicos, Mare de Déu del Miracle

Relleu marginó un poco al primitivo patrón, Sant Jaume y acumuló patronos cuya devoción se originó de forma diferente. La devoción a San Alberto nació como consecuencia de una peste. Los feligreses no sabían a qué abogado del cielo dirigirse y pensaron en el sistema de insaculación. Pero estaba entonces en la localidad fray Hilario Lena, prior del Convento del Carmen de Alicante, quien dirigió el voto hacia San Alberto, al que luego los reullers tomaron gran devoción construyéndole una ermita fuera de la población. La ermita en 1710 iba a tener gran importancia en el origen de las fiestas patronales de Relleu. La devoción a San Cosme y San Damián, vendría también, sin duda, con ocasión de alguna epidemia, dada la fe que se tenía en aquella época en los Santos Médicos.

En 1710 se produjo en Relleu una gran sequía que el Pantano de Relleu, mandado construir por Felipe III, realizado entre 1687 y 1689, no supo paliar, ya que sus aguas iban, más bien, a regar la huerta de Villajoyosa. El rector era don José Selles, natural de Cocentaina, quien los animó a encomendarse a la patrona de su pueblo, la Mare de Déu del Miracle. El pueblo subió en procesión a la ermita de San Alberto e hicieron una novena a la Mare de Déu. Y les hizo caso, pues, el 11 de abril llovió abundantemente. Desde entonces, Cocentaina y Relleu comparten la misma patrona. Y si en Cocentaina derramó 27 lágrimas, aquí esparció una inmensidad de gotas de agua salvífica.

Fiestas patronales

Para tanto patrón hubieron de dividir las fiestas patronales, las fiestas mayores, dedicadas a La Mare Déu del Miracle y els Sants Metges, se celebran, no en abril, cuando se realizó el milagro, sino del 25 al 29 de septiembre, dejando las del copatrono, San Alberto, para la juventud, en agosto.

Las fiestas mayores: Vesprá y volteo de sus históricas campanas, dedican un día a los Santos Médicos con misa y procesión, acabando con el canto de sus Gozos. Y el día grande, a la Mare de Déu con ofrenda de flore, misa, procesión. El Canto de los Gozos a la Mare de Dèu, con una cierta vena poética, desborda todo entusiasmo de los reullers.

Gojos als Sants Metges Cosme i Damia

«Con singular devoción,
el pueblo de Relleu os venera,
pues lográis salud entera
con vuestra gran protección».

Gozos a la Mare de Déu del Miracle

«Secos los campos, señora,
regáis vos con francas manos
sin tocar los vecindarios.
Por mostrarnos vuestra Aurora
y así os tenemos por guía
y en tu imagen nuestro amparo.
De pobres sois alegría,
de Dios, hermosa laguna,

sacra Virgen del Milagro
madre de todos, María.
Eres nuestra medianera
de aguas vivas, pozo y fuente
Cielo dorado y luciente
y de salud la piscina.
En Relleu, dichosa villa,
vuestro amor se ha vinculado».

COMARCA DEL COMTAT

COCENTAINA

Cocentaina, de *Contestania*, tribu íbera que habitó estas tierras, sin límites marcados. Ocupaba, aproximadamente, desde el Júcar al Segura y Almansa, es decir, provincia de Alicante y parte de las de Valencia, Murcia y Albacete. Durante la dominación árabe tuvo un importante castillo que Jaume I peleó al caudillo al-Azrac conquistándolo en 1245. Pero al-Azrac, desterrado en Granada, volvió en 1275 con 250 caballeros y Jaume I, para la defensa de Alcoi, hubo de poner guardia en Cocentaina «*per reforçar la villa d'Alcoi i de posar guarnició al castell de Cocentaina*» (*Llibre dels Fets*, 556).

Después de pasar por las manos del almirante Roger de Lauria y de otros, en 1488 Alfonso III vendió la villa a Pérez de Corella concediéndole el título de conde. Y ahí empezó una época brillante del condado, o *comtat*, en arquitectura y arte. Aunque de mayoría de población mudéjar, se fue dotando de bellos monumentos gótico-renacentistas, Palacio Ducal, Iglesia de El Salvador, Santa María, conventos de clarisas y franciscanos. Y allí brilló el foco de pintura contestano con excelentes pinceles como Borrás, Requena, Domenech, Jacinto Espinosa.

Los *agermanats* y la Mare de Déu
A Cocentaina había llegado una tabla de origen bizantino, un icono ortodoxo, de 30 x 35. Las leyendas de su llegada son varias como que vino desde Constantinopla, etc. El historiador Escolano da su versión en su *Historia General del Reyno de Valencia*: En 1445, el papa Eugenio IV, asediado por Francisco Sforça, pide auxilio a Alfonso V de Aragón, cuyas tropas le liberaron del asedio. En agradecimiento le regaló este valioso icono que, en 1448, Alfonso V envió a Cocentaina. Fue colocado en la capilla del Palacio Ducal y luego cambiado al Convento de las Clarisas. Y allí surgió el milagro el 19 de abril de 1520. El capellán, Onofre Satorre, al acabar la misa, vio que de los ojos de la Mare de Déu saltaban lágrimas, pero lágrimas de sangre. Y no una como en el *ull* de la Faz Divina de Alicante, sino 27.

¿Pero lloró el icono de la Mare de Déu por una peste o por una gran sequia? ¿O lloró porque predecía que el verano siguiente iba a ser el verano de la catástrofe, «el verano del miedo»? Los *agermanats* recorrían, amenazantes, todo el Reyno de Valencia. Iban contra los nobles, a quienes acusaban de dar trabajo solo a los mudéjares e iban contra los mudéjares a quienes acusaban de ser quintacolumnistas que avisaban a los piratas argelinos. En Cocentaina se habían refugiado numerosos mudéjares temerosos de los *agermanats* de Alcoi. Estos, formando un ejército, ayudados por otro de Orihuela, asaltaron los ravales mudéjares el 29 de julio de 1521 al grito de: «¡Mueran moros!», obligándoles a bautizarse. Unos lo hicieron a la fuerza y otros huyeron a las montañas. ¿Las lágrimas del icono de la Mare de Déu de abril del 1520 eran lágrimas que predecían esta catástrofe de 1521?

Virgen del Milagro
COCENTAINA

Fiestas brillantes y vibrantes

Los contestanos, lejos de disquisiciones históricas, adoran a su Mare de Déu, *La Mareta,* a la que dedican unas fiestas brillantes y vibrantes. La víspera de su día grande encienden, en la Plaza del Pla del Palacio Ducal, 27 hogueras que recuerdan las 27 lágrimas del milagro y cantan la serenata a la

Virgen. Antes se realiza una narración del milagro. Luego, el triduo comienza el 19 de abril con la *Descoberta de la Mare de Déu* mientras voltean las campanas y se disparan 27 salvas. A continuación, salida al Pla del Palacio en medio de vítores y lágrimas y traslado a la Iglesia de Santa María. Un momento emocionante es la *Súplica a la Mare de Déu*. Ofrenda de flores, misa, procesión. El día 21, retorno procesional al convento y besar el icono.

Gozos a la Mare de Déu del Miracle (1796)

«Cielo, cuyos astros son
llanto, favor y piedad:
del milagro confirmad
la sagrada invocación.
Cuando a esas aras celestes
El venerable Satorre
tesoro de fieles corre,
de vuestro Rostro, hebra a hebra.
Esa efigie que se adora
de vos, copia peregrina,

es Sol, por lo que ilumina,
es Alba, por lo que llora.
Rocío es de Gedeón,
riego a nuestra sequedad.
De Roma venís, de donde
las gracias se nos conducen.
Y como en vos todas *luzen,*
gran tesoro trae el Conde.
A tu ilustre *succession*
Las dichas *le vinculad*».

Cocentaina. Fiestas de Moros y cristianos en honor a San Hipólito

Cocentaina, que compartió con Alcoi la victoria contra Al-Azrac, no podía quedar al margen de los Festejos de Moros y Cristianos. Pero no los celebra en honor de la Mareta, sino de San Hipólito y lo hace el 13 agosto, fecha en que se supone fue martirizado. Y son casi tan antiguos como los de Alcoi. Algunos elementos de sus fiestas se remontan a 1600 y se recuerda que en 1695 ya se celebró un «alardo», paso de revista a las tropas en las procesiones. Y sus filaes conocidas más antiguas son los Contrabandistas y Maseros, de 1853. En la actualidad hay 16 filaes distinguiéndose la filà Manta Roja. La festa sigue el esquema de la Trilogía alcoyana:

1.º Diana, ofrenda de flores al patrón, embajada de Contrabandista o Alijo.

2.º Día del patrón, con misa, desfiles, boato, música y procesión.

3.º Día del Alardo. La estafeta del moro que pide la rendición del castillo. Guerrillas y conquista mora. Embajada de las tomates. Recuperación del Castillo por los cristianos

San Hipólito, patrón de Cocentaina

¿Por qué Cocentaina tiene por patrón a San Hipólito, un santo controvertido? Corría el año 1600 y una peste diezmaba la población de Cocentaina ¿A qué abogado del cielo acudir? Como en otros lugares, se recurrió a la insaculación. Reunidos el ayuntamiento, parroquias y clero metieron en una bolsa tres nombres de santos. La mano inocente de un niño sacó el nombre de San Hipólito. A los contestanos no les gustó, pues no le conocían de nada y les parecía un santo extraño. Volvieron a insacular tres veces y las tres salió San Hipólito. Al final lo aceptaron, le nombraron patrón y comenzaron a celebrar su fiesta el 13 de agosto, posible día de su martirio. Y poco a poco su fiesta, su procesión se fue rodeando de alardos (paso de revista las tropas) y *filaes*, hasta concertarse en una de las más antiguas de la provincia.

En el año 2000, IV centenario de ser nombrado patrón, Cocentaina le dedicó un monumento en la Plazo Alcalde Reig con este subtítulo:

> «COCENTAINA, CUNA, ORIGEN Y CENTRO
> DE LAS FIESTAS DE MOROS Y CRISTIANOS».

La confusa historia de San Hipólito, patrón de Cocentaina

Hipólito fue un prolífico escritor del s. III, Filosofía, Teología, Derecho, Cronología. Pero en aquellos tiempos, la doctrina de los evangelios intentó abrirse paso entre las filosofías neoplatónicas y gnósticas. Surgieron, así, las discusiones, las diversas interpretaciones, los apologetas y, a la vez, los cismas. Hipólito, presbítero de Roma, pertenece a un grupo minoritario rigorista, que combatía a los monarquianistas, a quienes consideraban laxos en moral. Y acusa al obispo de Roma, Calixto I, de ser tolerante con ellos. Su grupo, aunque minoritario, le elige obispo de Roma, con lo que ya hay dos obispos en Roma, dos papas, Calixto I e Hipólito, un auténtico cisma. Luego se retira de la vida eclesial durante diez años volviendo a reconciliarse con la iglesia de Roma en tiempos del papa Ponciano. En la persecución de Valeriano, el papa Ponciano e Hipólito son desterrados a Cerdeña, martirizados y sus cuerpos traídos a Roma. Hipólito fue enterrado en el cementerio de la Vía Tiburtina y ya entonces fue considerado santo y mártir. Prudencio le cita en sus escritos y San Dámaso en sus *Epígrafes*, le dedica versos.

Pero la confusión sigue. Se le atribuyen erróneamente obras como *Philosophomune* o *La Crónica, Historia General del mundo*. En la Edad Media fue considerado patrono de los caballos. Así, en Inglaterra, los equinos enfermos eran llevados a la iglesia de St. Ippollits en Hersfordshere. Este patronazgo equino pudo nacer porque Hipólito, en griego, significa liberador de caballos, virtud que se atribuía al hijo de Teseo, príncipe de Atenas. O quizá por el horrible martirio de San Hipólito, descuartizado por cuatro caballos tirando de sus cuatro miembros, piernas y brazos.

La pintura flamenca se explayó con la figura de San Hipólito. Aún pueden contemplarse, sobre todo en Brujas, cuadros como *El Martirio de San Hipólito*, gótico primitivo y otros de Van der Goles o Van Eyck. Y, curiosamente, en México se le dedicó una enorme basílica renacentista-barroca porque coincidió la conquista con el 13 de agosto. Después del Santuario de Guadalupe es el templo más visitado, sobre todo por gente humilde, pobres, drogadictos, etc.

AGRES. *L'AMBAIXADA DEL PASTORET*

LA IMAGEN DE LA VIRGEN TRANSPORTADA POR ÁNGELES

Agres, al pie de la Sierra de Mariola *«tota floretes, si, tota floretes, no».* De sus neveros se abastecían antiguamente de hielo las comarcas de Valencia y Alicante.

Todo empezó en Alicante ciudad. En la madrugada del 31 de agosto de 1488 se produjo un terrible incendio en la joya arquitectónica de Alicante, la iglesia de Santa María. «El cañón de los buques surtos en el puerto despertó a los vecinos», «la iglesia ardía por todas partes». Se quemaron altares, imágenes, cuadros, pero se salvó una imagen de la Virgen con el Niño que, al día siguiente apareció, nada menos que en la Sierra de Mariola. Según Vicente Bendicho en su *Crónica de la muy Noble y Leal Ciudad de Alicante* escrita en 1640, fueron los ángeles los que la salvaron y transportaron a un lugar seguro. No era esa la primera imagen trasladada por el espacio o por el tiempo.

Allí, en las laderas de Mariola, junto a las ruinas de un castillo, un pastor manco, Gaspar Tomás, ve que la imagen le habla y le dice que baje a comunicarlo a los vecinos. Las coplillas de ciegos que luego se extendieron por toda la comarca, cantaban

> «Señora, no me creerán,
> respondió con amor franco.
> La señal me pedirán.
> El brazo que tienes manco,
> sano al punto te verán».

La imagen no quiso quedarse en la iglesia parroquial de Agres, por lo que se le construyó una ermita en plena Sierra, con el nombre de *Santuari de la Mare de Déu de la Virge del Castell*. Y comenzó a acudir en romería gente de todas las comarcas. En 1578 llegan religiosos franciscanos y construyen un convento, casi como una fortaleza, un poco amazacotado. El 12 de septiembre de 1936, iglesia convento e imagen ardieron. La actual imagen es de Remigio Soler.

La romería y les festes del pastoret

La romería, en septiembre, al Santuario de la Mare de Déu de Agres, es de las más fervorosas y multitudinarias de la provincia. Agres tiene 574 habitantes y reúne a más de 15 000 venidos de las comarcas de Valencia y Alicante. Y es de las que conserva el espíritu y la estética más genuinos y primitivos. En vez de Moros y Cristianos hay *filaes de pastorets* que se encargan de su organización y acompañan a la Virgen que baja al pueblo para volver a la sierra. El pastor representa *L'Ambaixada del pastoret* y relata lo que ocurrió. Y se escenifica la aparición con una obra: *Aparició de la Mare de Déu d'Agres*, de Pascual Benito. Por la noche, los *pastorets* desfilan con *farolets* hechos en vaciados de melones y sandías. Y cantan su himno con bellas estrofas:

«Pues sois quien da luz al día
y la más brillante aurora.
Sednos siempre intercesora,
Virgen de Agres, María.
De Santa María el templo
parroquial, que es de Alicante,
cuando el incendio arrogante

salisteis en aquel tiempo.
Al tronco de un lidonero,
sentada os halló un pastor.
Vos le hablasteis con amor
y le hicisteis mensajero
y un brazo, que no tenía,
le disteis. ¡Oh, gran señora!».

MURO D'ALCOI

LAS CLAVARIESAS EN LA PROCESION DE LA GEPERUDETA

Situado en los Valles prebéticos de Alcoi, junto al Montcabrer (1220 m) y como contrafuerte de la Sierra de Benicadell. Se llamó simplemente Muro hasta 1916, que un decreto lo transformó en Muro del Alcoy, luego Muro de Alcoy (Muro d'Alcoi). A solo 5 km de Cocentaina, formó siempre parte del señorío de Roger de Lauria y del Condado de Cocentaina. Sin embargo, aparte de su agricultura, estuvo ligado a Alcoi (12 km) por las industrias textiles y del papel, compartiendo también sus famosas huelgas.

La Mare de Dèu dels Desamparats

El que llegase a ser patrona de Muro no tiene nada de extraño, pues su iglesia y en ella su imagen formaban parte del Asilo u Hospicio de Ancianos regido por las HH. Franciscanas. El pueblo heredó este patronazgo. Ya Madoz en su *Diccionario Geográfico* de 1844 cita en Muro varias capillas.

«Existen las capillas de San Antonio Abad, Santo Tomás de Villanueva y la de Nta. Sra. de los Desamparados». Esta última comenzó a construirse en el s. XVIII, de estilo neoclásico y pintada en blanco, rosa y dorado, con frescos en la bóveda. Lo curioso es el origen de la primera imagen de la Virgen de los Desamparados de Muro. Un terrible vendaval tiró todos los árboles, salvo uno. Con la madera de este, el artista Tomás Molins talló la imagen en 1768. Desgraciadamente, tanto la imagen como las andas fueron destruidas en 1936, siendo sustituida en 1940 por otra del escultor valenciano Francisco Teruel. En 1887 se construye un nuevo asilo en otro lugar y, a la vez, un colegio, que regentaron las HH. Terciarias de San Francisco de Asís. Así la iglesia de la Mare de Déu dels Desamparats quedó ya solo como templo de la patrona.

Fiestas de la patrona y fiestas de Moros y Cristianos

Las Fiestas de Muro d´Alcoi pueden considerarse dentro del llamado foco alcoyano. Ya desde 1882 supo unir fiesta de la patrona y fiesta de Moros y Cristianos en su honor. Pero tienen su originalidad. Se celebran en dos fases, el 2.º y 3.er fin de semana de mayo y unen bien la fiesta religiosa y la de Moros y Cristianos. Además, añaden una peculiaridad: la entrada en escena de las clavariesas, que aumentan la belleza de los desfiles con su vestimenta. La mantilla que se coloca sobre una teja en la cabeza las hace inconfundibles y llamativas. Etimológicamente eran las llaveras, las que custodiaban *les claus*. Por extensión pasaron a ser las encargadas de organizar el culto y la fiesta de un santo patrón.

Segundo fin de semana. *Entraeta de la Vesprá*. Desfile de filaes de Cristianos y Moros. 1.º. *Día de la Baixada de la Virgen*. Las clavariesas desfilan hasta la ermita al son de la música. Bajada la Virgen, es llevada hasta la Parroquia. Entrada Mora.

2.º. *Día de la Mare de Déu*. Ofrenda de flores, misa Mayor. A la vez, la Entrada Mora. 3.º. *Día dels Trons* y de la *Ambaixada del tonell*. Representación de una lucha humorística. Un moro, subido sobre un burro y un cristiano sobre un gran tonel de vino dialogan humorísticamente sobre temas de actualidad. Al final acaban en una comida dando cuenta del vino del tonel. Entrada mora, guerrillas, arcabuces, embajada Mora y conquista del castillo. Embajada cristiana, guerrilla y reconquista del castillo.

Tercer fin de semana se cierran las fiestas. Se celebra en dos días. 1.º. *Vesprà de la Pujà*. 2.º día *Procesión de la Pujà*. Por la noche, vuelta de la imagen, desde la iglesia de San Juan Bautista, hasta su ermita, seguida de autoridades y clavariesas. El himno de Muro a La Mare de Déu es una poesía grandilocuente de Esteve Nicolau.

Himno a la Mare de Déu dels Desamparats de Muro (Esteve Nicolas y Satorre)

«Sed amparo de Muro que canta
y te aclama por madre y por reina,
como reina le tiendes tu manto
y cual madre mitigas sus penas.
Serpentea por ti el riachuelo
Y gorjea por ti el ruiseñor.

Por ti exhalan perfumes las flores
y a tus plantas se abate el león.
Y si el trueno amenaza furioso
y el relámpago brilla veloz,
aparece por ti el arco iris
y nos muestra los rayos del Sol».

La devoción a la Mare de Déu dels Desamparats en el Reino de Valencia

Mare de Déu dels Desamparats

La advocación de Mare de Déu dels Desamparats nació en Valencia capital y se extendió luego por todo el Reino de Valencia. Y nació como un acto de auténtico humanismo, cuando no existía la Seguridad Social. El 24 de febrero de 1409, el padre Gilabert Jofré predica en la catedral en defensa de los locos. De ese sermón surgió la idea de construir el primer Hospital Psiquiátrico de Europa, Hospital d'Ignosents, Folls i Orats. Los fundadores lo pusieron bajo la protección de la Nostra Dona Sancta Mare de Déu dels Inocents. En 1416 se esculpe la primera imagen, Mare de Déu dels Ignoscents i Martirs aunque, como siempre, surge una leyenda que atribuye la escultura a los mismísimos ángeles. Era de madera y plata sobredorada y se colocaba sobre los ataúdes de los sin nadie o los sintecho, poniendo su cabeza sobre una almohada. Quizá fuese esta circunstancia la que obligó al tallista a esculpirla con una ligera inclinación de cabeza. Después, al ser venerada, ya de pie, esta inclinación, con mirada hacia el suelo, hizo que la gente la llamase cariñosamente la *geperudeta*, la jorobadita. En un inventario de 1451 se la describe como «*imatge de la Vege María e ab los JH S al bras, ab le Creu al coll, ignocents al peus e dos angels».* En 1493, el rey Fernando reconoce que una de las misiones de la cofradía es atender los sufragios del entierro de los desamparados o abandonados y ya adquiere el título de *Mare de Déu dels Desamparats.*

La devoción a la Mare de Déu dels Desamparats se extendió por todo el Reino de Valencia. Hay pueblos que la tienen como patrona, sobre todo más de un centenar de localidades le han dedicado una capilla, una ermita, un altar o una imagen

El marxismo contra la Mare de Dèu dels Desamparats

¿Por qué el marxismo valenciano mostró tanta furia con una imagen, tierna, inclinando los ojos al más desvalido, al proletario, al niño, al demente, al anciano? «La religión y todo lo que le rodee es el opio del pueblo».

El 21 de julio de 1936 son asaltadas e incendiadas la catedral de Valencia, el Palacio Episcopal y la Basílica de la Mare de Déu. Su imagen sufre graves desperfectos y el alcalde republicano José Cano Colona logra rescatarla y esconderla en un muro del Archivo Histórico Municipal. Al final de la guerra es restaurada por el imaginero Ponsoda pero la gente cree que la nueva imagen no es fiel reflejo de la antigua por lo que se vuelve a restaurar en 1947 por Vicent Suria.

Numerosas templos, altares e imágenes de la Mare de Déu dels Desamparats fueron incendiados y destruidos en la Comunidad Valenciana. Muchas eran arte y todos tenían amor. Concretamente, en Alicante, lo fueron, la imagen de Ibi, de 1737, de Julio Capuz, la de Muro, de 1768, de Molins, las de Denia (Raval del Mar), las de Orihuela, Moreira, Orba, Alicante.

Hoy, los valencianos, creyentes o no, siguen entonando con emoción y amor, el himno que ya cantaban sus padres en 1854.

«Siempre Valencia
dichosa será
al veros de hermosas
estrellas cercada.
dechado sublime
de Santa virtud.
Satán tiembla fiero
El mundo os admira,
Valencia os adora
con gran gratitud».

EL VALLE Y CASTILLO DE PERPUTXENT. LAS FIESTAS PATRONALES EN LA ANTIGUA ENCOMIENDA DE MONTESA

Para entender las fiestas patronales de Beniarrés y L'Orxa hay que acercarse a las órdenes del Temple y de Montesa. El Valle de Perputxent, al sur de la Sierra de Benicadell, fue dado por Jaume I a Gil Garcés de Azuaga, En 1273 se lo compra Ramón de Reix y se constituye ya en señorío. Pero en 1289, Arnau de Romaní, se lo vende a la Orden Hospitalaria de San Juan de Jerusalén (Templarios). En 1316, suprimida la Orden del Temple, castillo, villas y alquerías pasan a la Orden de Montesa. Toma posición como señor del castillo y del Valle el maestre de la Orden, Arnau de Soler y nombra a Fr. Ferrán Pérez d'Alagó encomendador, con lo que ya queda constituida la encomienda. La orden se ocupó tanto de las heredades como del culto en las rectorías de Beniarrés y L'Orxa. De ahí que los patronos de estos pueblos estén ligados a santos de dichas órdenes. Estas órdenes ocuparon el castillo almohade de Perputxent, junto a L'Orxa, verdadero vigía del valle. Los monjes construyeron junto al castillo un convento-palacio, con lo que aparentan dos castillos, hoy en estado de ruina.

La Orden de Montesa

La Orden de Montesa fue fundada por Jaume II en 1317 y recibió el nombre de Montesa por ser el primer castillo que ocupó. Posterior a la Reconquista, no participó en la mima pero sí heredó, una vez disuelta por el papa Clemente V, los castillos y propiedades de la Orden del Temple en el Reino de Valencia y por tanto los de Alicante como este de Perputxent. Esta orden tuvo numerosas dificultades y litigios, sobe todo con la Orden de Calatrava. Y en la Revuelta de Valencia, denomina de La Unión, en que nobles valencianos querían desligarse de la Corona de Aragón, Pedro IV los derrotó con ayuda de la Orden de Montesa.

RECTORÍA DE BENIARRÉS. EL PATRONAZGO DE LA *MARE DE DÉU DE LA COVA SANTA*

«EN ESTE PARTICULAR QUIERE ESTA SEÑORA QUE RESPETEMOS SU VIUDEZ».

Beniarrés, Benirraez, Benarraez. 1200 h en el norte del Comtat, junto a la cresta rocosa de Benicadell. El nombre hace alusión a «hijos de Arráez», caudillo o capitán moro de una embarcación. En 1275 se le otorga Carta Puebla, pero solo recibe 10 moradores cristianos. Después de la expulsión en 1609, fue repoblado con mallorquines.

Beniarrés tuvo, en principio, por patrona a la Virgen del Rosario, sin duda consecuencia de la misiones dominicas. Pero en 1743 toma posesión como rector de Beniarrés y luego de L' Orxa un claustral de la Orden de Montesa, nacido en Beniarrés, Fr. Joseph Villaplana. Desde su estancia en el convento de Montesa Fr. Joseph fue muy devoto de la Virgen de la Cueva, encontrada en una cueva de la Villa de Altura, en la Comarca del Alto Palancia (Castellón). El fraile tenia en su celda una copia de la original de la Virgen de la Cueva, una pequeña imagen de yeso en relieve, de 20 cm de alto, incrustada en un relicario, que mostraba una virgen anciana y con traje de viudez.

Virgen de la Cueva Santa. Grabado de 1664

Cundo Fr. Joseph tomó posesión de Beniarrés fue época de terremotos y temblores de tierra. El más fuerte, el 23 de marzo de 1748, derrumbó el Convento de Montesa muriendo 25 entre conventuales y laicos. La expansión llegó a la zona del Comtat, pero Beniarrés se libró. Fr. Joseph lo atribuyó a la protección de la Virgen de la Cueva, por lo que predicó con insistencia su devoción, no sin dificultad, pues los beniarresinos no querían que su anterior patrona, la Virgen del Rosario, pasase a segundo plano.

Fray Joseph Villaplana escribió una *Historia de la Virgen de la Cueva Santa*, con lo que su devoción se extendió por toda la comarca. «Es la materia desta imagen una tabla de yeso basto, cuadrada, tendrá casi dos dedos… Representa a la Virgen en traje de viuda con sobretoca, muestra el rostro de ancianidad. Entre todas las imágenes de la Soberana Virgen que la veneran en otros santuarios, en este particular quiere esta Señora que respetemos su viudez». Al final, autoridades y clero acudieron al convento de Montesa y trajeron la imagen de la Virgen de la Cueva Santa que poseía Fr. Joseph y Beniarrés la nombró su protectora. Se le buscó un hueco en la iglesia. Precisamente, derrumbado el anterior templo, en 1743 Fray Joseph bendijo uno nuevo dedicado a San Pedro. Fr Josep murió en 1770 y fue enterrado en la iglesia, en un hoyo delante del altar de la Mare de Déu de la Cova Santa. El actual templo, de 1897, tiene un potente cimborrio octogonal. En la Guerra Civil, cuando se intentó incendiar la iglesia, un republicano salvó la imagen relicario.

Fiestas Patronales en Beniarrés

Se celebran en honor de la Mare de Déu de la Cova Santa. Antes eran eminentemente religiosas y solo se incorporaron a las mismas las Fiestas de Moros y Cristianos tardíamente. En 1974 se crea la primera *filà*, con pocos miembros y un nombre muy medieval y cercano, *Moros de Benicadell*. En 1980 se unen los Guerreros del Cid y, últimamente, los Maseros.

La fiesta de la patrona se celebra el 18 de agosto. Le preceden tres días dedicados a otros tres santos: el 15, festividad de a Mare de la Assomnció, patrona de la Orden de Montesa, misa, procesión y entrada de Moros y Cristianos. El 16 se dedica a San Röc, con misa y procesión y el 17, al santísimo Cristo del Amparo y de los Afligidos.

Gozos a la Virgen de la Cueva Santa de Beniarrés

«Esta rara invocación
Beniarrés ignoraba.
Cuando un hijo os adoraba,
con singular devoción
y sin perder la ocasión,
de Montesa aquí os trasplanta
bien claro se vio, señora,
el año cuarenta y ocho,

cuando los terremotos
os aclamaron patrona,
pues de estar libre blasona,
de estragos y aflicción tanta.
Pues por vuestras glorias canta
la devoción fervorosa,
sed nuestra madre piadosa
Virgen de la Cueva Santa».

La Virgen de la Cueva Santa de la Villa de Altura, Castellón

Una bonita tradición. En 1502, Bonifacio Ferrer, hermano de San Vicente Ferrer, prior de la Carateja Vall de Cristo, tallaba imágenes de la Virgen y las regalaba. Un pastor encontró una de estas, muy pequeña, 30 x 20, en una gruta, a 20 metros de profundidad, en la Villa de Altura. Hoy es la patrona de la Diócesis de Segorbe, Castellón.

Las cuevas santas donde se sitúa una aparición o el encuentro de una imagen de la Virgen, se repiten. A veces coinciden con aguas supuestamente medicinales que brotan de esas cuevas. La más célebre es, sin duda, la Cueva Santa de Altura (Castellón), muy venerada. Es la Patrona de la Diócesis de Segorbe, Castellón. Otras, en Guadix, Covadonga, Lourdes, Viana (Navarra), Molina de Aragón. Y también se extendió la devoción por América, Santa María de Dote (Costa Rica), Placoa (Venezuela), Bochalene (Colombia). Pío XII la nombró patrona de los espeleólogos. Y se repitieron en el arte como el magnífico cuadro de Zurbarán, *La Virgen de las Cuevas*, pintado para la Cartuja de Sevilla. La Virgen, con las manos extendidas, las posa sobre las cabezas de los monjes arrodillados. Y al atardecer, los niños cantaban: «¡Que llueva que llueva, la Virgen de la Cueva, los pajarillos cantan, las nubes se levantan…!».

L'ORXA (LORCHA). Y SU PATRONA MARÍA MAGDALENA

«MARÍA MAGDALENA, TÚ ERES UNA VÍCTIMA DE LA NOCHE».

Lorcha, Lorja, Llorja, L'Orcha, L'Orxa. En el Valle de Perputxent y al sur de la Peña de Zafor. En su término municipal, sobre una colina que domina el valle, están las ruinas del castillo árabe del XII, Hin Baurudian, luego de Perputxent. Un castillo que, por el Pacto del Pouet, Alfonso, hijo d Jaume I respetó a Al-Azrac durante tres años. Pasó por varias manos y en 1288 es dado a los Templarios. Al ser suprimida la orden por Clemente V, sus posesiones, en el Reino de Argón pasan a la Orden de Montesa (1319) que, como señores de valle, conceden las Cartas Pueblas. Pegado al antiguo castillo, los monjes guerreros construyeron un palacio por lo que parecen dos castillos. En 1602, antes de la expulsión, había 60 fuegos. Fue repoblada con mallorquines. En 1644 sufrió un terremoto que devastó la población y deterioró la iglesia.

La iglesia de Santa María Magdalena

En 1734 se derriba y construye una nueva iglesia, estilo churrigueresco dedicada a Santa María Magdalena cuya bendición fu autorizada por el arzobispo de Valencia, don Andrés Maioral. «En el nombre de la Sma. Trinidad y de la Serenísima Emperatriz de los cielos, Nuestra Purísima Madre María Santísima de Montesa. De mis Santos Padres, San Benito, San Bernardo y San Roberto, de mi patrón San Jorge y de la gloriosa Santa María Magdalena titular de esta, mi iglesia de Lorcha. Amén». El arzobispo cita a los patronos de la Orden del Temple y de Montesa, entre los que se encuentra Santa María Magdalena, a quien se dedicó la iglesia.

Existían, con anterioridad, tres ermitas dedicadas a Santa Bárbara, Santa Catalina y Santa María Magdalena. Triunfó María Magdalena, muy ligada al Temple y a Montesa. Se construyó un templo churrigueresco en 1748. Madoz, en 1847, lo cita, pero como dependiente de la parroquia de Beniarrés. «Iglesia parroquial de Santa María Magdalena, pero aneja a la de Beniarrés». En 1936 fue totalmente incendiado y arrasado y, en 1940, se construyó uno nuevo estilo colonial.

Fiestas patronales en honor a Santa María Magdalena

Las fiestas se celebran del 22 al 25 de julio. Eminentemente religiosas, últimamente se han sumado Fiestas de Moros y Cristianos. Cada día se dedica a un santo diferente. El 22 a Santa María Magdalena, la fiesta de las mujeres, el 23 al Sagrado Corazón. El 24, la divina Aurora, día de los jóvenes. Y el 25, al santísimo Cristo de los Agonizantes. Todos con misa y procesión. A las festividades religiosas se han sumado, tardíamente, Fiestas de Moros y Cristianos con dianas, entradas, desfiles etc. por mimetismo con las cercanas Alcoi y Cocentaina

Himno de L'Orxa a Santa María Magdalena

«Para romper la cadena
que labró mi sequedad,
consiga con gran piedad.
¡Oh, María Magdalena!
Miedo a un falso desengaño
y vivo conocimiento

penetra en mi entendimiento
del falso mundo de engaño,
amigo de daño,
no me acongoje la pena,
consiga con gran piedad,
¡Oh, María Magdalena!».

La difícil identificación de María Magdalena en los Evangelios

María de Magdala (localidad de Galilea al lado del Lago de Tibiadas). Aparece claramente en los 4 Evangelios en momentos transcendentales de la vida de Jesús, como son su muerte, su entierro o su resurrección. A partir de ahí desaparece y no sale ni en los Hechos de los Apóstoles, documento fundamental par conocer el primitivo cristianismo. Luego se la ha querido identificar con la enamorada que derrama el ungüento sobre los pies de Jesús, con la prostituta que intentan lapidar en su presencia, con María, la hermana de Lázaro y Marta. De ahí los ángulos diversos que marcarán su posteridad como «María penitente», etc.

María Magdalena en las leyendas francesas y en el arte

En la Edad Media, siglo X, nace con fuerza su presencia en la Leyenda de Magdalena en Francia, o más bien en las leyendas. El arqueólogo francés Luis Dúchesnne las recogió en 1877 bajo el título de *La Leyenda de Santa María Magdalena*. «Magdalena, huyendo de la persecución de los judíos llega a Marsella acompañada de su hermano Lázaro y Marta».

Y después, retirada del mundo, muere el 22 de julio. Siete días después de su muerte se aparece a su hermana Marta y manda que le siga la Bienaventuranza Celestial. Marta le obedece y muere el 29 del mismo mes. Narra también Duchesse numerosos milagros absurdos y hasta cómicos y apariciones. Pero había introducido el tema de la identificación de María Magdalena con otras mujeres del Evangelio: En su caso, con María, hermana de Lázaro. Otros la identificarán con la mujer enamorada que riega los pies de Jesús con perfume o con la prostituta a quien se intenta lapidar delante de Jesús.

¿Es posible que este ciclo literario-legendario francés hubiera traspasado las fronteras como lo hizo el ciclo de la *Canción de Rolando*? ¿Sería por ello que haya tantas Marías Magdalenas Patrias en España? En el Reyno de Valencia se repiten: Castellón, Tibi, Novelda.

Y en esta identificación los genios de la pintura y escultura: Tiziano, Tintoretto, Francisco de Ribera, Caravaggio, El Greco, Alonso Cano, etc., etc. La mayoría se inclinan por María Magdalena como prostituta penitente, con una calavera a sus pies. Pero si el Renacimiento, por su culto al cuerpo, la pinta semidesnuda, bella y hasta provocativa, la contrarreforma la refleja más recatada. Para los valencianos es un honor que *María penitente*, un cuadro del contestano Jerónimo Espinosa figure en el Museo del Prado. La santa en pleno está alumbrado su cuerpo y sus telas por una luz cenital. Y en la época moderna, María Magdalena ha inundado la novela fantasiosa como *El Código da Vinci*, de Brown, y el cine con decenas de películas y hasta ha entrado en la canción moderna un tanto provocativa como la de Sandra.

«Yo nunca seré María Magdalena (Tú necesitas amor).
(Tú eres una criatura de la noche). Prométeme deleite
María Magdalena (Tú necesitas amor)».
(Tú eres una víctima de la pelea)

BARONÍA DE PLANES. EL SANTO CRISTO DE SAN CRSITÓBAL

Planes hace referencia a lugar plano. Dominado por un castillo sobre una colina cercana, castillo construido en dos fases, almohade y posterior feudal cristiana. Está en terreno rectangular, recinto amurallado con 8 torres, aljibe. En estado ruinoso aunque en actual reparación. Un poco más alejado, en la montaña de Cantacuc, se encuentran las ruinas de otro castillo, el de Margarida.

Planes conquistado por Jaume I en 1244 y cedido en vasallaje a al-Azrac por tres años por el Pacto del Pouet. Luego fue territorio de las rebeliones del caudillo moro. Obtuvo Carta Puebla en 1278 una vez dominadas las revueltas y se pobló de cristianos quedando las moriscos en los valles y pedanías. En 1425 obtiene el titulo de baronía de Planes y se desmiembra de Cocentaina, de quien dependía. Después fue, de nuevo, lugar de revueltas de moriscos.

Planes, a pesar de su nombre, tiene grandes gargantas y barrancos como el famoso Barraco de l'Encantá, de gran profundidad y fuente de leyendas como *La Leyenda de l'Encantá*. En 1797, el naturalista Cavanilles lo describió así: «Van cayendo al barranco que el pueblo llamó de la Encantada por la piedra circular de unos cinco pies de diámetro que en forma de ventana cerrada se ve en el fondo del barranco a 20 pies sobre el nivel ordinario del agua. En esta, fingió el vulgo la boca de cierta mina donde los moros escondieron sus tesoros y dexaron encantada una doncella que cada 100 años sale para volver a entrar en el mismo día… Son fabulas indignas de hombres juiciosos, perpetuadas solamente por la superstición e ignorancia». Pero sin duda Cavanilles ignoraba que en la literatura árabe del s. VIII, de la que pudieron mamar los moros hispánicos, existía como mágico el numero 100. «Después de un sueño, cada cien años se despiertan las mujeres durmientes de sus letargos y vagan y vagan por los barrancos» (Asin Palacios).

Y Planes tiene también la gloria de ser la patria de uno de los grandes ilustrados de Europa del s. XVIII, con su magna enciclopedia: *Del Origine, progressi e stato attuale d'ogni letteratura*, Juan Andrés y Morrell.

Iglesia y patronos

En Planes, núcleo repoblado con cristianos, no fue necesario crear una rectoría de moriscos, aunque sí se hizo en 1535 en la pedanía de Catamarruch para atender a las anejas moriscas. Una rectoría de moriscos que debió ser humilde. Por otra parte, duró poco, pues tras la expulsión, 1609, estas pedanías quedaron despobladas.

«(Planes) Su cristiandad es antiquísima… En 1535 se erigió en parroquia (rectoría de moriscos) Catamarruch y los demás se le dieron por anejos. La iglesia (de Planes) dedicada a Santa María es espaciosa, de estilo renacentista y conserva un ostensorio de madera con una imagen de la Virgen en miniatura de bastante valor artístico» (Sanchis Sivera, Nomenclátor. 1922).

La iglesia de Planes, dedicada a Santa María, fue construida sobre una mezquita incorporada como cripta. No obstante, en 1464, la iglesia se encontraba en pésimas condiciones. Al obtener la baronía la familia Catalá se propuso repararla y ampliarla. Resultó, con el tiempo, una iglesia con tres naves separadas con arcos de medio punto, con capillas dedicadas a los diferentes santos, con una bóveda estrellada y con frescos en la bóveda central. La iglesia fue incendiada en la Guerra Civil, desaparecieron los frescos y el retablo de madera del altar mayor.

Fiestas mayores

La fiestas se celebran en agosto. Y como en todos estos pueblos de la montaña, se dedican a varios patronos: la Virgen de la Asunción el 15, San Roque el 16, día que al que han incorporado la entrada de tres *filaes* y procesión por la noche con San Roque. El día siguiente, 17, lo dedican a la romería a la ermita del **Santísimo Cristo de San Cristóbal.** Situada en un montículo, se sube por un zigzagueante camino de viacrucis. Ermita del S.XV, estilo gótico, estaba dedicada a San Cristóbal y Santa Águeda. En 1749 trajeron una imagen de Cristo, le nombraron patrón y cambió el nombre por Ermita del Santísimo Cristo de San Cristóbal.

ALCOSSER DE PLANES. TORRE MOZÁRABE Y SANTOS MILAGREROS

Al-quasayt, pequeña fortaleza. El nombre del pueblo tuvo diversas variantes que Madoz recoge en 1848: «Alcocer de Planes, llamado también Alcoceret o Alcocer de Gayanes». Situado en la parte central del Comtat y bebiendo las aguas del pantano de Beniarrés. Perteneció a la baronía de Planes. Y aún conserva un castillo ruinoso. Hoy tan solo tiene 241 habitantes.

Iglesia y torre mozárabe
La torre de la iglesia de Alcosser junto con la de Benifallim es uno de los pocos vestigios del arte mozárabe o mudéjar en la provincia de Alicante. Se dan ejemplares en las provincias de Castellón y Valencia de los que hay que señalar La Torre de la Alcudia en Jérica y el Monasterio Jerónimo de Chotaba en Afluí. Y vestigios en iglesias de Onda, Sagunto, Godella. En el resto de España es muy abundante en Aragón, León, Andalucía. Se trata de un arte constructivo y decorativo realizado por maestros mudéjares, árabe-bereberes, que permanecieron en los territorios conquistados por los cristianos, a los que luego se unieron maestros albañiles cristianos.

En Alcosser de Planes, los cristianos edificaron la iglesia sobre una mezquita y se le agregó una torre estilo mozárabe. Tiene cuatro cuerpos, el cuarto añadido para campanario. La iglesia, estilo renacentista, fue edificada en tiempos del patriarca Ribera, dependiente de la de Cocentaina, de la que luego se separó.

Santos Patronos y fiestas patronales
Como en todos estos pueblos de la montaña, en las fiestas se acumulan los copatronos que acompañan al patrón principal. Muy desvalidos debían sentirse los alcuceros y debieron pasar muchas calamidades para tener que elegir patronos y abogados a tres santos bien distintos. Además de dedicar su iglesia a San José, los patronos serían Sant Gil, Sant Crist de la Pietat y los Sants Senén y Abdón. Sus tres santos patronos habían sido muy milagreros.

Las fiestas patronales se celebran del 26 al 28 de agosto dedicando un día a cada patrón. El primero, al patrón principal, San Gil, misa y procesión, el segundo, al Santssim Crist de la Pietat, y el tercero a Els Sants de la Petra, Sant Senén y Sant Abdón.

San Gil o Aegidius.

San Gil o San Egido abad, es considerado por los cristianos como uno de los 14 santos auxiliares o sanadores. San Gil es un santo auxiliador o abogado para todo, enfermos de cáncer, tullidos, epilépticos (a esta enfermedad se llamó Mal de San Gil), mordeduras de serpientes, fiebres y calenturas...

Según la tradición, nació cerca de Atenas en el s. VI y se trasladó a Marsella. Allí se retiró como cenobita a la Camarga y después, cerca de Nimes (próximo al Ródano existe un lugar llamado Bosque de San Gil). Cuenta la leyenda que se alimentaba solo con la leche que le proporcionaba una cierva. Esta fue herida por un cazador y el rey Childeberto le pidió perdón y le construyó un monasterio del que fue abad. De Francia, su devoción y fama pasó a España, Inglaterra, Polonia, Alemania y hasta Argentina. Su vida la escribió en forma novelesca y fantasiosa el obispo Filiberto. De las muchas imágenes y cuadros que le han dedicado los artistas podemos elegir los dos existentes en el Museo Nacional de Arte de Londres, de autores del XV. El rey Childeberto y San Gil arrodillados ante la cierva herida y pidiéndole perdón (podían tomarlo como ejemplo los llamados animalistas) y La Misa de San Gil. Pero fuera ya de fantasías, la gente le ha invocado siempre con mucha fe.

«Si de los fieles llamado
sois para sus desventuras.
Libradnos de calenturas,
San Gil, bienaventurado».

Crist de la Pietat.

Aunque existen numerosas cofradías y hermandades de Semana Santa dedicadas al Santo Cristo de la Piedad, no han logrado desbancar tanto en la devoción como en el arte a la imagen de la *Piedad*, referida a su madre María. Desde la estatua de Miguel Ángel a la *Piedad Desplá*, de Bartolomé Bermejo, Museo de la Catedral de Barcelona, hay una película casi infinita de *Pietás*. Pero también el Cristo, varón de dolores y conmoviendo a piedad, mereció la devoción de los alcoceros.

Sant Abdón y Sant Senén. Els Sants de la Pedra

La terrible plaga bíblica del pedrisco. ¡La piedra, la piedra! Pobre labrador, otrora sin paraguas de agroseguros para sus amenazadas mieses. ¿A quien acudir? ¿Por qué no a los Santos de la Piedra, San Senén y San Abdón? (ver Vega Baja, Almoradí). Así temía poéticamente Gabriel y Galán a *La nube*.

«Se pusieron los valles oscuros,
se pusieron violáceas las sierras
y fatídica, ronca, iracunda,
vengadora, cercana, tremenda
zumbó la amenaza,

vibró la centella
que rajó con su látigo el vientre
de la nube cargada de piedra.
¡Y la nube en los campos inermes
Derrumbó aquella carga siniestra!».

LA VALL DE TRAVADELL

Otro intrincado valle recostado en los contrafuertes de la Sierra de La Almudaina. Travadell, paradójicamente, «cosa plana». Valle presidido, como todos, por un centinela sobre un espolón rocoso, un castillo almohade, hoy semiderruido. Castillo de Al-Azrac, lucha encarnizada de los guerreros cristianos por conquistarlo. Luego, entregado a marqueses, de Guadalest, de Ariza. El valle seguía siendo morisco y con la expulsión de 1609 quedó despoblado y hubo de traerse gente de Mallorca.

Hoy, sus pequeños pueblos, Almudaina, Benillup, Benimarfull, Gorga, Millena, Benilloba, como en 1609, se resisten a desaparecer. Aún sigue denominándose el Valle del Aceite por ser su especialidad agrícola. Y sus Fiestas patronales, ya que no pueden permitirse alegrías económicas, conservan la humildad y, a la vez, la sinceridad de las fiestas de antaño. Casi exclusivamente religiosas con alguna concesión a tradiciones populares antiguas muy arraigadas

BENIMARFULL

Beni-marfull, hijos de la Fuente Amarga. De las entrañas de sus barrancos, *sofre*, (azufre), del Poble, l'Albacar, brotaban aguas sulfurosas que dieron lugar al Balneario de Santa Ana, de 1846 a 1936. La impresionante torre de su iglesia, de 25 m de altura, ya nos indica que estamos ante el municipio más importante de La Vall de Travadell, con 400 habitantes. En el s. XV perteneció al señorío de Guadalest. Despoblado en 1609, recibe Carta Puebla y traen a 4 familias cristinas de Lorcha.

Iglesia y fiestas patronales

Su iglesia, de Santa Ana, es la típica creación de rectorías de moriscos, unida a la de Benillup hasta su separación en 1663 en que se construye este nuevo templo. Iglesia blanca, campanario de 3 cuerpos del S. XVIII. Museo Parroquial.

«El actual templo es compuesto, con una magnífica Capilla de la Comunión, el patrón Santiago y el Santísimo Cristo de la Buena Muerte, cuya imagen es de bastante antigüedad, muy venerada. Hay un Salvador, Juan de Juanes, desaparecido, y son dignos de mención dos relicarios, una Vera Cruz y un nuevo viril» (Nomenclátor, 1922).

Benimarfull sentía tanta democión desde antaño por su Santísimo Cristo de la Buena Muerte que, en 1963, tercer aniversario de la traída de la Eucaristía al pueblo decidió nombrarle su patrón en detrimento de Sant Jaume y de Santa Ana que pasaron a segundo plano. En sus fiestas, a primeros de agosto, ya desfilan junto al Cristo, no los legionarios de Málaga, sino los Moros y Cristianos.

Ante la imagen de un Cristo agonizante las respuestas anímicas pueden ser bien encontradas. Para la mayoría de los benimarfulleros son de veneración, de acompañamiento en el dolor y en el recuerdo de aquel suceso. No era este el sentimiento del filosofo Nietzsche para quien Dios está muerto y bien muerto: «¡Dios está muerto, ¿quien le mató? ¡Asesinato de asesinatos! Nos despertamos como asesinos… Efectivamente nosotros, los filósofos y "espíritus libres" nos sentimos como iluminados por una nueva aurora con la noticia de que "el viejo Dios ha muerto", con ello nuestro corazón rebosa de agradecimiento… El Dios en la Cruz es una maldición contra la vida, una señal para librarse de ella».

El Cristo de la Buena Muerte de Mena y la barbarie marxista

¿Y cual fue el sentimiento de los marxistas ante el *Cristo de la Buena Muerte* de Pedro de Mena, en Málaga? El artista había tallado, en 1660, la cruda agonía, los últimos estertores, la boca entreabierta, brazos y piernas amoratados. Para el marxismo no bastaba que Dios hubiese muerto, ¡O Marx o Jesús! «Ni siquiera un Cristo moribundo nos vale. Hay que destruir todo rastro de su muerte, reducirlo a cenizas». El 11 y 12 de mayo de 1931 fue incendiada la iglesia de Santo Domingo de Málaga y pulverizada la imagen del *Cristo de la Buena Muerte* (otras 16 imágenes de Mena fueron destruidas). No, no basta con matar a Jesús. Hay que reducir a cenizas sus recuerdos. El Cristo de la Buena Muerte fue de nuevo tallado en 1941 por Francisco Palma Burgos. Y José M.ª Pemán, el hoy poeta maldito, se iluminó ante el Cristo de Mena.

«Que vaya en fin por la vida
como tú estas en la cruz,
de sangre los pies cubiertos,
los ojos al mundo muerto
y los dos brazos abiertos
para todos mis hermanos».

La Legión ante el Cristo de la Buena Muerte: emoción, devoción o escándalo

Todas las armas del Ejército tenían su patrón, salvo la de los legionarios. En las Campañas de Marruecos de los años 20, los heridos eran trasladados a Málaga. Y en 1928 aparece la figura del Protector de la Legión, el Cristo de la Buena Muerte de Mena. Ante esta imagen portada por los legionarios, Málaga vibra, Málaga llora ¿Todos? «Un acto de penitencia para una minoría, un acto religioso para otra minoría, un espectáculo público para una gran mayoría. Y, para algunos, un escándalo, un carnaval». Un Cristo no debe llevar armas a su lado. Mientras, la Legión canta la canción que Lola Montes interpretaba en los años 20 por los cabarés de Madrid.

«Soy un hombre a quien la suerte
hirió con zarpa de fiera,
soy un novio de la muerte
que va a unirse en beso fuerte
con tal leal compañera».

LA VALL DE SETA

El Valle de Seta o de Ceta, es el valle más al Sur de la Comarca del Comtat, rodeado de Sierras y de macizos agrestes: Sierra de Almudaina, la Serrella, el Pla de la Casa, Els Freres y Alfaro. Le atraviesa un corto río, el Seta, de solo 12 km. A este recinto aislado, aunque de bella naturaleza, se tuvieron que retirar los moros tras la conquista para dejar los lugares más grandes a cristianos traídos del norte, de Aragón y de Cataluña. Si en 1609 fue camino del exilio de los moriscos, repoblado con mallorquines, hoy es el valle del despoblamiento. Siete pueblos y, en total, 500 habitantes y donde está el municipio más pequeño de la Comunidad Valenciana, Tollos.

Como todos estos valles, tenía su castillo-vigía, los ojos que dominaban las entradas y salidas del valle, el Castillo de Seta o de la Costurera. De sus ruinas quedan dos torres, una, circular, que debió ser la torre del Homenaje y otra en forma de cubo. El valle comprende los municipios de Balones, Benimassot, Facheca, Famorca, Gorga, Quatretondeta, Tollos.

BENIMASSOT. LA INMACULADA

«¡OH, MARÍA, DIOS TE HA ELEGIDO Y TE HA PURIFICADO!».
Corán 3.42

Encaramado en la falda de la Sierra de la Almudaina, desde su balconada de casas blancas se contempla en su esplendor La Serrella, por lo que es denominado como «El balcón de la Serrella». En su entorno, formaciones rocosas, Penyal de Cantacuc, Tossal Blanc, Coves Roges. Calles con mucha pendiente, casas blancas, macetas con flores en sus balcones. Y, sin embargo, solo 99 habitantes.

Como todos estos lugares pasó de mano en mano, Roger de Lauria, conde de Terrano, Martín I de Aragón, Cardona, marqueses de Guadalest, marqueses de Ariza. Pueblo de moriscos quedó deshabitado en 1609 y repoblado con mallorquines.

Rectoría de moriscos y patronos

«En 1574 el beato Juan de Ribera trasladó la parroquia primitiva al lugar de Benimaçot que constaba de doce casas, debiéndose construir allí iglesia y abadía y dándose como anejos los lugares de Costurera, Beniasmet, Rafalet, Tollo, Capaimona, Beniziaró, y Rafalet de Benizairó (Sanchís y Sivera)».

La iglesia, del s. XVII, dependía de Facheca. Fue restaurada en 1907 y no se independizó de Facheca hasta 1953. Dedicada a la Purísima Concepción, que es la patrona principal, junto con San Antonio y San Ramón Nonato, siguiendo el ejemplo de acumulación de patronos. Del 13 al 15 de agosto dedica un día a cada uno de los tres. Y fuera de las patronales, en Navidad, los niños y jóvenes de Benimassot recorren el pueblo encendiendo antorchas de espliego, «cameles».

La Inmaculada en el arte

También el Corán, 3.42, celebra, de alguna manera, la pureza de María. «¡Oh, María, Dios te ha elegido y purificado!». ¿Se podían acercar posturas entre el Corán y los Evangelios?

El éxito popular del dogma de la Inmaculada. Quizá porque todos nos sentimos de alguna manera moralmente manchados, el sueño de que pudiera haber una criatura, una sola, de los muchos millones que han habitado y habitan la Tierra, que no tenga ni un solo atisbo, ni una sola mácula de insolaridad, de envidia, de deseo de venganza, de rencor, una criatura limpia de todo engreimiento, de toda duda, de toda intencionalidad malvada, hizo que tanto los genios de la pintura como los más humildes se volcaran en buscar la esencia de esa *rara avis* en nuestra especie animal-humana, intentando pintar a la Inmaculada, a la no manchada, intentando penetrar en ese misterio.

Murillo se repite una y otra vez como que no lograra encontrar la clave de plasmar la absoluta limpieza de un alma. Hasta 20 inmaculadas por todo el mundo; Sevilla, Museo del Prado, Hermitage, Louvre, National Gallery. Y el Museo del Prado, la primera pinacoteca del mundo, es una hermosa galería, casi una catedral de Inmaculadas. Tiépolo, Valdés Leal, Zurbarán, Rubens, Murillo, Francisco Rizzi, Juan de Ribera y hasta una de Goya según la crítica. Obsesionados en buscar la limpieza absoluta del espíritu y aunque cada uno la muestra con distintos rasgos parecen encontrar un denominador común en el azul, no en un azul marino verdoso, sino en un azul celeste, sin ni siquiera un pequeño filamento de nube blanca que lo enturbie.

«La niña a quien dijo el angel
que estaba de gracia llena
cuando de ser de Dios madre
le trajo tan altas nuevas».

Lope de Vega

GORGA. EL MISMISIMO REY DON JAUME DA NOMBRE A UNA IMAGEN

«SUPO EL REY ESTE PRODIGIO Y ADMIRADO Y CONMOVIDO. ¡A GORGA LE DOY DE GRACIA!»

Gorga es uno de los 7 pequeños pueblos que forman La Vall de Seta, dentro de la comarca del Condado de Cocentaina. El nombre de Gorga aparece por primera vez en *Llibre de Repartiments.* Se trata de una alquería *in termino de* Travatel. Algunos historiadores llevan su origen a un pueblo del Lacio y tendría que ver con la venida de italianos a ayudar en la Conquista. Curiosamente, el nombre de su patrona, Mare de Déu de Gracia, se asocia al mismísimo rey don Jaume I.

Iglesia de Nta. Sra. de la Asunción

Hubo una primera iglesia, pero la actual es de 1745 y dedicada a la Asunción de la Virgen. El arquitecto fue el carmelita fray José Alberto Pina. Espaciosa y una alta torre en la cabecera. Tiene pinturas de Venancio Pla, de 1815. En la Capilla de la Comunión hay una bonita talla de la patona, la Mare de Déu de Gràcia, del s. XVI. También hay un lienzo de Vicente López.

La leyenda de la Mare de Déu de Gracia

Es la virgen más antigua aparecida de estas tierras, pues entronca con el rey don Jaume I que intervino en una disputa vecinal y otorgó la imagen a Gorga. Según la tradición, un pastorcito guardaba el ganado en un pinar junto a un molino. Y vio caer cerca siete estrellas. Corrió a comunicarlo al cura y al alcalde, que no le creyeron, Entonces les mostró su brazo que hasta entonces estaba totalmente inútil y quedó inmediatamente curado. Acudieron las autoridades al lugar y oyeron ruido en la tierra. Excavaron y debajo de una campana había una imagen de la virgen. Pero el lugar era limítrofe con Penáguila y estos se llevaron la estatua. Y cosa inaudita, la imagen volvió por sí sola dos veces al lugar del hallazgo.

Conocido el tema por el rey don Jaume I que se hallaba en Xátiva dictaminó que la imagen pertenecía a Gorga y sentenció con estas palabras. «La doy de gracia». Con esta frase quedaba ya bautizada la imagen, Mare de Déu de Gracia.

Goigs a la Mare de Déu de Gràcia de Gorga que cantan la leyenda

«Hermoso iris del cielo,
de paz y consolación.
Sednos en toda aflicción,
virgen de Gracia y consuelo.
Siete estrellas refulgentes
anunciaron a un pastor
vuestro sitio, y con fervor,
lo manifestaste a la gente.

El rey don Jaime y con celo
reparó en la aparición.
Es antigua tradición
que vos a Gorga os volvisteis
y en ella os constituiste
para ser su protección
y para siempre a este suelo
mostrasteis predilección».

Fiestas patronales

Se celebran el 8 de septiembre y contienen dos partes: una romería al campo, al lugar del molino y una escenificación del milagro. El sábado, ofrenda de flores y procesión, donde tanto mujeres como hombres van ataviados con trajes típicos de la época. Y la presión acaba con el canto de la *Habanera de la Mare de Déu de Gracia y con el himno a la Patrona.*

ALCOLEJA

En el límite Sur de las comarcas del Comtat. Pueblo típico de montaña pegado a la cara norte de Aitana. Uno de los puntos de partida para subir a esta sierra. Sufre una despoblación vertiginosa, de 867 habitantes en 1960 a 196 en la actualidad. Fue pueblo morisco, dependiente, desde la conquista, de Penáguila, independizándose en 1574 y pasando al domino del marqués de Malferit por lo que aún conserva restos de su palacio con torre.

Fiestas patronales y romería a la Capilla de Beniafe

Alcoleja se debe sentir muy valenciana, pues ha elegido por patronos a los dos que tiene Valencia, la Mare de Déu dels Desamparats y San Vicent Ferrer. Dedican dos días de agosto, uno a San Vicente, con misa y procesión y otro al Mare de Déu con misa, procesión y ofrenda de flores. Y es de destacar el *Cant aurora*, canto tradicional popular.

No contentos con ese homenaje a la Virgen de los Desamparados, celebran en mayo una romería a la ermita de Beniafe en su honor. Las mujeres portan en procesión a la Mare de Déu dels Desamparats desde la iglesia parroquial hasta la ermita. Beniafe, hoy despoblada, fue una pedanía con 200 h. En 1913 dice el *Anuario Eclesiástico*: «Beniafe, anejo de Alcolecha, iglesia de San Roque, 200 habitantes». En esta ermita, de 1782, estuvo la imagen de el Mare de Déu dels Desamparats que luego fue trasladada a la iglesia parroquial y sustituida en la ermita por un cuadro cerámico.

(Ver Mare de Déu dels Desamparats, Muro d'Alcoi y San Vicente del Raspeig).

COMARCA DE L'ALCOIÀ

ALCOI, SANT JORDI. LA SUBLIMACIÓN DE LA FIESTA DE MOROS Y CRISIANOS

«ARRIBARES A ALCOI CABALCANT ENTRE EL BLAU».

S. JORGE.

Jaume I está ya viejo y no muy lejano a la muerte. Al-Arzac, el de los ojos azules, desterrado en Granada tras sus dos sublevaciones (1244 y 1248), vuelve precisamente a Alcoi, con 250 jinetes, llamado por los moriscos de la zona. Jaume I envía 40 caballeros desde Xàtiva. Y cuando al-Arzac intenta entrar en Alcoi, cae herido de muerte.

«I qum uns doscents cincuanta cavallers d'aquels gents arribaren a Alcoi per combatre, en la lluitia sufriren gran dany, i, a més, perderen el seu cap, anomenat al-Azrac» (*Llibre dels Fets*).

Cuarenta hombres a caballo persiguieron a los sarracenos hasta la salida de Alcoi pero estos les prepararon una emboscada en el hoy llamado «Barranco de la batalla». *«I caigueren en l'emboscada… i la maior part d'aqulls cristians forn morts o presos»* (*Llibre dels Fets*, 556, Jaume I).

Muerto al-Azrac, y aquí viene la leyenda, curiosamente alimentada más por los historiadores moros que cuentan que antes de la muerte de Al-Azrac habían visto correr por la montaña a un caballero, al cual apodaban Hualay, montado sobre un caballo blanco que los cristianos, por su parte, identificaron con San Jorge. Este santo volador, visto el peligro que aún corrían las tropas cristianas, habría lanzado desde las murallas o desde las nubes una fecha que hirió de muerte a al-Azrac y así libró Alcoi de la dominación sarracena. Era 1276. Pronto San Jorge se apoderó del corazón de los alcoyanos y comenzaron a venerarle como patrón y a celebrar su fiesta.

San Jorge

¿Quién era este santo, aparentemente fantasmagórico, tan celebrado, que aparece de repente en una muralla disparando flechas? La historia lo sitúa (narraciones griegas del S.IV y V) nacido en Capadocia. Fue noble militar del ejército romano al que renunció para dedicarse a predicar su fe cristiana. Muerto en la última persecución, la de Diocleciano, 303, en Lydia (Lord-Is-rael). Su sepulcro se convirtió en uno de los grandes lugares de peregrinación. Luego fue arrasado por Saladino en el s. XII. Cautivó a los cruzados su porte como noble y militar más que su muerte doliente y trajeron su veneración a Europa. Jacobo de la Vorágine, obispo de Génova en el s. XIII incluyó su vida en su famosa *Legenda Aurea*. El noble militar y mártir también cautivó a Europa, pues varios países le nombraron patrono: Inglaterra, Grecia, Georgia, Rusia, Lituania, Portugal. También la Corona de Aragón. Aragón le nombró patrón en 1096, Valencia en 1343, Mallorca en 1407 y Cataluña en 1456.

Sant Jordi según San Vicente Ferrer

San Vicente Ferrer, el gran e incansable predicador, escribió un sermón en la festividad de Sant Jordi. Y no solo le alaba por la ayuda que prestó en la conquista de Valencia sino por ser el dechado de las 7 virtudes cristianas contrarias a los 7 pecados capitales. Sin mácula de soberbia, sin mácula de lujuria, etc.

«Esta solemnita anual que es fa de monssènyer Sant Jordi ès per gran adjudes que feu en la conquesta de la ciutat e Regne de Valencia, e per ço será le sermó de Sant Jordi. Set maculas sont de pecat mortal, de totes les quals sent Jordi fonc mùndeue net, e així, sen máde martiri de si mateix culpa, ha ofert sacrifici. La primera, mácula de soberbia e vanitat; la segona, de luxuria; la tercera, d'avaritia e de cupiditat; d'ira, de gola e vericitat: de pereça; d'enveja. En nenguna no fo lo beneït sent Jordi».

La leyenda de San Jorge y el dragón

Una leyenda medieval, del s. IX popularizó la figura de San Jorge. Una ciudad es asediada por un dragón. Para apaciguarle se le entregaban dos corderos diarios. Cuando estos se acabaron, previo sorteo, se le enviaba cada día una persona para su alimento. Pero un día le cayó en suerte a la princesa de la ciudad. Cuando el dragón iba a tragársela, apareció San Jorge montado en un caballo, mató al dragón y de su sangre surgió una rosa que San Jorge envió a su padre, el rey. El mito de San Jorge y el dragón se interpreta como la lucha maniquea del bien y del mal y el triunfo definitivo de aquel.

Las Fiestas de Moros y cristianos asociadas a la festividad de San Jorge

La fiesta patronal religiosa de Alcoi fue la primera en incorporar elementos no estrictamente religiosos, la fiesta de Moros y Cristianos. De una forma elemental la incorporó en 1672 y, con la forma casi definitiva de hoy, en 1741. De tal modo que en Alcoi no se pueden separar, pues forman un todo unitario, fiesta religiosa y fiesta de Moros y Cristianos.

En 1672, en su *Célebre Centuria*, el doctor Carbonell cuenta que por la mañana se celebraba la misa y por la tarde dos compañías, una vestida de moros y otra de cristianos, simulaban una lucha con arcabuces y donde siempre ganaban los cristianos. El uso de las armas de fuego fue suprimida por algunos reyes durante algún tiempo. Pero en 1741 se obtiene de nuevo el permiso y se extiende la fiesta, de un solo día, 23, al 22 y 24, y se constituyen dos compañías de arcabuceros. El tercer día se empezó a celebrar el«alardo», y se construyó un castillejo llamado «Adiós del Puente» que conquistaban los moros y recuperaban los cristianos por la tarde. Y ya aparecen el capitán cristiano, el *bajá* moro, el alférez y un embajador por cada bando. Y también irrumpe San Jorge por las murallas disparando flechas. Luego venía la Cucufata o dragón de largo cuello. El año 1741 se considera, pues, el inicio de los Moros y Cristianos similares a los actuales.

La fiesta hoy. La trilogía fiestera

Hoy la Fiesta de Moros y Cristianos celebrada en abril ha adquirido el formato de trilogía festera, formato que han copiado muchas localidades que siguen el modelo de foco alcoyano. La trilogía tiene el siguiente esquema.

1.º. Día de Las Entradas. La Entrada Cristiana rememora la medieval en que las tropas cristianas vinieron a defender Alcoi del ataque de Al-Azrac. Muy vistosa, la inicia la carroza del capitán rodeado de sus caballeros. Derroche de música y color. Cierra el desfile el alférez cristiano. La Entrada Mora es una abigarrada mezcla de guerreros africanos y de bailarinas y danzas orientales.

2.º Día del patrón. El protagonismo lo tiene Sant Jordi, que aquí es un niño, Sant Jordet. Procesión religiosa (reliquia e imagen) desde su templo al de Santa maría, Misa de Sant Jordi, de Armado Blanquea Ponsada.

3.º Día del Alardo. Lucha dialéctica a través de Embajadas. Guerrillas que envuelven la ciudad en pólvora y ruido. Guerrillas y escaramuzas por plazas y calles. Lucha con arma blanca y conquista y reconquista del castillo

Iglesia e Iconografía de San Jorge en Alcoi

Alcoi dedicó 4 sucesivas iglesias a San Jorge. La última, de estilo neobizantino, fue construida en 1913 y sustituyó a la anterior de estilo barroco. Y la iconografía de San Jorge en Alcoi ha sido lógicamente abundante. Sobre todo en la iglesia de su nombre aunque también, en 1876, se le construyó un monumento en la Plaza de España.

Todas las iglesias de Alcoi y sus imágenes ardieron en 1936 y la mayoría se desplomaron, Santa María, San Mauro, su monumental altar mayor de Francisco Cabezas, obra de 1753, San Agustín. Del templo de San Jorge se destruyeron los ángeles del altar mayor de Lorenzo Ridaura Gozalbes y la imagen de San Jorge. La actual, de 1939, es de José Rabasa.

Iconografía universal de San Jorge

La iconografía de San Jorge en el arte religioso es casi infinita. Dos razones llevaron a los mejores artistas a representarla: su noble porte de militar romano y la leyenda de su derrota del Dragón para salvar a una doncella. De los siglos VI al XIII se llenaron las iglesias bizantinas de iconos y mosaicos. Saltó al románico occidental donde se refleja sobre todo en los pórticos de las iglesias. Invade luego el gótico ya próximo al flamenco principalmente en la Corona de Aragón. La obra de Bernat Martorell, hoy en Chicago, quizá sea su pintura más significativa. En el Quattrocento italiano destaca la escultura de Donatello, de 1416, en Florencia. Donatello esculpe un San Jorge sereno y firme, sin concesión alguna al mito, sin caballo y sin dragón, solo con un escudo. El *San Giorgio e il drago* de Rafael, en el Louvre, por el contrario, entra en la mitología. Lo mismo le sucede al de Rubens, 1606, en el Museo del Prado.

Prec a Sant Jordi d'Alcoi del poeta Joan Valls

«Cavaller del Miracle que en céltica victoria
arribares a Alcoi cavalcant entre el blau.
Pel pálpit d'aquest poble que venera ta gloria,
fes-un Creu alegre i otorga nos la pau.
Cavaller taumaturg que empunyes la sageta
amb somrís de triomf inspirant viva fé.
Per a que puge al cel nostra plegria inquieta
abranda l'esperança i esmena el nostre alé».

EL CARRASCAL DE LA FONT ROJA Y LA VIRGEN DE LOS LIRIOS

«COMO LIRIO ENTRE ESPINAS ASI ES MI AMADA ENTRE LAS DONCELLAS» (*Cantar de los Cantares*).

La Font Roja

Pero Alcoi no solo celebra a Sant Jordi como patón, sino también a la Virgen de los Lirios. La Font Roja, a 11 km de Alcoi, es un bellísimo espacio dominado por la Sierra del Menjador, 1317 m, perteneciente al Sistema Bético. En torno a él, un conjunto de riscales, pedreras y algún nevero. Bosques en las alturas, sotobosques y carrascales, con abundante flora y fauna. Fue Declarado Parque Natural en 1987.

Y allí, en ese marco incomparable, dice la tradición que el 21 de agosto de 1653, mientras paseaba mosén Antoni Buenaventura Guerau, pavorde o administrador del capítulo de canónigos de Valencia, pero natural de Alcoi, observó atentamente los bulbos de unos lirios blancos entre las aliagas. Y ¡Oh, sorpresa! en ellos aparecían grabadas imágenes de la Inmaculada Concepción. Estaba en pleno auge la defensa de que la Virgen había sido concebida sin mancha y sin pecado original, de tal forma que ya, en 1615, universidades como la de Sevilla juraba defenderla, lo que hasta 1854 no se convertiría en dogma.

El virrey de Valencia envió uno de estos lirios a Felipe IV, quien los colocó en su oratorio. Y se fueron construyendo tres sucesivas ermitas a la Virgen de los Lirios, en 1663, 1743 y 1886. Un conjunto escultórico de 1764, de Esteve Bonet, representaba a la virgen y a San Felipe Neri, ya que mosén Antoni Buenaventura pertenecía a esta congregación. El grupo fue destruido en 1936. Una nueva talla se hizo en 1939 por parte de José Rabasa.

La romería a la Font Roja

Se celebraba el 21 de agosto, pero se trasladó a septiembre para que pudiesen asistir todos los alcoyanos y a la que acuden unos 10 000 romeros. La festividad, la víspera con Sabatina, presentación de los niños a la virgen, ofrenda floral. La romería, al día siguiente comienza a las 6 de la mañana y parte, con la imagen de la Virgen, de la iglesia de San Mauro de Alcoi hasta el Santuario de la Font Roja. En el camino se auxilia con «timonet, herrero, cantueso y pastas». Junto a la ermita, Misa y después, comida en el maravilloso parque.

BANYERES DE MARIOLA

«VÍTOL AL PATRÓ SANT JORDI DIUEN MOROS I CRISTIANS».

En 1241 su nombre aparece como Bigneres. Más tarde, el historiador Escolano la cita como Bernirehes. Es la localidad de mayor altitud de la provincia, 816 m. Situada a las faldas de la bella Sierra de Mariola (La Mariola), donde nace el único río que transcurre totalmente por la provincia de Alicante, recorriendo todo el Valle del Vinalopó. Brilla su castillo musulmán, erguido y victorioso sobre un espolón de roca, El Tossal de L'Àguila.

Podríamos pensar que, por su cercanía a Alcoi, sus fiestas de Moros y Cristianos son un simple remedo de las alcoyanas. Pero no, tienen un origen y un desarrollo propio. Aunque Banyeres ya tenía una ermita dedicada al santo de Capadocia desde el s. XIII, es la llegada de una reliquia de San Jorge traída desde Roma por un sacerdote banyerense, Juan Bautista Domenech en 1780, cuando San Jorge se convierte en su patrón. Y Banyeres no celebra una sola fiesta de Moros y Cristianos sino dos, una en abril, rememorando la batalla de 1276 en que San Jorge vence al-Azrac en la vecina Alcoi y una segunda en septiembre, homenajeando a la reliquia. El origen de la primera está en *La Escolta de San Jorge*, que se convierte en la primera comparsa, únicamente cristiana y en cuyo reglamento de 1850 se dan normas de vestimenta. «El traje de cristiano o romano será similar al de San Jorge». En 1884 obtiene permiso del Gobierno Civil para disparar pólvora en sus calles. Luego surgirá una segunda comparsa, la de Moros Viejos.

En la actualidad se organiza con hitos similares a la de Alcoi, con una trilogía en las mismas fechas, 22-25 abril, fstividad de San Jorge. Pero el desfile de tropas el 22 acaba el día con una innovación muy característica, la *Retreta* o Retirada: los miembros de las comparsas recorren las calles con faroles que luego son quemados en la Plaza Mayor. El día 23, día del patrón, misa y procesión. Y el 24, Día del Trons: Embajadas, conquista del castillo por los Moros, reconquista por los Cristianos.

La segunda fiesta de Moros y Cristianos se celebra en septiembre y es un homenaje a la reliquia. Las diez *filaes* vuelven a vestirse y a desfilar. Y de nuevo La Entrada, desfile, presentación de armas a la reliquia, embajadas, misa mayor, culminando con la procesión.

Ardieron las iglesias y ermitas de Banyeres en 1936. Ardió la iglesia de Santa María, barroco de 1752, con capilla de la Comunión, neogótico de 1899 y cayeron al suelo sus campanas. Ardieron las ermitas del Santo Cristo y la de San Jordi. Y en esta, destruida la imagen de su patrón, obra de 1841 del escultor valenciano Antoni Esteve. Pero no se apagó la devoción de los bañerenses por su San Jorge. En 1940 fueron restaurados los templos y los alatares y repuestas nuevas imágenes. Y no contentos con esto han añadido nuevas formas de veneración a San Jorge como una colosal estatua del Santo machacando al dragón, situada a los pies del castillo. Y, en julio, la representación de la leyenda (la *legenda*) en que San Jorge libera a la joven princesa de las fauces del dragón. Y se acaba con el *Himne a la Festa*, música de Godofredo Garrigues y letra de Modesto Picó.

«Al nostre patró Sant Jordi   *Vítol al patró Sant Jordi*
en Banyeres tots els anys   *diuen musics I paisans.*
li fem festes religioses   *Vítol al patró Sant Jordi*
i de Moros I Cristians.   *diuen Moros I Cristians».*

BENIFALLIM

«DAD A NUESTROS CORAZONES, ARCÁNGEL MIGUEL, CONSUELO».

El pueblo más pequeño de la Foia d'Alcoi, 114 habitantes, a 10 km de la capital comarcal y uno de los más pequeños de la provincia, situado al occidente de Aitana y en terreno abrupto. El naturalista Cavanilles lo describe así en *Observaciones sobre la Historia Natural... del Reyno de Valencia*, 1795. «Yace Benifallim en la falda del Ratonar a bastante altura y junto a un barranco…, las fábricas de Alcoi prestan recursos poderosos a los de Benifallim, cuyas mujeres y niñas se ocupan ventajosamente de hilar lanas». Su castillo, de los llamados roqueños y que abundan en la comarca, fue árabe, remodelado por los cristianos en el XIII y hoy en semirruina.

Después de la conquista cristiana la región fue entregada en 1316 a Bernat de Cruillas pasando luego al conde de Rótora. En 1535 se segregó de Benilloba al que pertenecía. Pueblo morisco, con la expulsión de 1609, quedó despoblado.

La iglesia y el patronazgo del arcángel San Miguel

Al separarse de Benilloba, se erigió como nueva parroquia y los vecinos hubieron de elegir patrono. El 8 de mayo apareció en la reunión vecinal una estampa de San Miguel arcángel, como queriendo indicar que deseaba ser su patrón. La iglesia, en la plaza del pueblo y junto al ayuntamiento, antes Palacio del de Montortal, fue construida y remodelada en sucesivas épocas. Tiene un aire de arte mozárabe y un campanario ya del XIX.

Las fiestas en honor del patrón se celebran el 29 de septiembre, son sencillas y eminentemente religiosas. misa, procesión, danzas tradicionales y *Els Pans Beneïts*, que se reparten entre los vecinos. Y así cantan los *gozos al arcángel San Miguel,* su patrón.

«De la Escuadra celestial
sois el primer coronel
que al atrevido luzbel
venciste en guerra campal

echando al fuego infernal
su rabia y furioso anhelo.
Dad a nuestros corazones,
arcángel Miguel, consuelo».

Iconografía de San Miguel arcángel (ver Vega Baja, San Miguel de Salinas).

PENÁGUILA

Penáguila, nombre de origen romano, Penna Aquilea, Peña del águila. Y, en efecto es un digno nido del águila, en la Sierra de Penáguila, en la vertiente norte de Aitana.

A Jaume I el lugar y el castillo árabe le parecieron hermosos, *«un lloc tan bo i tan notable com era Penáguila»* (*Llibre dels Fets*, 363). Por eso montó en cólera cuando al-Azrac, en su primera sublevación, 1244, se lo arrebató. *«I pensarem com ens en podriem venjar»*, lo sitió, descargó sobre él las catapultas y lo arrasó. En 1278, por carta puebla de Pedro III, fue repoblado con cristianos y construido un nuevo castillo, XIV-XVI, hoy en ruina. Penáguila fu habitado por cristianos viejos. Por eso, apenas influyó en Penáguila la expulsión de 1609.

Nuestra Señora del Patrocinio

Origen curioso de ese patronazgo de Penáguila. El capitán Juan Fenollar, a la sazón al servicio de los ejércitos reales en Nápoles, arrebata a los turcos una imagen de la virgen y la envía en un cofre a su ciudad natal, Penáguila, donde llega el 15 de mayo a través el puerto de Denia. Pero la imagen quedó en la iglesia, en el olvido. Con motivo de una gran sequia, mosén Pedro Pascual predica a los feligreses: «Señores, no se cansen de hacer rogativas, que no lloverá hasta que saquemos en procesión a la imagen de Nta. Señora que está olvidada de todos en aquella capilla». La llevan en procesión y llueve abundantemente.

Coincidió que Felipe IV, muy devoto del Patrocinio de la Virgen se desplazó a la Santa Sede para que Alejandro VII reconociese la advocación y la festividad, lo que sucedió en 1656. Felipe IV dicta una cédula para que se extienda la devoción y festividad por toda España. Don Pedro Domenech, oidor civil de la Cancillería Real de Valencia que tenía casa de veraneo en Penáguila, quiso cumplir el mandato del rey. Para ello dejó en su testamento una dotación para que en la capilla de la imagen luciese todo el año, encendida, una gran lámpara de aceite, «Florón de plata» y estableció la *Huitá*, (octava-vuitada-huitá), un octavario que precedería a la Fiesta de la Virgen.

Fiestas Patronales

Por eso las fiestas patronales de Penáguila tienen esta originalidad: comienzan ocho días antes con la preparación de la festividad, la llamada la *Huitá*. Cada noche se enciende una hoguera o luminaria. Le siguen luego las fiestas, que duran 3 días, celebradas desde entonces interrumpidamente, salvo en el periodo 1931-39. En torno al 4.º domingo de agosto. Siguen el esquema alcoyano de trilogía. Primer día: entrada de Moros y Cristianos; el 2.º, día de la Virgen, *Cantos de Aurora*, Girada de la Virgen, misa y procesión; El tercer día se celebra en la plaza una gigantesca paella vecinal para 800 personas.

Gozos a Nta. Señora del Patrocinio de Penáguila

«Madre del Omnipotente
del Patrocinio invocada.
eres, Señora abogada,
ante un riesgo inminente.
Fugitiva de la guerra

os *traxo* la Providencia
para que en vuestra clemencia
tu paz hallara esta tierra
dándole continuamente
la bendición más colmada».

Iconografía de Nta. Sra. del Patrocinio

La primera congregación religiosa que la tuvo como patrona fue la de los dominicos. Luego, fue Felipe IV quien la profesó enorme devoción. Mandó construir en el monasterio de El Escorial una capilla para ella junto a la escalera que sube al coro, por lo que se llamó Escalera del Patrocinio. El rey encargó una imagen de esta advocación a la Escuela de Gregorio Fernández de Valladolid. Luego pasó la imagen a la basílica, en una de sus 44 capillas, la Capilla de las Santas, a la entrada, al lado de la epístola. Es, pues, la patrona de la basílica del monasterio de El Escorial. También lo es de otros lugares de España y tiene basílicas en América, Guatemala, Zacatecas (México).

COMARCA DE LA FOIA DE CASTALLA

CASTALLA. LA VIRGEN DE LA SOLEDAD

«SOIS DE CASTALLA BLASÓN, SOIS SU AMPARO Y SU CONSUELO».

Castalla es la capital de una pequeña comarca, La Foia de Castalla (La Hoya), un hondo mesetario rodeado de montañas de las que sobresale el Maigmó. Castalla aparece varias veces en *El Llibre dels Fets* como hito de la línea divisoria en el Reparto de Almizra, cayendo del lado de la Corona de Aragón (349); como lugar desde donde Jaume I atacó la conquista de Biar (*«cap a la part on se va a Castalla»*, 357); como objeto de intercambio entre Jaume I y Giménez Peres d'Arenós, yerno del rey de Valencia, Abu-Cày. Jaume I le cedía Test y Vinmarxant y ganaba Castalla (360).

El castillo árabe del XI, sufrió en los s. XIV al XVI importantes transformaciones: Palau, Torre Grossa, Patio de armas.

Las iglesias. La ermita de la Sangre y la iglesia de la Asunción

La población, tras la conquista, fue pronto importante y repoblada con cristianos viejos. Pero según algunos historiadores, aunque con datos poco concisos, existía ya un templo de los más antiguos de la provincia (2000 años). Una basílica tardo-romana que los visigodos convirtieron en iglesia arriana y los árabes en mezquita. En 1245, Jaume I, a su vez, la convierte en la primera parroquia de Castalla, dedicada a la Natividad de Nuestra Señora. Este templo se fue ampliando, añadiéndole capillas. En 1436. Aparece ya como edifico de gótico valenciano de reconquista (un gótico humilde).

Con el pujante crecimiento de la población se construye una nueva iglesia en el centro de la villa y, en 1572, se traslada allí la parroquia. La nueva parroquia siguió con la antigua advocación, Natividad de Nuestra Señora, hasta 1653 que cambia a parroquia de la Asunción de Santa María. Madoz, en 1847 alaba la solidez de la construcción. Templo majestuoso, estilo clásico y renacentista, con reminiscencias góticas y columnas dóricas. Y famosas son sus cinco grandes campanas que tocan a volteo en la Festividad de la Asunción.

La antigua parroquia desde entonces quedara como ermita, donde se ubicará la Cofradía de la Preciosísima Sangre con la imagen del Cristo de la Piedad (El Vellet de la Sang) y donde tiene su altar y su camerino la patrona, de Castalla, la Virgen de la Soledad.

Tanto la iglesia de la Asunción de Castalla como la ermita de la Sangre sufrieron las iras marxistas en 1936. Asaltadas y destruidas sus imágenes, la actual imagen de la Soledad es de 1940, del escultor Vicente Rodilla.

La Virgen de la Soledad, patrona de Castalla

La devoción de Castalla a la Virgen de la Soldad no tiene una fecha muy determinada, aunque ya aparece en el camerino de la nueva ermita de la Sangre en el siglo XVI. En 1757 se la construyó otro camarín rococó.

En Castalla no se apareció ningún ser celestial. ¿Por qué eligieron patrona a la Virgen de la Solead? Alguien ha querido dar una explicación poco fundada. Don Ximen Pérez d'Arenós, (*Llibre dels Fets, 360*), que acompañó a Jaume I en sus batallas fue el conquistador de Castellón según Martin Viciana. Y, a la vez, fue primer señor de Castalla y también de Cheste. El hecho de que la Virgen de la Soledad sea patrona de Cheste ha hecho pensar que ya era devoción de Ximen Pérez de Arenós y que por eso era patrona, a la vez, de Castalla y de Cheste. Sin embargo, tanto en Cheste como en Castalla, la devoción a la Virgen de la Soledad aparece, no en los primeros tiempos de la Conquista sino en el s. XVI.

Fiesta de Moros y Cristianos en honor a la Virgen de la Solead

A pesar de que la devoción a la Virgen de la Soledad no se originó en Castalla en ningún hecho portentoso, sus fiestas patronales son muy significativas, pues son de las más antiguas, con Alcoi y Villajoyosa, en incorporar los Moros y Cristianos a la festividad religiosa. Castalla lo hizo a la festividad de su patrona.

Aquí, como en otros lugares, ya en el s. XV las milicias populares acompañaban a las procesiones y disparaban sus arcabuces. Pero para conocer las fiestas actuales, recurrimos al testimonio de un abogado valenciano, Vicente Zacarés, que narraba ya como se celebraba este combate no sangriento el 8 de noviembre de 1855: «A las dos de la tarde se dio principio al simulacro o parodia de las sangrientas batallas entre cristianos y moros…, la suerte es adversa de los cristianos y se ven precisados a retirarse hasta parapetarse en su castillo…, apoderándose los moros del castillo, de cuya torre arrancan las banderas sustituyéndolas por las suyas y colocando a Mahoma en medio de la mayor algazara. Se consumieron en dicho simulacro ochenta arrobas de pólvora».

Fiestas patronales en honor de la Virgen de la Soledad

Se celebran del 1 al 4 de septiembre que son denominados los «*quatre dies d'or*». Y sus actos más brillantes son, la Procesión de la *Baixada*, en que la imagen de la Soledad es transportada hasta la actual parroquia acompañada de autoridades y comparsas de Moros y Cristianos que envuelven la procesión en pólvora y tronar de arcabuces. Una bajada espectacular en que se mezclan religión, pólvora, gritos de la soldadesca y danzas, valses y mazorcas. Luego, entrada de las siete comparas y procesión de la Virgen con ofrenda de flores. Momento importante cuando los cristianos recuperan el castillo tomado por los moros y proceden al entierro simbólico de la Mahoma, sustituido por la bandera cristiana. Terminan las fiesta con la *pujada* de la Virgen a la ermita. Y así cantaban en Castalla, ya en 1854, los gozos en honor de su Virgen de la Soledad:

«Sagrada Virgen María,
madre de nuestra piedad,
sea vuestra soledad
nuestra dulce compañía.
Sois de Castalla blasón,

sois su amparo y su consuelo,
ylos hijos de su suelo,
hijos vuestros también son.
Y proclaman a porfía
tan santa maternidad».

IBI

LA *GEPERUDETA*, PATRONA DE IBI

Ibi, probablemente palabra prelatina, *iba,* con el significado de «junto al río». A mediados del XIII, a la hora de la conquista, era solo un castillo árabe y una alquería. Ya población, pasó siglos dedicada a la agricultura y a la fabricación de helados gracias a sus neveros. Pero a principios del XX irrumpe con fuerza en la industria del juguete. En un pequeño taller de fabricación de aceiteras, lecheras y utensilios de hojalata, a Rafael Payá se le ocurrió construir una tartana de juguete para sus hijos. Fue tal el éxito, que toda la industria juguetera se volcó en Ibi convirtiéndose en una fábrica de sueños, en la ciudad más importante de la Hoya de Castalla, con 23 000 habitantes y la única ciudad que construyó un monumento a los Reyes Magos en una plaza y no en el interior de un templo. Pero no les hicieron patronos a los Magos pues los ibenses tenían ya otra singular patrona.

Iglesia de la Transfiguración del Señor

La parroquia de Ibi dependió de Castalla hasta 1582, en que la desmembró el patriarca Ribera. Luego se construyó una nueva dedicada a la Transfiguración del Señor y donde está el trono de su patrona la Virgen de los Desamparados. Tenía pinturas de Joaquín Oliet (1825) e incluso alguna atribuida a los Juanes.

La Mare de Déu dels Desamparats

La imagen de su patrona no llegó a Ibi transportada por ángeles. Fue un comerciante ibense, Francisco Ferrán, residente en Valencia, quien mandó realizar una copia exacta de la Mare de Déu dels Desamparats para regalársela a su pueblo. Pero era época de la Guerra de Sucesión y él se apuntó al bando austracista llegando a ayudante de campo del archiduque Carlos de

Austria. Por ser del bando perdedor tuvo que exiliarse a Viena y la imagen permaneció en Valencia hasta 1731 que vino a Ibi. La recepción fue apoteósica. Los ibenses se gastaron 29 403 reales en tejer el manto y 47 240 en la corona y joyas. 200 años más tarde, se obtiene la coronación pontificia, pero ya la II República prohíbe se haga en sitio público y es coronada casi a escondidas en la iglesia, el 12 de agosto de 1931.

En principio estuvo en la capilla de San Pedro y San Pablo, capilla de los Brotons. Luego pasó a la parroquia donde tiene su trono. La devoción aumentó en 1855 con ocasión de la llamada *Peste del mundo asiático*, de la que Ibi se libró. Los ibenses se volcaron con su Virgen y gastaron 29 403 reales en el vestido y 47 240 en trono, joyas, diadema, etc.

En 1931, año de la proclamación de la II República fue también el año de la coronación pontificia de su Virgen. Pero la República no permite que se haga en sitio público y ha de hacerse casi a escondidas. Llega el 36, son incendiados los altares, destruida la imagen de la Patrona y robados todas sus joyas que los ibenses habían aportado durante dos siglos. La actual imagen, de 1940, es del escultor valenciano Rafael Alemany. Ibi, según un cronista de la época «Durante tres años se eclipsó la luz de los ojos de la Virgen; Ibi se quedó huérfana, con el manto de la Virgen y la imagen desastradas».

Fiestas patronales

Fueron exclusivamente religiosas hasta 1948 en que, por mimetismo o por darle colorido a la fiesta religiosa, se añadieron las Fiestas de Moros y Cristianos Ahora se celebran en septiembre. Y caso curioso, precediendo a la fiesta, se celebra en mayo el *Día del Avís* (el aviso), como diciendo, «preparaos, que están próximas las fiestas».

El esquema, ya con Moros y Cristianos, es similar al de otras localidades: subida de la Mare de Déu al altar mayor de la Iglesia de la Transfiguración, del s. XVI, Entradas de Bandas y comparsas, Nit de l'Olleta, Alarde, Embajadas, Guerrilla, Conquista del Castillo por los moros, Reconquista por los cristianos. Y, copiando a Xixona, se ha añadido el *Judici Sumarissim i afusellamant del moro traïdor*. Al final, todo acaba en paz, con la misa mayor y la procesión con la patrona.

«Celestial divino faro,
digna madre del Señor,
Gloria a ti, Virgen María,
amparo del desvalido,
consuelo del afligido,

Virgen Santa del Amparo
Ibi te pide favor.
causa de nuestra alegría,
salve, salud del enfermo,
refugio del pecador».

ONIL

«SOIS DE ONIL, ALBA SERENA, SOIS CONSULEO DEL PACIENTE, SOIS LA SALUD DEL DOLIENTE».

Onil, en La Foia de Castalla, y recostada sobre la Sierra de Onil. Onil, de etimología dudosa, probablemente palabra prerromana. Durante siglos su vida transcurrió dedicada a la agricultura. Tanto el científico Cavanilles en 1795, en su libro *Observaciones...* como el geógrafo Madoz, *Diccionario Geográfico*, 1850, alaban no solo sus productos, sino el arte y laboriosidad agrícola de su gente. «Es tanto lo que rinden (los marjales) que o se deben refutar por los más fértiles del Reyno o a sus cultivadores por ser los más industriosos o inteligentes». A finales del XIX iba a cambiar su sino. Si Ibi triunfó con los juguetes, Onil lo haría con las muñecas, de forma que La Hoya de Castalla se convertiría en el Valle de los Juguetes. Un exgurdiacivil, Ramón Mira, en 1870, se dedica a hacer muñecas de barro. Luego las barniza, importa de Alemania cabezas de porcelana y después se va adaptando a los nuevos materiales como el plástico. Y la industria de la muñeca, de talleres familiares salta a grandes fábricas, como Famosa (Fabricas Agrupadas de Muñecas de Onil. S.A.) con 650 obreros. Sus muñecos, Nancy o Menuce, llegarían a los hogares de medio mundo.

La iglesia de Santiago Apóstol
La iglesia actual forma un conjunto con el palacio del marqués de dos Aguas, (s. XVII). Llegó a ser importante como parroquia, pues tuvo un número considerable de Beneficiados. Y también como monumento artístico. Diseñado por Cambra, con 4 torres y una bóveda octogonal con 8 gajos. Fue terminada en 1778.

En la Guerra Civil fueron asaltados la iglesia y la ermita y destruidos altares e imágenes. El altar mayor, de madera tallada, barroco-churrigueresco, ardió en parte. La actual imagen de la patrona, de 1940, es del escultor Sempere Sanchis que ha intentado reproducir la primitiva. La iglesia hoy contiene también pinturas del pintor nacido en Onil, Eusebio Sempre, artista universal y líder del *pop art* y del arte cinético.

La Virgen de la Salud. El origen de su devoción
En el s. XV una familia construye ya una ermita a partir de un supuesto milagro en el Bancal de Fontalbres, ermita que quedó un tanto olvidada. «*Si el meu germà torna a la vida Vos promet fer-vos una ermita, en vista d'açí y poner Vos la veneració pública*».

Pero es en 1680 cundo se mezcla historia, tradición y leyenda. Una gran peste asola la comarca. Tres concejales tienen un sueño donde se les indica que acudan a una ermita olvidada en la partida de las Eras, donde hay una imagen gótica de la Virgen. Era el 23 de abril. Sacan en procesión la imagen y la peste acaba. Esa imagen gótica se va recargando con mantos, abalorios y joyas hasta ser una imagen típicamente barroca en el XVII.

Fiestas de Moros y Cristianos en honor de la Virgen de la Salud

Las fiestas, en honor de la Virgen de la Salud, en abril, son de las primeras en haber asociado a la festividad re las Fiestas de Moros y Cristianos (1799), sin duda por influencia de las cercanas Alcoi y Castalla, con las que tiene muchas semejanzas, aunque añaden las danzas populares tradicionales en la *Nit de les Fogueres* en torno al fuego.

Ya en fiestas, diana, *Ballá de banderas*, entrada triunfal de las comparsas tras los estandartes. Significativa la *Moguda de bandes*: 1500 festeros, 10 bandas. Los Cristianos luciendo sus brillantes armaduras y los Moros, trajes de color, cargados de perlas y plumas. Y *Primer Dia de Trons*. Embajadas, procesión de la Virgen de la Salud, *Nit de la Olleta, Güerilla*. Conquista del castillo por los moros, reconquista cristiana.

Gozos a la Virgen de la Salud de Onil

«Pues el blasón os dio el cielo
de Virgen de la Salud,
dénos vuestra gran virtud
en toda aflicción, consuelo.
Sois de Onil Alva serena,

sois consuelo del paciente,
sois la salud de doliente,
sois quien las gracias ordena,
sois alivio en toda pena,
sois gozo en todo dolor».

COMARCA DEL ALTO VINALOPÓ. CASTILLOS Y FIESTAS DE MOROS Y CRISTIANOS

La comarca del Alto Vinalopó del que Villena es la capital, comprende dos subcomarcas: Subcomarca de Villena, Sax y Salinas y Subcomarca de Biar, Beneixama, Campo de Mirra, La Canyada.

De la Comarca del Alto Vinalopó tenemos que señalar dos hechos. En ella están dos de los tres grandes castillos del corredor, paso natural del Vinalopó (Villena y Sax). El tercero, Petrer, está en el Medio Vinalopó.

Es una comarca de fuerte implantación de las fiestas de Moros y Cristianos asociadas a las fiestas patronales religiosas. Existen históricamente en Alicante dos focos de irradiación fiestera, el de Alcoi y el de Biar. Dos focos paralelos, pero que cada uno guarda sus peculiaridades con su interacción e irradiaron de las fiestas a otros lugares. Lograron una simbiosis casi perfecta de fiesta religiosa y de Moros y Cristianos.

VILLENA. «LA MORENICA»

«EN HOMBROS TE LLEVARÁN, VIRTUDES, VIRGEN MORENA; ALÁBEGA SIEMPRE EN FLOR, AROMA DE HIERBABUENA»,

Villena, para Menéndez Pidal, provendría de un antrotoponímico romano, *Bellius o Vellius*. Para Doménec Verde, del árabe *Billyana* (la llamada por Ala). Conquistado por Jaume I en 1240 (*El Llibre dels Fets* nombra Villena en 13 capítulos), pasó en 1244, por el Tratado de Almizra, al dominio de Castilla, aunque Jaume I debió bajar en 1264 a sofocar la rebelión morisca.

Pronto tuvo importancia y fue señorío de Villena, principado, ducado, marquesado. Conserva extenso campo con 15 pedanías y un gran acerbo monumental: dos castillos, el de la Atalaya, de origen almohade, en una encrucijada de caminos, desde donde se divisan las provincias de Albacete, Alicante y Valencia, y el de Salvatierra, gótico-renacentista, que duró del s. X al XIV y hoy en ruinas. Villena, tiene también rico patrimonio religioso, iglesia de

Santiago Apóstol (S XV), gótico renacentista, iglesia de Santa María, (S.XVI) renacentista y portada barroca y la ermita de la Virgen de las Virtudes.

«¡Tú, Villena! Archivieja, archisapiente, archicristiana, archimora, archihumana. ¡Tú, Villena, anfitriona de los siglos y de los siglos! Segadora, cazadora, viñadora, aceitunera, zapatera, mesa de mantel blanco y gazpacho; de vihuela, de almirez y chirimía ¡Tú, Villena! Así es Villena, me roba y te roba». Navarro Santafé.

Imagen primitiva de la Virgen de las Virtudes de Villena

Historia y leyenda. En 1474, una terrible peste hace que la población huya al campo, a la Fuente del Chopo, en busca de aires no contaminados. Muy cristianos, buscaban un patrón que les librase de la peste. Echaron en una bolsa diversas papeletas según la devoción de cada vecino y un niño, una mano inocente sacó una que decía «Virgen de las Virtudes» y que nadie había escrito. Se repitió tres veces la operación y tres salió el mismo nombre. Pero no tenían imagen de la Virgen. Por eso enviaron a vecinos a buscar alguna en los pueblos limítrofes. En el camino se encontraron con dos jóvenes que llevaban en una arqueta la imagen de una Virgen. La entregaron y desaparecieron. Y ya los villenenses la consideraron su abogada contra la peste.

En todo eso estaban interviniendo los Reyes Católicos en Villena (documento de 1490). Su política era doblegar a la nobleza para lo que alentaron a los villenenses a sublevarse contra el marqués de Villena. En este contexto no venía mal cambiar la patrona del marqués, la Virgen de las Nieves, por esta nueva advocación a la que ya, en 1497, erigieron una ermita en aquel lugar, a 6 km de Villena. Estuvo guardada por un ermitaño hasta 1526, en que se hicieron cargo de la ermita los religiosos Agustinos, creándose, además, la Congregación Esclavos de María. En 1836, por la desamortización, los frailes tuvieron que abandonar el lugar.

En 1936, ardieron todas las iglesias y altares de Villena, verdaderas joyas de arte, e imágenes religiosas, arciprestal de Santiago, Santa María y también la ermita, portada renacentista y añadidos barrocos e imagen de la Virgen de las Virtudes. Una talla de madera oscura, con estilo cuasi románico, por lo que la gente la llamaba La Morenica. Estaba vestida y tocada al estilo de las mujeres de la época. La actual imagen, de 1939-40, es del escultor villenense Navarro Santafé.

La emocionante romería

Una multitudinarias romería. Hasta 1866, el 8 de septiembre iba todo Villena en romería hasta la pedanía de Las Virtudes, a 6 km, separada entonces de Villena por una laguna que había que salvar por un camino de troncos, La Calzada de la Virgen. Desde entonces se decidió llevarla cada cinco años a la ciudad, acompañada de las gentes con trajes típicos, música y danzas.

«Entre el verde del pinar,
asoma alegre y gozosa,
la bajan desde su altar
radiante y esplendorosa.
Por arcilla y saladar,
entre viñedos y arena,
en hombros te llevarán.
Virtudes, Virgen Morena.
Alábega siempre en flor
Aroma de hierbabuena
Te decimos, con fervor,
¡Sé bienvenida a Villena!».

Fiesta de Moros y Cristianos en honor de la Virgen de las Virtudes

Se celebran del 5 al 9 de septiembre. Aunque posteriores a Alcoi y Biar, ya en 1838 Villena aunó fiesta religiosa a la patrona y fiesta de Moros y Cristianos. En sus primeros tiempos, dos comparsas, una Cristiana y otra Mora, representaban una festiva batalla. Estas fiestas entran dentro del foco de irradiación de Biar desde donde aún sigue llegando la Mahoma.

Hoy son de las más masivas. Desfilan 14 comparsas, 7 y 7, las más antiguas, Cristianos y Moros viejos. Los primeros representaban a la antigua soldadesca. Y ya en 1955 se incorporó la mujer, cosa que en otros sitios costaría verdaderas luchas incluso jurídicas.

Las fiestas, del 5 al 9 de septiembre, siguen el programa previsto: Desfile de Bandas de Música recibiendo a la Virgen que viene del santuario. Procesión hasta la arciprestal. Embajada y Guerrilla en el Castillo de la Atalaya. Pocos escenarios tan bucólicos para una romería como el del campo de Villena y pocos tan impresionantes como el altivo Castillo-Atalaya, de los Siglos XI-XV, en lo alto, iluminado, para representar una incruenta batalla entre Moros y Cristianos. Versos de la Embajada de los Moros invitando a la rendición. Ocupación del castillo y entronización en el castillo de una gigantesca imagen de Mahoma.

Por la noche, cabalgata. Los Cristianos recuperan el castillo y deponen a Mahoma. Y procesión con la Virgen hacia su Santuario, a 6 km, acompañada de las bandas de música y de las comparsas. Y en un paseo tan religioso, tan bucólico y tan festero, no podía faltar el *Pasodoble a la Virgen de las Virtudes, a la Morenica* (Letra de Antonio Luna y Música de Cristian Marco).

De todas formas, los Moros y Cristianos de Villena se han convertido últimamente en el ejemplo de masificación de la fiesta de Moros y Cristianos. 14 comparsas. La Cabalgata nocturna, el acto central, con 14 comparsas y 12 000 participantes, entre festeros, músicos y boatos, es la más multitudinaria, de 7 horas de duración.

Navarro Santafé, escultor, en 1940, de la nueva imagen de la Virgen de las Virtudes

Antonio Navarro Santafé fue un hijo ilustre de Villena. Si Chapí fue su músico, Santafé su escultor. Desaparecida la primitiva imagen medieval, en 1939 se le encargó una nueva. La realizó y la regaló. Es también el autor en Villena del monumento a Chapí y de la restauración del retablo incendiado de la iglesia de Santiago. Y también de monumentos como el *Oso y el Madroño* de la Puerta del Sol, o el *Toro de lidia en Jerez*, etc.

SAX. LAS «MILICIAS CONCEJILES» DE SAN BLAS

«GLORIOSO NUESTRO SAN BLAS, CONSUELO DE LOS MORTALES, LÍBRANOS DE ENFRMEDADES, DE DOLORES DE GARGANTA».

Sax, del latín *Xasum* (¿) peñasco, vocablo de la época en que por ahí pasaba la Vía Augusta. Situado en una fosa que corta las Sierras Penibéticas, Cabreras, Cámara, Peña Rubia, atravesado por el Vinalopó, de escaso caudal. «Sax está en una Serruezuela, a una solana y en lo alto está un castillo muy agrio» (Fernando Colón, 1517).

Castillo de Sax

En 1239 fue atacado por las tropas de Jaume I «*I després anarem a Sax, i hi feren un atac de cavalleria amb el qual els prengueren una gran part de la villa*» (*Llibre dels Fets*, 291). En este ataque murió el caballero Artal d'Alagó, hijo del lugarteniente de Jaume I. En 1240 consiguieron conquistarlo los caballeros aragoneses de la Orden de Calatrava, del Convento de Alcañiz, El de Sax es de los llamados castillos rocosos construidos sobre un peñasco. Formaba parte de una línea defensiva con los de Biar, Villena y Petrer, en el Corredor del Vinalopó. En la actualidad, restaurado, se contemplan perfectamente, la entrada protegida por torres semicirculares, la Torre del Homenaje, cuadrada, de 15 m de altura, el patio de armas, etc. En 1262, Sax fue asumido por el señorío de Villena, transformado en marquesado en 1366.

La iglesia alta y la iglesia baja

Inmediatamente a la conquista, Sax tuvo una primera iglesia parroquial a los pies del castillo y sobre la antigua mezquita. En realidad era una de las llamadas «ermita de Reconquista». Esta parroquia dedicada a Santa María, duró como parroquia tres siglos, hasta 1561. Luego se convirtió en la ermita de su patrón, San Blas. Después se construyó la iglesia baja dedicada a Nta. Sra. de la Asunción. El actual templo, s. XVII y XVIII, es de etilo neoclásico, bóveda de cañón, capitales corintios. En 1936 fueron incendiadas iglesia y emitas, incluso la imagen del patón San Blas, talla del s. XVIII, sustituida en1940 por una del imaginero valenciano Francisco Marco.

El milagro de San Blas

Curiosamente, este milagro es fundamental para conocer cómo nacieron y evolucionaron las fiestas de Moros y Cristianos en el Levante Español. Poseían en Sax una reliquia de San Blas y a ella acudieron en 1627 con ocasión de una peste denominada garrotillo (una variante de la difteria). Y al cesar la epidemia, juraron con voto solemne «desde ahora y para siempre» celebrar la festividad de San Blas, nombrándole su patrón.

Gozos de Sax a San Blas

«Glorioso nuestro San Blas,
consuelo de los mortales.
Por tu glorioso martirio,
líbranos de enfermedades,
de dolores de garganta.

Eres perfecto abogado,
protector de atribulados
y padre del desvalido,
consuelo del afligido
en todas necesidades».

Las fiestas de Moros y Cristianos de San Blas

Las procesiones, sobre todo en la subida a la ermita de San Blas, eran acompañadas por las milicias concejiles (la soldadesca) con disparo de arcabuces. Y ya en 1544 se documenta el Alarde, el paso de revista de estas milicias.

Pero el salto de la soldadesca a los Moros y Cristianos actuales se da con ocasión de la Guerra de la Independencia, 1810-1815 en que se introduce los que se consideran elementos esenciales de las fiestas modernas de Moros y Cristianos, las Embajadas, con los textos de Embajadas y con el castillo de Embajadas. Se conserva la estructura de las milicias concejiles, capitán, alférez (ruedo de banderas), sargentos, pajes (herederos de los pajes de Roda de los tercios españoles), forma de desfile (el saltico). Los Cristianos toman el traje de labrador mientras que la comparsa Mora se viste con el «traje a la turca…». Al principio, las Embajadas se convierten en acto de protesta contra la invasión francesa y al francés se le considera «el moro traidor». Y curiosamente, en el Sexenio Revolucionario, 1868, acuden a un mítico libertador, Giuseppe Garibaldi y crean la comparsa de Garibaldinos, que desfila con la bandera de Italia. De esta manera quedaba ya más o menos fijado el formato de las fiestas modernas de Moros y Cristianos de Sax.

SALINAS

Salinas, el nombre lo dice todo. Una laguna en una cuenca endorreica, o sea, sin salida al mar, donde el agua se saliniza. Situada entre las Sierras de Salinas y Cabrera, todas del Sistema Penibético. Se extrajo sal hasta 1950.

Los árabes, en el s. XI, instalaron junto a la laguna una colonia en una pequeña fortaleza amurallada con torre defensiva. Después de la conquista pasó al señorío de Villena. En 1751, una inundación anegó el poblado por lo que fue trasladado a 1 km y construido en trama hipodérmica, de manzanas rectangulares. En 1837, al suprimirse los señoríos, Salinas se hizo municipio independiente.

Iglesia de San Antonio Abad

Hubo una primera iglesia dedicada San Antonio Abad. Tras la inundación en 1971, en la nueva localidad se construyó una nueva dedicada al mismo patrón, San Antonio, con torre cuadrada.

La iglesia fue incendiada en 1936. Reconstruido el interior en 1940, tiene tres cuadros de Gabriel Barceló. En esta iglesia están las imágenes de los dos patronos, San Antonio y Virgen del Rosario, celebrando sus fiestas separadamente.

Fiestas patronales de San Antonio Abad

Se celebran en enero y, curiosamente, mientras en todas partes se celebra con hogueras el equinoccio de verano el 24 de junio, aquí se celebra el equinoccio de invierno el 3 de enero, Festividad de San Antonio. Se hacen hogueras en las calles en un ambiente mágico, siendo el protagonista el Mayordomo, que va repartiendo trozos de carne de cerdo, pan y vino. Antes se ha realizado la bendición de animales.

Himno se Salinas a San Antonio Abad

«San Antonio, bendito patrono
que en Salinas veneran su altar,
a quien todos con fe le pedimos,
nos conceda su amor paternal.

Desde el cielo nos escuchas
y bendices a tu pueblo amado
y en el día de tu fiesta
en el templo tu nombre elevar».

Fiestas a la Patrona Virgen del Rosario. Moros y Cristianos

Salinas celebra la festividad de su patrona, no en octubre, sino en mayo. Y enclavado como está en uno de los focos mas festeros, el Alto Vinalopó, no podía dejar de sumarse a la corriente y así lo hizo en 1972 creando tres comparsas: Piratas, Contrabandistas y Moros Laguneros, que acompañan a la Virgen. El esquema es similar a otros sitios: Rueda de Bandas, entrada Cristiana. Se dirigen a la iglesia a saludar a la Virgen. Al día siguiente, exaltación a la patrona, entrada Mora, ofrenda de flores, Embajadas. El día grande, día de la Patrona, entrada Cristiana y procesión.

Himno de Salinas a la Virgen del Rosario

«Oh! Virgen del Rosario,
dulce madre amorosa,
consuelo de las almas
que anhelan salvación.

Patrona venturosa
de este rincón humilde,
a ti te suplicamos
En tiempos de aflicción».

BIAR. LA MARE DE DÉU DE GRÀCIA

«SOIS LA INSIGNIA DE BIAR PER OBRIR I DEFENSAR».

¿Biar, *apiar,* colmena, Biar, *Bi'ar,* pozo de agua? Biar, castillo almohade altivo, roca entre montañas y bosques. Biar, extremo occidental de la línea divisoria entre las Coronas de Aragón y de Castilla ¡Ah, el Tratado de Almizra! (*Llibre dels Fets,* 349). Biar, castillo indómito que el rey Jume I hubo de sitiar durante meses. «*Però a la fi, i pasar tot açò, l'alcaid que hi havia, anomenat Muça Almoràvir, ens rendí el castell*» (359). Era 1245. Biar, foco de rebelión del belicoso al-Azrac. De este castillo decía Madoz cuando lo visitó hacia 1848, «esta fortaleza cuyo estado actual es muy ruinoso y se aprovecha para cementerio». Hoy, remozado, luce esplendoroso. Todo un placer para la vista.

La Mare de Déu de Gràcia 1635

Biar, con cuatro ermitas, no podía faltar en una de ellas la tradición o la leyenda. «Llegaron unos peregrinos a Biar. Pidieron pan y agua, un trozo de madera y una habitación. Al cabo de unos días, como no daban señales de vida, abrieron la puerta de la habitación y solo encontraron una imagen con la inscripción, "Virgen de Gracia". Al principio se construyó un eremitorio. Una ermita pequeña, de una sola nave, con un altar en el centro sostenido por cuatro columnas de talla, abierto a sus cuatro lados para que con mayor facilidad pudiera verse a la Virgen».

En 1635 es proclamada patrona de Biar. Ya, en 1669, se edifica un hermoso templo, entre el Neoclásico y el Barroco, obra del arquitecto Juan Blas Aparicio.

Y como no, en 1936, el odio marxista, «la religión opio del pueblo», asalta la iglesia, quema los altares y destruye la imagen de la Virgen de Gracia. La actual, de 1940, es de Pío Molla.

Biar, adelantado en unir fiesta religiosa y fiestas de Moros y Cristianos

¿Cómo llegó Biar a esta simbiosis tan perfecta entre lo religioso y la fiesta de Moros y Cristianos, unas fiestas de las más antiguas y, a la vez, más brillantes de la provincia? Seguiremos el esquema de su evolución histórica de Antonio Ariño, que lo divide en tres fases:

Primero fue la bajada de la Virgen desde su santuario acompañada por el alardo de la soldadesca, que correspondía al paso de revista a las tropas del rey en la Edad Media y que ya aparece documentada en 1613. Sobre el soporte de la bajada de la Virgen se irá tejiendo la fiesta. Estas milicias eran representadas por familias pudientes que podían gastar en armas y pólvora. De 1771 a 1800 no se utilizaron armas ni pólvora, pues fueron prohibidos por Carlos III

De ahí se pasa (documentado ya en 1804) a la conquista del castillo y a una representación dramática. La conquista se hace por dos bandos o comparsas sucesivamente, Moros primero, Cristianos después.

Se realiza durante tres días en la plaza de la villa una representación dramática de la lucha, un drama quizá derivado de autos medievales en el que aparece la intervención y protección del cielo. Quedan ya establecidas las compañías de alardos como comparsas. Primero son dos, Mora y Cristiana y luego se van subdividiendo.

En principio, las fiestas de Moros y Crsitianos de Biar corresponden al modelo alcoyano, pero añaden elementos muy significativos, el *Ball de les Espíes*, les *Fogueres en los montes* y la Mahoma.

Resumen de las fiestas hoy

Día 10 de mayo. Entrada de Moros y Cristianos. Las escuadras suben al santuario acompañados de la Perigoseta, imagen de Nta. Sra. del Roser que sustituirá a la patrona durante su ausencia. Bajada de la Virgen de Gracia escoltada por los *vells* Moros. Todo bajo el tronar de arcabuces, del *vals de la Saciata*. Y los montes y laderas que forman el anfiteatro de Biar, iluminados por 500 hogueras. Llegada a la plaza y recibimiento a la patrona con el *Cant de Benvinguda*:

«Entre nosotros está
porque en romería te han bajado,
muchas mujeres del pueblo
en sus hombros te han llevado.

Virgen de Gracia,
Tú eres nuestra guía
y en ti confiamos,
dulce madre mía».

Día 11. Desfile Moro y escaramuzas. Los cristianos se refugian en el castillo. Los Moros envían espíes y lanzan ratas portadoras de peste. Embajada del Moro al Cristiano. Conquista Mora del castillo. Desfile con La Mahoma sobre un carro.

Día 12. Embajada del Cristiano al Moro. Los Cristianos recuperan el castillo. Despedida de la efigie de Mahoma. Por la noche procesión.

Día13. Llegada de la imagen de la patrona a la Plaza de España. Subida de la Virgen a su santuario al son del *vals de la Virgen*

Gojos de Nuestra Senyora Maria Santissima de Gràcia

(Los Gozos a Santa María de Gracia de Biar son antiquísimos y bilingües).

«Pèrque de la Gracia per font
us cerca la devocció,
vostra feliç protecció
trobra nostre afect ardent.
Sois la insignia de Biar.

Per a obrir i defensar,
vullgem-nos enfortir
per a en vos després regnar;
i a la fi per a que adorar
us puga amor dulçement».

Virgen de Gracia. Arte e historia

La advocación Virgen de Gracia, patrona de Biar, está muy ligada al Levante español. Quizá porque fue muy venerada por la orden religiosomilitar de Montesa. En el Museo del Prado existe una magnifica tabla al oleo (hacia 1411) que representa a la Virgen de Gracia y a los grandes maestres de Montesa arrodillados bajo su manto extendido. Anterior, de 1300, es la talla gótica existente en el Museo de Arte Sacro de Orihuela. En el Barroco, la representación de la Virgen de Gracia aparece enriquecida con vestiduras y con peanas de ángeles.

BENEIXAMA. LA DIVINA AURORA Y LAS EMBAJADAS POÉTICAS

«LA TUMBA CAUSEMOS DEL NECIO CRISTIANO QUE BURLA DE ALÁ» (Embajada Mora).

Beneixama, *Beni-as-Sahimi.* Para Corominas, «Hijos de la tierra fértil». Situada en el Valle de Biar y junto a la Sierra de Benejama. Fue pequeña alquería mora dependiente de Medina Bilyana (Villena). Aparece en el *Llibre dels Repartiments* de 1248, repoblada por Pere Ballesteros y otros colonos Cristianos. En 1448, Alfonso el Magnánimo la concedió el titulo de villa, aunque dependiendo de Biar. Despoblada en 1609, el historiador Escolano en sus *Décadas,* la cita como «lugar de ruinas». En 1795, Carlos IV concede el privilegio de villazgo conjuntamente a Benezama, Cañada y Campo de Mirra, haciéndose Benejama independiente en 1836.

Iglesia de San Juan Bautista

Existía una ermita dedicada ya a San Juan Bautista y luego una iglesia dependiente de Biar, pero por iniciativa del sacerdote Miguel Payá y Rico, hijo del pueblo, luego arzobispo de Santiago y único cardenal que ha dado la provincia de Alicante, se construyó un magnífico templo, casi una catedral, obra del arquitecto Salvador Escrig, inaugurada en 1841. Estilo Neoclásico, dos torres campanario, una cúpula de gran belleza. En el interior, nueve capillas dedicadas a diversos santos. Incendiada en 1936, además de altares e imágenes se destruyó el magnífico órgano.

Ermita de la Divina Aurora. La aparición de una aurora boreal

En 1821 tres vecinos vuelven con sus carros de comerciar en Madrid. Al llegar a La Mancha, aparece en el cielo una negra tormenta. Lluvia, pedrisco, rayos, truenos y los caballos se desbocan. Imploran a la virgen, cesa la tormenta y una hermosa aurora boreal aparece en el cielo y lo atribuyen a la virgen a la que denominaron Divina Aurora. La primera imagen era del escultor Esteve Romero. Estuvo en un oratorio privado hasta ser trasladada a la antigua ermita de San Juan Bautista, en el centro de la población, tomando ya a la Divina Aurora como patrona y relegando a San Juan Bautista, que era su patrón desde el s. XVI, a un lugar secundario. La ermita fue incendiada en1936 y la imagen actual, de 1945, se debe a José María Ponsoda.

Sobre este hecho se fundamentarían tanto la devoción de Biar a la Divina Aurora como el nacimiento de las fiestas de Moros y Cristianos, que se hicieron célebres por sus poéticos textos de embajadas.

Fiestas de Moros y Cristianos. Las poéticas embajadas de Benejama

Las fiestas de Moros y Crsitianos de Beneixama en honor de la Divina Aurora aparecen ya documentados en 1837. Su origen hay que buscarlo en las milicias concejiles, la soldadesca, que acompañaba a los santos en las procesiones religiosas. Beneixama sigue el esquema inanimado por Biar: la soldadesca se convierte en Comparsa Cristiana, con el esquema militar, escuadras, capitán, alférez, paso marcial. A ella se incorpora la Comparsa Mora y surgen los dos antagonistas de un drama religioso. Ambas acompañarán a la patrona en las procesiones y en la ofrenda de flores. Antes o después, Moros y Cristianos envían sus embajadas, toman el castillo los primeros, lo reconquistan los Cristianos. Todo en un ambiente bélico de pólvora atronadora disparada por los arcabuces sobre el suelo.

Pero lo que diferenció a las fiestas de Beneixama fueron los textos literarios de las embajadas debidos al poeta Juan Bautista Pastor Aycar, en 1872. Si Biar fue foco del esquema *festero*, Benejama lo sería de la belleza de los textos, en la línea del teatro Romántico e incluso de los cantares de gesta. De Benejama se extendieron a otras localidades.

Arenga del capitán moro. Pastor Aycar. 1872

«Guerreros mártires, la afrenta borremos con sangre del vil.
La torre en escombros y el pueblo dejemos vencer o morir.
Ni tregua a la muerte, ni paz a las manos debemos hoy dar.
La tumba causemos del necio cristiano que burla de Alá.
Su canto guerrero la fama hoy entona con bélica voz:
¡Que muera el cristiano y el mundo pregone del moro el valor!».

CAMP DE MIRRA. CAMPO DE MIRRA

«I ACUDIREN A L'ENTREVISTA ENTRE ALMISRA I CAPDET» (*Llibre dels Fets*).

Almizra, Al–mizra, campo de cultivo. El nombre de Campo de Mirra que se le dio en 1844 al hacerse independiente sería un tautopónimo, una repetición, como decir campo de campo.

Jaume I y el príncipe Alfonso eligieron un lugar discreto para firmar un pacto que sería fundamental para la estructuración de la España Medieval. Por lo que nos dice el *Llibre dels Fets*, el príncipe Alfonso habría puesto sus tiendas en Capdet y el rey Jaume en Almizra, que bien pudo ser un castillo menor, hoy solo ruinas. *«I acudiren a l'entrevista entre Almisra y Capdet, on ell hvia parat las seues tendes, i nos havien fet a Almisra».* (343).

Almizra siguió como entidad humilde, una pedanía denominada como El Campet, unas veces dependiente de Biar, otras de Benejama o de Cañada, hasta que en 1844 se hizo independiente. En 1796 era un caserío de veinte casas, una sola calle y una ermita.

Iglesia y ermita de San Bartolomé

La iglesia, dedicada a San Bartolomé, es del s. XVIII, reformada en 1875 y muy amplia para una población pequeña y con torre-campanario esbelta. La ermita, del XVII, también dedicada a San Bartolomé, situada en un montículo y en lo que puso ser la mezquita junto al castillo.

Fiestas Patronales en honor de San Bartolomé y de los Santos Abdón y Senén

Se celebran en agosto y estando como está Camp de Mirra en el área de las grandes festividades de Moros y Cristianos, Biar, Sax, Villena, no pudo sustraerse a las mismas, aunque tardíamente las incorporó a sus fiestas mayores religiosas. Se inician estas con una romería. Una subida a la ermita donde se guardan las imágenes de los patronos. Luego, la *Baixada* de las imágenes hasta la iglesia. Al día siguiente, Dia de l'Entrà de Moros y Cristianos.

Continúan con el día grande de los santos Senén y Abdón, *els Sants de la Pedra*, con misa solemne. Por la tarde, Embajadas, conquista del Castillo d'Almisra por parte de los Moros y Desfile nocturno de Moros y Cristianos. El día grande del patrón San Bartolomé, misa y procesión. Y al día siguiente, la representación escénica del *tractat*, sobre una plataforma giratoria y siendo los actores los vecinos. Obra en verso, bilingüe, de Salvador Domenech, de 1982. Pero también dedican un día al Beato José María Ferrandis, franciscano, natural de Camp de Mirra y martirizado en la Guerra Civil.

A las 8 de la tarde, un heraldo a caballo recorre las calle con un pregón anunciando la firma del tratado. A la puerta de la iglesia de San Bartolomé comienza la escenificación con las palabras de un juglar. Luego la recepción del rey don Jaime y de su esposa, doña Violante de Hungría a la expedición castellana. Se les invita a que se aposenten en el Castillo de Almisra, pero ellos declinan y prefieren hacerlo en tiendas «*al peu del Puig d'Almisra*». Se inician discusiones y negociaciones en las que intervienen, por parte del príncipe Alfonso, el maestre de Uclés y Diego de Vizcaya. Al final, autoridades y actores se encaminan al monumento al tratado y depositan una corona de laurel.

LA CANYADA. CAÑADA

El nombre del pueblo responde a un toponímico, La Cañada. En efecto, se trata de una cañada de 20 km que une a Benejama con Villena en el Valle de Biar. Hubo una alquería mora dependiente de Biar con el nombre de Benisamayo. A partir del XVII se fueron construyendo caseríos de veinte a treinta casas a lo largo de la Cañada, Portell, La Solana, El Huerto, Casa Tapia, Pinaret. Perteneció a Biar hasta 1795. Luego se unió a Benejama, a Campo de Mirra, hasta lograr la independencia en 1844. Así lo describía Madoz: «Tiene 120 casas esparcidas en grupos de 20 o 30 sin formar grupo de población…».

Iglesia Parroquial de San Cristóbal
Ya entonces tenía una ermita dedicada a San Cristóbal, dependiente de Benejama. En 1800 fue sustituida por una iglesia ya como parroquia. En la actualidad, alberga un cuadro de Sorolla, *San Luis, rey de Francia*, restaurado en 1991 por Ramos Montero.

Ermita de la Mare de Déu del Carme

Construida en 1891 en la falda del monte San Cristóbal y, a su alrededor, un viacrucis. La ermita lleva esta inscripción: «Con la Virgen, en Cañada, para siempre». Incendiados los templos en 1936, la actual imagen de la Virgen es de 1940, del escultor valenciano Morales Lázaro.

Fiestas Patronales en honor de la Mare de Déu del Carme y de San Cristóbal

A pesar de ser localidad nueva, estas Fiestas ya se celebraban en 1775 con el pomposo nombre de Fiestas del Valle. Pero es en 1891 cuando se crea el patronato de la Virgen de Carmen, siendo el primer año que es bajada la Virgen desde la ermita a la iglesia.

Este acto de la bajada y el desfile de carrozas constituye el núcleo central de las mismas. Se hace a partir de las diez y media de la noche lo que, al ser acompañada de faroles y cánticos, añade devoción y misterio.

Auto sacramental de los Reyes Magos

Aunque no se consideran fiestas patronales, ha tomado gran relevancia provincial la celebración, el 6 y 7 de enero, del auto sacramental de los Reyes Magos. A mediados del XVIII llegó un libreto del cura de Colmenar, Málaga, Gaspar Fernández y Ávila, un auto de los Reyes Magos escrito en gracioso andaluz antiguo. Se empezó a representar de una forma sencilla por los labradores y se ha ido enriqueciendo en trajes, tramoyas, tres escenarios, caballería engalanada y participación (98 actores), con gran repercusión no solo provincial.

EL MEDIO VINALOPÓ, SUS FIESTAS PATRONALES

Tierra rocosa atravesada por un río de agua escasa. Elda, separado del Alto Vinalopó por la Sierra de Salinas, del Bajo Vinalopó por la de Crevillente y del Campo de L'Alacantí por las Sierras del Cid y Maigmó. Formó parte en la historia del corredor que unía la costa de Alicante con la meseta, por lo que tuvo que protegerse por fuertes castillos. El Medio Vinalopó, zona industrial (zapatos y mármoles) y rica en uva de mesa. Ciudades activas: Elda, Petrer, Novelda, Aspe, La Algueña, La Romana, Hondón de las Nieves y Hondón de los Frailes. Desde el punto de vista de las fiestas de Moros y Cristianos, el Medio Vinalopó fue influenciado por Foco de Biar.

ELDA. SANTOS PATRONOS LLEGADOS EN BARCO DESDE CERDEÑA

«DESDE CERDEÑA A ESTA VILLA / OS CONDUXO EL MAR SALADO».

A Elda le costó fijar su nombre. *Ello, Ellum, Ele,* para los romanos, un lugar cercano a la Vía Augusta. En tiempos árabes, según el historiador Escolano, era *Dado, Delle.* En la España Medieval se la nombra como *Elce, Edille, Ella.* Y ya en el s. XV queda definitivamente fijado su nombre como Elda. Por el Tratado d'Almisra correspondió a Castilla y fue dada a Guillermo de Alemán, a los Caballeros de Santiago y al infante Manuel, señor de Villena. Pero los moros de la comarca se sublevaron en 1264 y hubo de bajar Jaume I a reconquistarlo, eso sí, dejando claro que lo hacía en nombre de don Manuel, hermano del príncipe Alfonso. Al final todo quedaba en casa, pues Alfonso era su yerno. *«I partirem d'alli i anarem a Elda, i no acamparem dins la villa per tal com el sarraïns encara no s'haien del tot rendit a don Manuel, del qual eren».*

Pasó a Bernat de Amat y luego a don Juan Manuel, duque y príncipe de Villena. Antes de la expulsión, los dos tercios de la población eran moriscos En 1577 Felipe II eleva a Elda a la categoría de ciudad y don Juan de Coloma y Cardona convierte el castillo en palacio.

La iglesia de Santa Ana

Junto al palacio estaba la mezquita mayor (Alhama). En 1528, el emperador Carlos emite una orden para que la mezquita se convierta en iglesia, orden que cumple don Juan Fco. Pérez Coloma, señor de Elda. Fue dedicada a Santa Catalina y pronto a Santa Ana. Con diversas modificaciones fue ampliándose y ya a principios del XVII toma el aspecto basilical, ábside poligonal, tres naves, dos torres cuadradas y, en el pórtico, la imagen de Santa Ana. En 1648 y 1714 se le añadieron dos capillas para albergar a los nuevos patronos: Virgen de la Salud y Cristo del Buen Suceso, obras de los maestros Mingot y Francisco Guillén.

En 1936 fue asaltada, incendiada, casi derribada y asesinado su párroco. Sus altares y sus valiosas imágenes se perdieron: los patronos, de madera policromada talladas en Cerdeña y otras imágenes valiosas siglos XVII y XIII de Antonio y Jacinto Perles, de Esteba Cuaz y de Esteban Díaz y de Esteve Bonet. La actual iglesia, totalmente nueva, de 1944, es obra del prolífico Serrano Peral, fiel a su estilo: columnas salomónicas, dos torres cuadradas y gran cúpula.

La curiosa historia de los patronos llegados de Cerdeña

Original historia. En 1604, D. Antonio Coloma, conde de Elda, fue nombrado Virrey de Cerdeña. Y allí se le presentaron dos jóvenes vestidos de peregrinos y le pidieron transportase al puerto de Alicante en el ajuar diplomático dos cajas de madera. Llegados al puerto vieron que en las cajas ponía: «Para Elda». Al llegar a Elda, primero fue la curiosidad y, al abrirlas, encontraron una imagen del crucificado y otra de la madre de Dios. Las colocaron en la iglesia de Santa Ana, pero aquellas imágenes carecían de nombre o advocación. Con ocasión de una peste en 1648, los eldenses acudieron a su *madonna* y la llamaron Virgen de la Salud .Y en 1714 dieron nombre al Cristo y lo hicieron por el método de insaculación. Colocaron cien papeletas con diversas advocaciones. Y un niño de 4 años, Francisco Canore, extrajo una donde ponía, «Cristo del Buen Suceso». Los dos pasaron a patronos y Santa Ana quedó relegada en su iglesia.

Fiestas Patronales

Son esencialmente religiosas y se celebran a primeros de septiembre; el 8 se dedica a la Virgen de la Salud y el 9 al Cristo del Buen Suceso; misa, ofrenda de flores, procesión. Y se acompañan de actividades lúdicas como correr la traca.

Gozos a la Virgen de la Salud

«María, Divina Aurora,
madre del eterno Dios,
dadnos salud y alegría,
ppues sois la salud, señora,
dese Cerdeña a esta villa.

Os *conduxo* el mar saldo,
y nuestro afecto inflamado
os dedicó esta capilla;
de Elda sois la lrotectora
que la ampara noche y día».

Novísimas Fiestas de Moros y Cristianos en honor de San Antón

Elda ya celebraba fiestas o simulacros de Moros y Cristianos en 1754. Sin embargo, se perdieron durante dos siglos. Sin duda, la sana envidia de que todo el Vinalopó vibraba con ellas hizo que en 1944 iniciase con mucho brío sus nuevas fiestas. Pero no las asoció a los patronos mayores, sino a un copatrono secundario, San Antón. Comenzó a celebrarlas en su festividad, en enero, pero Elda tiene un clima cuasi continental, por lo que las retrasó a mayo. Y acudió a pedir asesoramiento a sus hermanos festeros de Villena y Petrer, de los que tomó la estructura de las fiestas, los trajes, etc. Hasta seis de sus nueve comparsas se identifican con otras seis de Villena. Podemos decir que hoy las fiestas de Moros y Cristianos de Villena, Petrer y Elda son muy similares. Las de Elda ya tienen 7 000 personas desfilando. Y han sido adelantadas en incorporar a la mujer. Las comparsas suben desfilando hasta la ermita de San Antón y luego le acompañan a la iglesia de Santa Ana. Y, por supuesto, hay batallas, arcabuces, pólvora, embajadas, alardos, asalto al castillo, todos los ingredientes de las fiestas de sus vecinos.

PETRER

Petrer, *Villa Pretarium* o *Vía Pétrea,* de los romanos, en el Valle de Elda, tierra montañosa con cerros y barrancos. Hoy forma con Elda una conurbación de 9 .000 habitantes.

Castillo de Petrer

Construido en los siglos XII y XIII, situado en un alto hoy llamado Cerro del Testigo, dominaba todo el Valle de Elda. Hoy, renovado, se pueden contemplar la explanada, alcazaba, torre, patio de armas, aljibe. Conquistado por las tropas del príncipe Alfonso en 1248, luego los mudéjares se sublevaron, por lo que hubo de bajar don Jaime en auxilio de los cristianos: «*Inmediatament enviarem un missagte a Petrer, que en Jofre havia perdut*» (*Llibre dels fets*, 414). Fue habitado por un gran contingente de mudéjares, luego moriscos y con solo 7 familias de cristianos viejos que habitaban el castillo. Por eso, la salida en 1609 dejó despoblado Petrer y el conde Antonio de Coloma, en 1611, concedió carta puebla a vecinos de Petrer, Castalla, Onil, Biar, Xixona y Mutxamel. Perteneció al condado de Elda, fundado en el s. XVI por Felipe II, hasta su abolición.

Iglesia de San Bartolomé

Petrer tiene una iglesia parroquial dedicada a San Bartolomé y dos ermitas. La iglesia actual construida en 1777-85 sobre otra anterior, que a su vez lo fue sobre la mezquita por el arquitecto Francisco Sánchez en estilo neoclásico, con dos torres y el interior con cornisas corintias y rodeada de grandes capillas laterales. En ella está la patrona de Petrer, la Mare de Déu del Remei. San Bartolomé, antiguo patrón de Petrer, quedó desbancado en 1614 por San Bonifacio, otro Santo de la Pedra. La iglesia fue incendiada el julio de 1936, perdiéndose altares e imágenes, entre otras, la de la patrona Mare del Remei.

Ermitas y fiestas patronales

Petrer tiene dos ermitas relacionadas con sus Fiestas, la de San Bonifacio y la del Cristo del Monte Calvario. Y descartado San Bartolomé, ahora tiene tres patronos a los que dedica fiestas en fechas diferentes: la Mare de Déu del Remei, en octubre, el Santo Cristo, en junio y San Bonifacio, a la que han asociado las fiestas de Moros y Cristianos, en Mayo.

Las fiestas de la patrona. La leyenda de la Mare de Déu del Remei de Petrer

Muy antiguas, son esencialmente religiosas, aunque no faltan actos lúdicos, como el correr de la traca, etc. Y tienen el sabor casi medieval con las *dolçaines* y *tabaleters* que acompañan a la Virgen. La fiesta es una romería en que sale de su iglesia de San Bartolomé y recorre las calles a otra iglesia, la parroquia de la Cruz.

La leyenda dice que en tiempos de las revueltas moriscas los cristianos escondieron su imagen detrás de un muro de la sacristía donde quedó olvidada durante 100 años. En 1630, mientras un fraile predicaba, tuvo una visión de que detrás de un muro había una imagen, se tiró el muro y apareció la imagen. La Verge del Remei recibió numerosos vestidos y alhajas. Uno de ellos llamado «de los pavos reales» fue donado por la reina Victoria en1917.

La imagen ardió con la iglesia en 1936, pero algunos afirman que la cabeza se salvó. Fuese o no cierto, la actual imagen, de 1940, totalmente nueva o reconstruida es del escultor Ponsoda. Y el precioso manto que ostenta, de 1954, es del artista Tomás Valcárcel.

Ermita del Santo Cristo del Calvari

La ermita del Santo Cristo del Monte Calvario está situada en un alto desde el que se divisa todo el Valle de Elda. El 26 de agosto de 1674 fue traída de Valencia la imagen, por mosén Bonifacio García, natural de Petrer. Se construyó una ermita, cercana a la de San Bonifacio, de una sola nave. Fue ampliada en 1700, con gran cúpula y capillas. El 21 de julio de 1936 fue incendiada y luego convertida en cárcel y almacén. La imagen del Cristo, destruida, fue sustituida por otra en 1943.

Fiestas y gozos al Santo Cristo del Calvario

Están llenas de emoción y vistosidad tanto la Bajada desde su ermita, como la Subida de la imagen. Se baja el 16 de junio con un acompañamiento multitudinario. portado por treinta costaleros desde los parajes bellísimos del cerro, entre *dolçaines* y *tabalets*. Y llega a la iglesia de San Bartolomé, donde permanece hasta el 7 de julio y donde se celebra un novenario. Allí, los petrenses entonan sus gozos al Cristo, canciones populares antiquísimas y renovadas por el poeta Miguel Amat en 1874. En pocos sitios se han vivido con tal entusiasmo los gozos o coplas en honor de un santo. La gente los va cantando acompañada de *dolçaines* y *tabalets*.

Gozos al Santo Cristo del Monte Calvario

«Consedeunos que pugam
contemplar ab devoçió
vostra sagrada passió,
en nostre cors la escrigm
i pues de nostre adversari

sou inmortal trionphador.
Oh, inefable rRedentor
que estàs en el santuari,
doneunos grasia i favor,
Cristo del Monte Calvari!».

Ermita del patrono San Bonifacio

La devoción de Petrer a San Bonifacio comenzó el 26 de junio de 1614 en que acudió a él e hizo votos para que le librase de una negra tormenta. Y empezó a olvidarse de su patrono anterior, San Bartolomé. San Bonifacio, sería, desde entonces, otro Santo de la Pedra, abogado contra tormentas y pedriscos y que, según la tradición les libró de ellas. Y se le dedicó una ermita en la hoy ladera del Cerro de San Bonifacio o Monte Calvario, construida en 1634, siendo la actual de 1757. Antecede a la ermita una explanada. Castelar, al contemplar sus maravillosas vistas, la bautizó como el «Balcón de España». El 21 de julio de 1936 fue también incendiada y destruida la imagen de San Bonifacio. La actual imagen de San Bonifacio es de 1941.

Gozos de Petrer en honor de San Bonifacio.

«No temas, ilustre Villa,
las inclemencias del tiempo,
Si obligas a Bonifacio
con tu reverente obsequio.
seguridad en los frutos
mi devoción considera,
pues los mira Bonifacio

para librarles de piedra.
En terribles tempestades
siempre esta Villa ha logrado
ver el cielo serenado
e incluso de tus piedades
ver el campo fecundado
libre de asedio fatal».

Fiestas de Moros y Cristianos en honor de San Bonifacio

Se celebran en mayo, de jueves a lunes. En una localidad tan importante del Vinalopó, no podían faltar los Moros y Cristianos. En principio fueron más familiares y ya se celebraban en 1822, aunque algunos hablan de su origen en 1694. En la década de los 70-80, con la ingente llegada de inmigrantes por la industrialización, las fiestas de Moros y Cristianos se masificaron, adquiriendo el formato que hoy tienen. En la actualidad hay diez comparsas. Aunque ya en 1905 en Petrer habían sido pioneros en nombrar la primera mujer abanderada.

El esquema es similar al de otras poblaciones del Vinalopó: Entrada de Bandas de música, retreta a las 12 de la noche. Guerrillas según la tradición, estafetas y embajadas. Los festeros suben a la ermita a saludar al Santo. La Bajada por la ladera es vistosa y emotiva. Y le acompañan en procesión hasta la iglesia de San Bartolomé. Los días siguientes, guerrillas, Entrada Cristiana, procesión nocturna. El domingo desfile, Entrada Mora Y el lunes, subida del santo de nuevo a su ermita.

San Bonifacio, mártir romano

San Bonifacio es un santo de historia confusa. El antiguo *Martirologio romano* decía de él: «Natalicio de San Bonifacio mártir, que bajo Diocleciano y Maximiano junto a Tarso de Cilicia fue martirizado». Pero de repente, en el nuevo *Martirologio católico* ha dejado de aparecer.

Cuenta la tradición que llevaba en Roma una vida pecaminosa desde el punto de vista cristiano. En 306, cuando las persecuciones habían cesado ya en el Imperio romano occidental pero no en el oriental, su amante le pidió que se trasladase a Tarso, en Cilicia, y le trajese reliquias de mártires. Cuando llegó y presenció cómo martirizaba a los cristianos el gobernador Simplicio y la serenidad de estos ante el sufrimiento, quedó anonadado y exclamó delante del gobernador: «¡Qué grande es el Dios de los cristianos! ¡Grande es el Dios de los mártires!». Simplicio, encolerizado, lo mandó torturar y decapitar. Luego su cuerpo fue trasladado a Roma, a la Vía Latina.

BARONÍA DE NOVELDA

La Baronía de Novelda comprendía Novelda, Monóvar y La Romana

Los historiadores árabes hablan del castillo de Niwala. En tiempos cristianos aparece en los documentos como Noella, Nouella (*Los locs de Ella et Nouella*). El asentamiento de la población estuvo en el Cerro de la Mola, a 4 km de la Novelda actual, dominando una llanura aluvial.

En 1243, después de la conquista castellana, el castillo es entregado al infante don Manuel, señor de Villena, y ya en 1448, se crea la baronía de Novelda con La Romana y Monóvar. La población cristiana se asentó en el Cerro de la Mola junto al castillo y la morisca, muy numerosa, en el llano. En 1609 la población quedó reducida a la mitad y hubo de darse carta puebla.

El Castillo de la Mola

Castillo almohade del XII, construido sobre una fortificación romana en un recinto poligonal. Desde él se dominaba el Corredor del Vinalopó. La curiosidad de este castillo es que junto a su torre cuadrada almohade, en el s. XIV se construyó otra torre triangular, llamada Torre de los Tres Picos, única en Europa. Resulta, pues, un curioso conjunto geométrico de dos prismas, cuadrado y triangular.

Iglesia de San Pedro Apóstol

Se demolió la mezquita y se edificó la iglesia bajo el titulo de Natividad de Nuestra Señora Santa María. En 1553 se construyó una nueva iglesia ya con el nombre de San Pedro Apóstol. Y antes de estar terminada, en 1565, se obligó a bautizarse en su pila bautismal a los sarracenos. En 1635 se construyó el Retablo del Altar Mayor, obra de Antonio Torrellano, rematado con la figura de San Pedro, del escultor Antonio López. En el s. XVIII, Novelda crece hasta 8000 habitantes y hubo que ampliar la iglesia y añadir capillas laterales. A la vez, se construyó una portada barroca. Todo obra de Francisco Aznar y terminado en 1742. En 1906 se derrumbó la torre y se construyó otra esbelta, obra de Francisco López. San Pedro es el titular de la iglesia, pero Santa María Magdalena le ganó la partida como patrona de Novelda. En 1936 el templo fue incendiado y se restauró en 1940.

«Cerca de Dios, del ala y de la nube,
Hecha oración tu fina arquitectura».

Vicente Mojica

La devoción a Santa María Magdalena venía del s. XV pues, junto al castillo, tenía dedicada una ermita. Pero fue en 1866 cuando Novelda, con ocasión del cólera, acudió a ella, se vio libre y la nombró su patrona. A principios del XX, el auge del Modernismo catalán llegó a Novelda. Un arquitecto noveldense, José Sala Sala, visitó Barcelona y se inspiró en Gaudí para construir una basílica a Santa María Magdalena a imitación de la de la Sagrada Familia. Imitación solo parcial, que se manifiesta en las agudas torres rematadas con cruces pétreas y en el uso de guijarros y azulejos. La obra se inició en 1918, pero no se terminó hasta 1946. El combinado, torre almohade cuadrada, torre cristiana triangular e iglesia modernista dan al elevado Cerro de la Mola un aspecto original y único, visible desde toda la llanura.

Santuario de Santa María Magdalena

Fiestas de Santa María Magdalena. Fiestas de Moros y Cristianos

A las fiestas patronales de Santa María, tardíamente, en 1970, se le sumaron las Fiestas de Moros y Cristianos. Las fiestas son, pues, un combinado de religiosidad y un esquema añadido. Se celebran del 21 al 23 de agosto.

Se comienzan con una romería multitudinaria a la que acude toda la comarca, unas 20 000 personas. Es *La Portá*, 4 km de recorrido de la imagen de la santa desde el Cerro de la Mola hasta Novelda.

El 21, desfile y Entrada Cristiana. El 22, día de la patrona y el 23 Entrada Mora. Desfilan 2000 festeros y desde el primer momento se incorporó la mujer. La embajada a un castillo de verdad, el Castillo de la Mola, con un texto de Embajada, *Torre Triangular*, da sensación de genuina historicidad. Y, a primeros de agosto, de nuevo la multitudinaria romería para trasladar a Santa María Magdalena al Cerro de la Mola.

Himno Oficial de Novelda a Santa María Magdalena
(Letra de Antonio Pastor)

«A la perla de Oriente cantamos
que en Novelda refleja su luz
y abrillanta su faz penitente
abrazada de Cristo a la Cruz.

Santa mía, gloriosa patrona,
de tus hijos escucha el clamor
que a tus plantas rendidas imploran
tu constante, tu fiel protección».

MONÓVAR

De etimología incierta, del latín, *mons novar*, «monte nuevo»; del árabe, *monnauar,* «campo florido». Situado en un altiplano rodeado por las Sierras de Solana y de Salinas. Los almohades construyeron un castillo en el s. XII-XIII. Conquistado en 1253 pasó a pertenecer al señorío de Villena con el infante don Manuel. En 1261, como todos los de la comarca, los sarracenos se sublevaron y hubo de venir don Jaime I en auxilio de don Manuel. Luego pasó por varios propietarios, los últimos, en el s. XVI, Fabrique de Portugal y Margarita de Borgja. En 1609 quedó despoblado y en 1611, Ana de Portugal y Borja, señora del lugar, concedió carta puebla.

En el s. XVIII se industrializó y había más de 200 telares. En 1901 se le concedió el título de ciudad. En la actualidad tiene la 5.ª mayor extensión de terreno municipal de la provincia.

Castillo de Monóvar

Construido por los almohades en un cerro que domina el altiplano y desde el que se ven los castillos de Elda y Petrer. Tenía el mismo esquema defensivo y forma un recinto poligonal triangular. En la actualidad solo queda parte de la Torre de Homenaje.

Iglesia de San Juan Bautista

En 1304 ya había un templo en Monóvar. El segundo se edificó en 1577 y ya con la titularidad de San Juan Bautista. En 1749 se derribó y se comenzó el actual, de estilo Barroco, con dos torres, una inacabada. Enc1771 se le dotó de un magnifico órgano, obra de Julián de la Orden, colocado en una caja barroca. La curiosidad arquitectónica de Monóvar es que en la cumbre de una calle empinada se construyó una torre exenta, con una sola campana y un reloj, denominada la Torre del reloj. En 1936 fue incendiada la iglesia y destruidas las imágenes, entre ellas, la de la patrona.

La devoción a la Virgen del Remedio en Monóvar

En 1665 ya existía devoción a la Virgen del Remedio en Monóvar que pronto se olvidó de San Juan Bautista como patrono. En 1704 existía la mayordomía de la Virgen del Remedio. Junto ala iglesia se le construyó una capilla con un retablo de madera, obra de 1774, de Francisco Mira y donde se colocó una imagen de la Virgen más antigua. En 1921 es nombrada patrona de la ciudad con un breve del papa. Incendiada la iglesia, la imagen actual de la patrona es de 1939.

Fiestas patronales en honor de la Mare de Déu del Remei

Denominadas *Festes de Setembre* se celebran del 6 al 10 y son esencialmente religiosas, aunque se entremezclan actos lúdicos, vacas nocturnas, desfile multicolor, etc. Los actos principales giran en torno a homenajear a la Virgen: Alborada, ofrenda de flores, besamanos, canto de la *Salve*. El día 8, día de la patrona, misa y por la tarde-noche emocionante y multitudinaria procesión.

Gozos a la Virgen del Remedio de Monóvar

«De Monóvar protectora
os llamáis por raro medio;
Pues sois Madre del Remedio,
remediadnos, gran señora.
Vuestra venida gloriosa
al trono de esta capilla
donde vuestro culto brilla
te venera portentosa.
Por tanto, madre amorosa,
sois de esta Villa tutora».

PINOSO. EL PINÓS

El luego denominado Pinoso o El Pinós, en tiempos árabes era un campo despoblado salvo alguna alquería. Después de la conquista, sus tierras siguieron despobladas y cayeron en el señorío de Villena y, a la vez, en el dominio municipio de Monóvar. Era un simple caserío denominado Casas de Costa. Y se convirtió en lugar de caza de la nobleza tanto castellana como aragonesa. También fue un dominio del ducado de Hijar.

A principios del XVIII contaba con solo 4 familias y 20 habitantes, pero se inicia un esfuerzo de colonización y aumenta la población vertiginosamente. En 1860 contaba ya con 4700 habitantes. En 1773 empieza a conocerse como Pinoso o El Pinós. Árbol que junto al roble y otras especies ocupaba el Monte Coto.

Pinoso, Villazgo

Acogiéndose a la Constitución de Cádiz, inicia un proceso de segregación que culmina en 1826 cuando el rey, previo pago sustancioso, le concede el titulo de Villazgo. Por eso Pinós celebra con grandes fiestas el 12 de febrero el Día del Villazgo.

El ultimo cuarto del siglo XIX, aprovechando la caída del cultivo de la vid en Francia y en España debido a la filoxera, se dedica a este próspero cultivo, unido a la extracción de mármol, en sus canteras de calizas del Monte Coto. En 1933 pierde el territorio que se denominaría La Algueña.

Himno de Pinoso (

Compuesto en 1900 por el presbítero José García Pérez).

«¡Viva pinoso!
¡Viva Pinoso y su banda!
Pinós entranyable
en la teua calma
s'extremeix l'ànima
i es per teu amor.
Brava Montanya del Coto

que junt al marbre de la cantera
marcaron la nova era
del progrés i l'expansió.
Baix la mirada més dulce
que ha existit en nostra terra
caminem els pinosers,
ela es Remei i Amor».

Iglesia de San Pedro Apóstol

Sobre una previa ermita se edifica en 1739 la iglesia y como titular San Pedro Apóstol, dejando de depender de la parroquia de Monóvar. Y se le adjunta una capilla dedicada a la Virgen del Remedio, En 1851 es nombrada patrona de Pinoso. La iglesia fue reformada en el s. XIX y en 1888 adquiere su aspecto actual, templo de cruz latina con torre-campanario. En 1936 se asalta la iglesia y arden altares e imágenes que, poco a poco, fueron restablecidos a partir de 1940.

Fiestas patronales

Se celebran del 1 al 8 de agosto en honor de la Mare de Déu del Remei y sus actos fundamentales son la ofrenda de flores, la misa y la procesión. A la vez, se van intercalando por las noches suelta de vaquillas y otros actos. La ofrenda de flores, con las reinas y las damas finaliza con el canto de los gozos de Pinoso a la Virgen del Remedio.

Gozos de Pinoso a la Virgen del Remedio

«Inspiración del poeta,
fulgente estrella del cielo,
faro de los navegantes
y reina del universo,
pero sobre todo eres
dulce madre del Remedio.

Que las fiestas patronales
tengan el marcado sello
que les confiere tu amor
y nuestro ambiente festero
porque eres, gran señora,
dulce madre del Remedio».

LA ALGUEÑA

«RESEU ALS SANTS DE LA PEDRA QUE ESTA LA COLLITA EN EL AIRE».

(Ver Santos Abdón y Senén. Sagra. Marina Alta)

Alhinna, nombre árabe, alheña, aligustre o *ligustrum*, planta oleácea. El toponímico *Cañada de Alhennya* aparece por primera vez en 1470, en el *Memorial* elevado a Fernando el Católico solicitando la fijación de límites entre Orihuela y Jumilla. La Algueña fue siempre un territorio de Pinoso hasta 1934, en que logró su independencia.

Ermita e iglesia parroquial

No obstante, desde el punto de vista eclesiástico, en 1738 aparece la construcción de una ermita en el campo, al parecer ya destinada a los Santos Abdón y Senén para que protegiese sus cosechas.

Sin embargo, la iglesia, parroquial y dedicada a San José fue construida en 1828 por mandato del obispo de Orihuela, don Felipe Herrero Valverde. Pero aún dependiente de la matriz de Pinoso. Una iglesia estilo Neorrománico, con dos altas, puntiagudas y espigadas, torres iguales, Las torres gemelas. En el interior, el altar mayor lo ocupa san José y en uno lateral, una hornacina con los Patronos, Abdón y Senén.

Fiestas patronales

Se dedican a los dos Santos de la Piedra, *Els Sants de la Pedra* y, a la vez, a la Virgen del Remedio, a la que se venera en muchos pueblos de esta comarca. Las fiestas se celebran a finales de julio y se centran en los actos religiosos, aunque combinados con festejos cívicos. Los tres días se pueden resumir: ofrenda de flores a la virgen del Remedio, desfile de carrozas y misa y procesión con los patronos y la patrona.

«Reseu als Sants de la pedra,
tingeu-los-contents en tot
que està la collita en el aire,
I si apdrega, nos fot».

(Proverbio agrícola)

Gozos a Santos Abdón y Senén

«Pues de Dios sois tan amados
el que os sirve tanto medra
guardad los campos, de piedra,
Abdón y Senén sagrados.
De Persia el malvado Decio
os trajo presos a Roma
y al ver el favor que asoma
no hacen del tirano aprecio,
escupiendo con desprecio
sus ídolos adorados».

LA SERRANICA. UNA SOLA PATRONA PARA DOS PUEBLOS

«CUANDO ES GRANDE LA AFLICCIÓN, VAN A VOS TUS PECADORES HIJOS DE ASPE Y DEL HONDÓN».

ASPE

El nombre de Aspe puede ser preislámico e incluso prerromano y podría significar jaspe. Ya citado por Ptolomeo (Iaspis) y Antoniano (Aspes). El historiador árabe Jaküf-al Rümi lo cita como «Castillo de Afs» dentro de la tura de Tudmir. Y en un privilegio del rey Alfonso de 1252 se habla de «Noella, Aspe el Viejo, Aspe el Nuevo et Nompot». La explicación pudiera ser que el Castillo del Río, almohade, a 3 km del actual Aspe, después de la conquista fuese ocupado por los cristianos (Aspe el Viejo), relegando a los mudéjares a la llanura, a Aspe el Nuevo.

Aspe tuvo mucha importancia en el Corredor del Vinalopó, tanto como mesón en la Vía Augusta Romana como después con almohades y cristianos. Estaba en un lugar de fragilidad y esto se refleja en su escudo que tiene tres castillos: Castillo del Río, almohade, de Aluj Cristiano del s. XIV, impresionante fortaleza con diez torres y el Castillo del Calvario, así llamado por rematar el fin de un viacrucis, hoy desparecido.

La población mudéjar de la llanura o Aspe el Nuevo fue muy numerosa y aunque pobre y pagando muchos tributos, trabajaba las 4/5 partes del terreno, Una población de 2 600 habitantes era muy importante entonces. Por lo mismo, tras la expulsión en 1609, costó repoblarlo acudiendo a tierras castellanas, como Torrijos.

La Basílica de Nta. Sra. del Socorro

En 1602 se constituyó la parroquia de Nta. Sra. del Socorro, que funcionó en la antigua mezquita. Las obras del monumental nuevo templo no comenzaron hasta 1650, por .impulso de los duques de Malqueda. Es una de las joyas arquitectónicas y artísticas del obispado de Orihuela, de estilo Barroco. En ella intervinieron los mismos arquitectos que en Santa María de Elche, Francesc Verde y Pere Quintana. Las portadas barrocas son auténticos retablos. La principal, Nta. Sra. del Socorro, con el niño en los brazos y pisando la cabeza de Luzbel. Algunos la atribuyen a Nicolás de Bussi. Hay otras dos portadas dedicadas a San Juan Bautista y a Santa Teresa. El retablo mayor es del XVIII y la cúpula y campanario ya de 1730, de Chápuli. En 2006 fue declarada basílica menor por el papa Benedicto XIII.

La inmensa hoguera del arte

Se dice que la quema de iglesias fue reacción contra el llamado Alzamiento Nacional de julio de 1936. Pero ya antes habían ardido numerosos templos en la provincia de Alicante. En mayo de 1931. Y en marzo de 1936, 5 meses antes de que estallara la guerra, el Marxismo, como una nueva religión fanática, atacó a muchos templos, entre ellos algunos que eran los iconos de las fiestas patronales, como el de Santa María en Elche o la Capilla de la Patona de Aspe, Nta. Sra. de las Nieves.

Pero en julio y, sobre todo, el 10 de agosto de 1936, ardió el templo de la Virgen del Socorro y su hermoso retablo de Santa Teresa, de Vicente Castells y las ermitas de la Concepción, Santa Cruz y el Calvario. Los milicianos se vistieron las túnicas sagradas y organizaron una parodia de procesión. Luego tres camiones llevaron las imágenes y objetos sagrados al antiguo campo de fútbol, donde organizaron una inmensa hoguera que duró hasta al amanecer. ¡El arte cristiano era un arte burgués! ¡La nueva religión, el Marxismo, debía destruirlo!

Fiestas Bienales. La Traída y La Llevada de la Virgen de las Nieves

En Aspe, las Fiestas Patronales se celebran de distinta manera, tratándose de años pares o impares. En efecto, los años pares la Virgen de las Nieves viene de Hondón y permanece 15 días en Aspe, en la basílica del Socorro. Los días fuertes, de conmemoración religiosa, son del 3 al 5 de agosto, celebrándose el 5 la solemne procesión.

Los pleitos por una imagen

Aspe y Hondón de las Nieves, hoy dos pueblos hermanos, estuvieron peleados mientras Hondón fue una pedanía de Aspe, estuvieron peleados por amor de una imagen de la Virgen. En 1848, ya segregado Hondón, se firmó un acuerdo que dejó, por fin, establecidas las normas para alcanzar la paz religioso social. La Virgen permanecería en su iglesia de Hondón de las Nieves. Y cada dos años, los años pares, se produciría la romería desde Hondón a Aspe, a la que hoy acuden unas 20 000 personas. El 3 de agosto sale de Hondón a las 5 de la tarde y llega al Collao, *La Traída*. Allí se entrega a las autoridades de Aspe con 21 salvas de rigor y suelta de palomas que la trasladan a Aspe. Al llegar se la recibe con el canto de la salve *Los tres Amores*. Ya en la Plaza Mayor se entona la salutación *Con solo mirarla*.

«Con solo mirarla
pone nuestro corazón
al borde gritarle».

En Aspe permanece 15 días y vuelve a Hondón, *La Llevada*. En el paraje o Sierra de la Ofra se dice una misa de campaña y es trasladada de nuevo al collado donde se entrega en paz y armonía a los fondoneros.

Fiestas de Moros y Cristianos

Para paliar un cierto vacío en los años impares, en 1978 se introdujeron las fiestas de Moros y Cristianos. Respetando los días grandes de la patrona, 3 a 5 de agosto, desde el 7 se celebran entradas, desfiles, embajadas. Y en estos años impares en que la imagen, diríamos genuina, permanece en Hondón, es sustituida por otra hermosa talla que se venera en la Capilla de Ntra. Sra. de las Nieves, que remonta su creación a 1735.

EL FONDÓ DELS NEUS. HONDÓN DE LAS NIEVES

El Ondón, *El Fondó,* un terreno profundo entre las sierras de Crevillente y de Algayat. Los musulmanes la denominaron *Ufra,* «lugar hondo» y dependía del castillo de Aspe. Poco poblado en tiempos de la conquista, 1246, fue una pedanía de Aspe hasta 1839 que consiguió la independencia, formando temporalmente un nuevo municipio con Hondón de los frailes que, a su vez, se había segregado de Redován, hasta 1926.

La ermita de San Pedro y la iglesia de Ntra. Sra. de las Nieves

En 1418, para atender a un grupo de 20 familias de labradores se construye en la pedanía de Hondón una ermita dedicada a San Pedro. Montesinos adelanta su construcción a 1332, promovida por el Señor de Elche. Y Cremades la adelanta aún más y se la atribuye al mismísimo Jaume I. «Tambien mandó este rey que se hiciera la ermita del Ondón».

Pero es en 1658 cuando se levanta otra ermita, en el mismo lugar, ya dedicado a Nta. Sra. de las Nieves. En 1746 el obispo de Orihuela, don Elías Gómez de Terán, viendo el crecimiento poblacional, ordena la construcción de una iglesia sencilla, de estilo barroco y, a la vez jesuítico, también dedicado a Nta. Sra. de las Nieves. En el altar se encontraba el camerino de la Virgen, estilo Rococó. La iglesia ardió en 1936 y con ella los altares y la imagen de la patrona. La actual, de 1940, es del escultor Romero. En la actualidad, bajo una fina capa de yeso, costumbre que se introdujo pensando así librarse de pestes y epidemias, se han descubierto murales de 1724, alguno tan curioso como *El Exorcismo de un endemoniado*.

Historia de la Virgen de les Neus. La Serranica

La primitiva ermita parece que no tenía ninguna imagen de la Madre de Dios, requisito en todo templo católico. Y he aquí que aparecieron dos peregrinos (la escena de dos misteriosos peregrinos se repite en la Edad Media) que se ofrecieron a esculpir una talla de madera de la Virgen. Se encerraron en la ermita de San Pedro con el material de tallar, gubias, azulas, cuchillos y se les proporciono comida. Como después de tres días los vecinos no oyeron ruido alguno, abrieron la puerta de la ermita y se encontraron una hermosa talla de la Madre de Dios. Y empezó a voltear la campana de la ermita sin que nadie la empujase. Los misteriosos peregrinos habían desparecido.

El pequeño problema es que la talla no tenía nombre y había que bautizarla. Los vecinos de Aspe pusieron en una bolsa seis bolas con el nombre de diferentes advocaciones de la Virgen, Piedad, Victoria, Consuelo, Refugio, Aflicción, Concepción. Y curiosamente salió un nombre no introducido, Virgen de las Nieves o Mare de Déu dels Neus. Otra curiosidad, desde entonces hasta su expulsión, fueron los mudéjares, luego moriscos, quienes sufragaban la misa en la ermita, mediante el pago de la dobla.

Conflictos religiosos entre vecinos

En 1658 se levanta nueva ermita con limosnas de los aspenses ya con el titulo de Ntra. Señora de las Nieves. Y en 1746, el obispo de Orihuela, don

Elías Gómez de Terán, ordena la construcción de la Parroquia de Ntra. Sra. de las Nieves, Y ahí empezaron los conflictos religiosos cuando en 1776 el Santuario del Ondón se convirtió en parroquia. Hubo que firmar un solemne concordato por el que el Ayuntamiento de Aspe se obligaba, para traer la imagen a Aspe, a dar aviso al cura del Ondón, acompañar a la romería con 20 luces y permanecer en Aspe 15 días. A pesar de eso siguieron las desavenencias resueltas con nuevos acuerdos.

La multitudinaria romería de La Serranica

Pocas romerías hay en la provincia tan multitudinarias y sentidas como la de Ntra. Sra. de las Nieves o de La Serranica, así llamada cariñosamente por aspenses y hondonenses. La imagen recorre cada dos años 8 km desde El Fondó, junto a la Sierras de Crevillente y Algayat hasta Aspe. Y hoy la celebran como patrona dos pueblos que antaño se pelearon por su imagen.

Gozos a Ntra. Sra. de las Nieves

«Cuando es grande la aflicción
con repetidos clamores
van a vos tus pecadores
hijos de Aspe y del Hondón
si en tiempo de pestilencia

van a Vos con fervor santo
cesa el motivo del llanto.
Virgen, con vuestra presencia,
como en cualquier aflicción,
sus males hacéis menores».

EL FONDÓ DELS FRERES. HONDÓN DE LOS FRAILES

Un pequeño pueblo en un hondón junto a la Sierra de Crevillente. El nombre ya nos da una pista: un terreno que perteneció a los frailes dominicos de Orihuela. Redován, que incluía los Hondones, fue primero propiedad de Jaime de Santángel, hermano del judío valenciano que sufragó el viaje de Colón a América. Se hizo dueño de estos hondones, los incorporó a Redován y fue nombrado Señor de Redován.

En 1616 los dominicos de Orihuela compran estos terrenos para lugar de descanso y de retiro de los ancianos. En 1698 un grupo de vecinos de Novelda piden a los frailes poder construir allí una aldea que duraría, con los frailes como propietarios, hasta 1820 (dos siglos) en que el Decreto de Desamortización les requisó la propiedad. Ya sin la tutela de los frailes, en 1840 se segregan de Redován y vienen a formar con Hondón de las Nieves un solo municipio que duraría hasta 1926 en que se separan. En la Guerra Civil, todo lo que sonase a santos o frailes debían chirriar los oídos pues lo cambiaron por Hondón Libre.

Iglesia de la Virgen de la Salud

Parecería más bien que la iglesia, construida a finales del XVII, debiera haber llevado la titularidad de la patrona de los dominicos, Nta. Sra. del Rosario, pero el hecho de que el lugar se utilizase como sitio de descanso y de salud para los dominicos ancianos de Orihuela hizo que se le diese la titularidad de Virgen María de la Salud. Aunque la iglesia era sencilla, con una torre cuadrada, la dotaron con una hermosa talla de la Virgen de la Salud.

Fiestas patronales

Al ser un pueblo pequeño y nacido a la sombra de una congregación de frailes ha hecho que sus fiestas se centren, aunque no olviden lo festivo, en lo religioso, en torno a la Virgen de la Salud. Tres días de fiestas patronales, del

26 al 29 de agosto. Ofrenda de flores a la Virgen, vistoso desfile de carrozas y el día de la patrona, misa y procesión.

Los dominicos en la Vega Baja

Aunque Hondón de los Frailes forma parte de la comarca administrativa del Medio Vinalopó, ha estado siempre influenciada por Orihuela. Los dominicos se establecieron en 1510 permaneciendo hasta 1835. Su influencia fue fundamental para extender el patronazgo de la Virgen del Rosario, para crear cofradías del Rosario y para que de ellas naciesen los *Cantos de Aurora* o *Auroros*, rico patrimonio de la Vega Baja.

MONFORTE DEL CID

Monforte del Cid, «Villa Real, Leal y Fiel», desde 1706, como gracia por haber apoyado la causa borbónica. Pocos pueblos han cambiado tanto de nombre, como si no estuviesen a gusto con ninguno. Nompot, Monforte («Monte fortificado»), Nompot de nuevo como castigo (Pedro IV) por favorecer una causa en la Guerra de los dos Pedros, de nuevo Monfort. En 1916 el Consejo de Ministros decide llamarle Monforte de la Rambla, quizá para no confundirle con otros Monfort, con la oposición del pueblo que se decide por el de Monforte del Cid, debido a que se recuesta sobre la Sierra del Cid. Pero la Leyenda lo atribuía a que Rodrigo Díaz de Vivar pasó por aquí en su camino hacia Elche.

El templo de la patrona

Les sucedió algo parecido para encontrar patrono. Monforte ha jugado tanto con sus nombres como con sus patronos. En 1500 se construye una iglesia gótica sobre las ruinas del castillo y recibe el nombre de Santa María del Castillo. A mediados del XVII se cambia el nombre a iglesia de Nta. Sra. de la Asunción y luego a iglesia de Nta. Sra. de las Nieves. En el XVIII se reforma en estilo Neoclásico. El patrón de la localidad era Sant Jaume, casi desde tiempos de la Reconquista, pero en plena discusión teológica sobre si María, la madre de Jesús, había sido concebida sin mancha o pecado original, el pueblo, España, Sevilla, Valencia, Alicante se posicionan fervorosamente a favor de la tesis concepcionista. En 1662, el papa Alejandro VII dicta una Bula legalizando el culto a la Inmaculada (La Purísima). En 1729 el obispo de Orihuela establece que la patrona de Monforte sea La Purísima en perjuicio de Sant Jaume. Monforte aún pertenecía al término municipal de Alicante, pues no se segregó definitivamente hasta a 1775. La iglesia es asaltada en 1936, se incendian los altares, deshacen el órgano y desaparecen la imagen de la Inmaculada y sus joyas. La actual es de 1940.

Otro caso curiosos, Monforte quiere mantener vivo un pleito con Novelda sobre el nacimiento del más universal de nuestros ilustrados, Jorge Juan. En efecto, nació en el límite, en término municipal de Novelda, pero fue bautizado en Monforte.

Fiestas de la Purísima y fiestas de Moros y Cristianos

Las fiestas se celebran del 5 al 9 de diciembre. Y son de las más antiguas en haber incorporado las fiestas de Moros y Cristianos, en 1881, con clara influencia alcoyana. Claro que antes, en la procesión de la Purísima, en 1769, aparece ya la soldadesca y el alarde militar o rendición de honores a la patrona.

Pero la parafernalia de las fiesta de Moros y Cristianos era cara y solo se celebraban si había dinero, suprimiéndose en ciertos periodos. Se consolida definitivamente, en 1968, la unión de fiesta religiosa y fiesta de Moros y Cristianos y en vez de las dos comparsas clásicas en litigio, se crean tres, Moros, Cristianos y Contrabandistas y aumenta el numero de festeros a 1 100. Y es de las primeras en incorporar a la mujer, en nombrar una abanderada en la comparsa Cristiana y haciendo ya paritaria la participación de festeros. El esquema de las fiestas es similar al de otras. Embajadas, Desfiles vistosos. Ofrenda de flores a la patrona. Subida al castillo de la Embajada Mora, guerrilla, bajada de la guerrilla, misa, arenga, Embajada Cristiana y procesión.

Himno de la Coronación. Inmaculada de Monforte

«Tus hijos predilectos, pues eres la patrona
del pueblo de Monforte. ¡Oh, madre celestial!
Monforte que te elige su reina y te corona
y admira tu pureza sin mancha original».

Monllor Cabrera

LA MASIVA ROMERÍA AL CONVENTO DE ORITO Y DE SAN PASCUAL BAILÓN

Orito es una pedanía de Monforte, un caserío a 5 km. Por una serie de circunstancias se celebran allí dos fiestas, la de la Virgen de Orito el 8 de septiembre y la masiva romería de San Pascual el 17 de mayo, una de las mas típicas de Alicante. Y es que allí se han se han cruzado dos historias y leyendas importantes: la aparición de la Virgen de Orito y el que allí estuviese, como fraile lego, San Pascual Baylon.

Una Fuente de aguas saludables, Fuente Santa o Fontanella, hace que acuda la gente de Monforte y, como consecuencia, surja un caserío y una ermita. El nombre de esta, que se construyó en 1542, fue elegido por insaculación, por la mano inocente de un niño, y correspondió a Natividad de Nuestra Señora. Allí habitaba un ermitaño. Según nos cuenta Bendicho en su *Crónica de la ciudad de Alicante* (1640), el tercer ermitaño, fray Jorge Martínez, de la Orden de la Merced: «Halla envuelta en los corporales la imagen de la Virgen, que es la Santa imagen, pequeñita, labrada en un pedazo de marfil, menor que el dedo plagar, pero muy hermosa y bien acabada, con el niño en los brazos, sentada en la silla de respaldo».

La pequeña imagen de la Virgen de Orito

En 1561 se hacen cargo de la ermita los frailes Franciscanos Descalzos de la Reforma de San Pedro de Alcántara y en 1561 ingresa en el convento y toma los hábitos Pascual Baylon Yubero.

En 1715, fray Isidro Gutiérrez escribe una fantasiosa *Historia verdadera de la maravillosa aparición, prodigios y milagros de la sacratísima y angé-*

lica imagen de N. Sra. De Orito en que nos narra 75 milagros de la Virgen y 173 de San Pascual. A la romería se añadió una feria y con el aumento de peregrinos y feriantes llegaron carteristas y malhechores por lo que hubo que legislar para reducir los asesinatos. Con la Desamortización de Mendizábal se marchan los franciscanos y el convento, vacío, es ocupado en 1898 por los capuchinos. Pero el 2 de febrero de 1936, antes de la Guerra Civil, es asaltado e incendiado. La pequeña imagen de la Virgen pudo esconderse.

Fiesta de la Virgen de Orito y romería de San Pascual

En Orito se celebran dos fiestas. El 8 de septiembre dedicado a la Virgen y el 17 de mayo la romería en honor e San Pascual Baylon. Muerto y beatificado Pascual Baylon en 1618, comienzan las romerías al Santuario de Orito en 1637, que si en principio llegaba a 5 000 romeros hoy alcanzan la cifra de 150 000. La romería ha continuado salvo en la época de la República 1931-3. La fiesta se celebra con misa, procesión amenizada con dulzainas y tamboriles, subida a la Cueva de San Pascual donde, según la tradición, se retiraba a orar. Y todo mezclado con el ruido de la feria donde antes era típica la venta de palomas.

«San Pascual,
los pies semidescalzos,
pardo el sayal,
pastor de altas cumbres,
cuida las cosechas;
cuando pinte la uva
subiré a tu cueva»

Vicente Mojica

San Pascual Baylón

Un santo muy valenciano y, a la vez, universal. Nació en Torremocha, Zaragoza, el 16 de mayo de 1540, hijo de Pascual Baylon e Isabel Yubero. Fue pastor, emigró en busca de trabajo como jornalero y recayó en Monforte en casa de Aparicio Martínez. En 1564 profesa en Orito, en la Orden de los Franciscanos, rama de San Pedro de Alcántara. Limosnero, cocinero, fue enviado a varios conventos e incluso a Francia donde se encontró con la hostilidad de los protestantes hugonotes en plena efervescencia. Vuelto a España fue refitolero y limosnero en el convento de Villarreal, donde murió el 17 de mayo de 1592. Muy devoto del santísimo sacramento se le atribuyen leyendas como que bailaba delante de las procesiones del santísimo y por eso se le llamaba Baylon, cuando, en realidad, era su apellido paterno. También, que en la misa de *Corpore insepulto*, en el momento de la consagración, abrió lo ojos para ver al sacramento.

Fue beatificado con bastante rapidez, en 1618 y, a partir de ahí, empezaron las romerías masivas al Convento de Orito. León XIII le nombró patrono de las Asociaciones Eucarística y de los Congresos Eucarísticos y Juan XXIII, patrono de la Diócesis de Segorbe-Castello.

En 1936, su capilla y sepulcro en Villareal fueron asaltados e incendiados. Se pudieron recoger algunos restos que están en un nuevo sepulcro, obra de 1992, de Vicente Llorens Roy, acto al que asistió S.M. Juan Carlos I. Se han establecido Premios San Pascual Baylon para cocineros distinguidos y también ha llegado al refranero:

«San Pascual Baylon,
báilame en este fogón.
Tú me das la sazón
y yo te dedico un danzón».

COMARCA DEL BAIX VINALOPÓ

Comarca muy extensa y solo 3 ciudades, Elche, Crevillente y Santa Pola. Elche es hoy la tercera ciudad más importante de la Comunidad. Valenciana, con 280 000 habitantes.

Terreno llano cercano al mar, con 30 km de costa, con marismas como las de Santa Pola, Elche o el Clot de Galvany. El Vinalopó, ya cercano a la desembocadura, ha producido en Elche gargantas de 100 m de profundidad, aunque en la actualidad transcurre sin agua.

ELCHE

Helike, poblado íbero del s. V a. C. con una cultura avanzada y con maravillosas obras de arte, como la *Dama de Elche*, posible sacerdotisa tocada su cabeza con grandes arillos. Los romanos establecieron una ciudad para sus veteranos soldados de Cantabria, Colonia Julia Illice Augusta. Conquistada por los árabes en 713, trasladaron la ciudad a la llamada Villa Murada. De su época se conserva la Torre de Calahorra que formaba parte de las murallas, y los baños árabes. Conquistada por el aún príncipe Alfonso, hacia 1250, hubo de bajar su suegro a reprimir la sublevación de los moros en 1265. Con la expulsión quedó despoblada y repoblada después por Jordi Cárdenas, señor de Elche.

El *boom* de Elche es muy reciente. En 1940 tenía 42 000 habitantes y en 2019 cuenta con 230 000, convirtiéndose en la 3.ª de la Comunidad Valenciana. Ello se ha debido principalmente a la industria del calzado, el 43 % de la producción nacional.

Elche es la única ciudad de España merecedora de dos Patrimonios de la Unesco: Patrimonio de El Palmeral «ejemplo único de prácticas agrícolas en el Continente Europeo». La cultura de la palmera datilera se practica en Elche desde el s. V a.C. Y su *Misteri*, declarado «Patrimonio Oral e Inmaterial de la Humanidad».

El origen de su fiesta internacional

La tradición cuenta que un 28 de diciembre de 1370, un guardacostas, Franseç Cantó, encontró en la playa de Tamarit una caja en donde se leía: «*Soc per a Elx*». En su interior iba una imagen de la Virgen de la Asunción y el texto del auto dramático del *Misteri d'Elx*, la *Consueta*. Galopó Francesc Cantó hasta Elche para comunicar la noticia. El pueblo se trasladó a la playa y fue traída en una carreta tirada por dos bueyes. Ese día, 28 de diciembre, se celebra la procesión de la Venida de la Virgen (la que vino por mar). Cantó la compaña en un brioso corcel.

El *Misteri*

«El presbiterio se ha vuelto nave; el altar, alcoba. El templo es calle y la calle, templo». Eugenio D'Ors.

¿Cuándo empezó a representarse en Elche este drama religioso medieval cantado? Este documento, que se celebraba ya en la segunda mitad del XV en la primitiva iglesia, como se representaban todos los autos religiosos y autos sacramentales. Al ser prohibidos en el interior de los templos, salieron a los atrios. Pero Elche logró del papa Urbano VI, en 1632, un privilegio para poder seguir representándolo dentro del templo. Esto se hizo ininterrumpidamente, salvo en 1936-39.

Argumento del drama

En la actualidad se representa dividido en dos partes, *La Vesprá*, 14 de agosto y *La Festa,* 15 de agosto. *La Vesprá*. Entran por la puerta principal de la iglesia, la Virgen María, María Salomé y María Jacobo, acompañadas de un cortejo y llegan al *cadafal*, en el crucero. La Virgen, arrodillada, muestra su deseo de reunirse con su hijo.

«*Ai, triste vida corporal.*
Oh, món cruel, tan desigual.
Triste de mí. Jo que feré?
Le meu car Fili, quan lo veuré?»

Desciende desde la cúpula de la iglesia el primer aparato aéreo (*la Magrana*), en el que baja un ángel cantando. Anuncia a María su temprana muerte y le entrega una palma de oro. Los apóstoles, avisados, entran en el templo salvo Santo Tomás. Muere la Virgen María. Desciende un nuevo aparato aéreo, *el Araceli*, con cinco ángeles cantores, tres adultos y dos niños, para recoger el alma de la Virgen que llevan al cielo.

La Festa. Cuando va a relazarse el sepelio de la Virgen, un grupo de judíos intenta robar el cadáver y se organiza una lucha con los apóstoles. Un judío que intenta tocar el cuerpo queda con el brazo paralizado. Ante esto, los judíos se convierten, son bautizados por San Pedro y el brazo del judío recobra la movilidad. Judíos y apóstoles se unen en el entierro de María en una solemne procesión y la Virgen es depositada en un foso. Desciende de nuevo el *Araceli* para unir el alma al cuerpo de María. Llega Santo Tomás desde la India. Cuerpo y alma de María, ya unidos, son ascendidos en otro aparato aéreo. Se abre la cúpula celestial y aparece la Santísima Trinidad que corona a la Virgen.

> *«Vos siau ben arribada*
> *A reinar eternalment,*
> *On tantot, de continent*
> *Per nós sereu coronada».*

La basílica de Santa María

En principio, hubo una iglesia o ermita dedicada a San Sebastián sobre una antigua mezquita. La Basílica, donde actualmente se celebra la *Festa* o el

199

Misteri, fue construida entre 1672 y 1782, por lo que se mezclaron los estilos. El primer arquitecto fue Francisco Verdi. Nicolás de Byussy dejó su impronta, un barroco italianizante en la puerta principal, una autentica filigrana... La Capilla de la Comunión es de Chápuli.

Ataque marxista a un icono de las fiestas patronales

No, no todos los incendios fueron consecuencia del llamado Alzamiento Nacional en julio de 1936. Cinco meses antes, el 20 de febrero de 1936, el Marxismo lanzó una campaña incendiaria contra iglesias y ermitas. Curiosamente, las más dañadas fueron los templos de los iconos de los fiestas patronales, La Serranica de Hondón de las Nieves, Nta. Sra. de Orito, la Purísima de Torrevieja, San Blas de Sax, etc.

En Elche, además de incendiar las iglesias del Salvador, San Juan y Convento de Clarisas, se ensañaron, sobre todo, con la Basílica de Santa María. Ardieron totalmente el retablo del altar mayor, de 1730, el camerino de la Virgen de la Asunción, la capilla mayor y toda la tramoya de la *festa*, cielo, aparatos aéreos, etc. Y despareció la imagen del Asunción. La iglesia fue convertida en garaje. En 1940 fue renovada por el arquitecto Serrano Peral. La nueva imagen de la Virgen es de José Capuz.

Y una curiosidad. En junio de ese mismo año, Gastón Castelló realizó el Monumento Fogueril de la Plaza de la República denominado *Folklore de la Provincia de Alicante*. Una de sus cuatro escenas la dedicó al *Misteri d'Elx,* lo que armó un tremendo revuelo y escándalo en las fuerzas de izquierda.

SANTA POLA

Santa Pola, *Santa Paula, San Pablo.* Según una tradición poco creíble, el nombre le fue dado por la creencia fantasiosa de que en la cercana isla de Santa Pola, hoy Tabarca, había desembarcado San Pablo. Para otros, provendría del latín *palus,* «humedal», que pasaría a *Paulus* y a *Pol.* En el s. I los romanos construyeron aquí un puerto, *Portus Illicitanus,* que tendría importancia similar al de Cartagena. Tras la caída del Imperio pasó al olvido, quedando integrada en el término de Elche como Puerto de Calp de l'Aljub, habitado por pescadores. Y que ya en 1337 tenía una torre defensiva. En pleno auge de la piratearía berberisca, el duque de Cárdenas, virrey de Valencia e hijo del marqués de Elche, manda construir un castillo-fortaleza de grandes dimensiones que, aparte de tener 29 casas y 15 soldados, servía para refugio de los pescadores.

En 1609 fue uno de los tres puertos, con Denia y Alicante, desde donde partieron los moriscos al exilio. En 1812, aún en Guerra de la Independencia, Santa Pola intenta segregarse de Elche, pero no lo consigue hasta 1835.

La leyenda de la imagen de Loreto de Santa Pola

Santa Pola también tiene su tradición (historia o leyenda) de poseer una imagen de la Virgen venida por el mar. En 1643 hubo una revuelta de moriscos en el Puerto de Santa María, Cádiz, con destrozos de iglesias e imágenes cristianas. Una vecina, María Guadalupe, tenía una imagen de la Virgen y por temor a las profanaciones, fue al puerto y le pidió a un pescador que se hiciese cargo de ella y la dejase en un puerto a donde arribase. El pescador era de Villajoyosa y, ante la belleza de la imagen, solo pensó llevarla a la Vila. Tuvo que refugiarse en Santa Pola por una tormenta y cuando intentó navegar de nuevo con la imagen, en tres ocasiones le fue imposible zarpar, por lo que dedujo que la Virgen quería quedarse en Santa Pola. La imagen está hoy en una capilla-iglesia dentro del recinto fortificado. Sus fiestas se celebran en 9 y 10 de diciembre. Se baja al puerto y se escenifica la llegada de la imagen. Luego se lleva en procesión hasta el castillo-fortaleza.

Gozos de Santa Pola a la Virgen de Loreto

«A Santa Pola, María
de Guadalupe llamada
esta prenda tan preciosa
para nuestra dicha envía.
Mil obsequios a porfía
reciba la gran señora
en fe y en amor prolijo
Santa Pola hacia vos crece
y su templo eterno ofrece
en su pecho cada hijo.
Sin duda, Dios nos bendijo
al darnos a esta señora.
Sednos radiante, Aurora;
es tu gracia luna entera,
madre de Dios medianera,
siempre buena protectora».

CREVILLENT. PASIÓN Y GLORIA DE LOS GRANDES IMAGINEROS

«UN DOLOR INFINITO /LABRÓ EN EL CON SU ESCOPIO/ TU DIVINA ESCULTURA»

Amado Nervo

Crevillent, junto a la sierra de su mismo nombre, sierra de bandoleros: *El Barbut,* guerrillero que primero luchó contra Napoleón y luego se convirtió en bandolero de la sierra. Al final ejecutado y repartidos sus restos como trofeo. Los musulmanes construyeron aquí, en el *Frare*, un poblado fortificado. De él solo quedan trozos de muralla y dos aljibes. Conquistado por las tropas del príncipe Alfonso (1244) fue entregado en 1252 al infante Manuel, señor de Villena. Se permitió al *Raïs* seguir gobernándolo con una cierta autonomía hasta 1318. El señorío sarraceno de Crevillente compendia, además, tierras de Cox, Albatera, Aspe. Fue foco de las revueltas de las germanías. Y en 1609 era un núcleo muy importante de moriscos, con 400 familias (1777 vecinos). Se repobló y ya modernamente, creó una poderosa industria de alfombras creciendo a 30 000 habitantes.

Santos patronos. Manos angélicas

En Crevillente ningún labrador descubrió una imagen bajo tierra, ni se apareció una Virgen en un árbol, ni vino en una barca a la deriva, ni la labraron misteriosos peregrinos. Fueron manos divinas, que con la gubia y el escoplo y con esmerado amor, tallaron 34 conjuntos, 34 pasos, convirtiendo a Crevillente en un inmenso Museo de arte, Museo de la Semana Santa, Museo de Mariano Benlliure, Iglesia Nta. Sra. de Belén. Su primer gran imaginero fue, en el s. XIX, Antonio Ruigdevarts. Y en el XX, después de la guerra, la figura de Mariano Benlliure llena la escena crevillentina. Y acudieron otros tallistas a la cita: Carmelo Vicent Suria, García Talens, Antonio Perea, Navas Parejo, Carlos Flotas.

La magia de las procesiones de Crevillente

Al llegar la Semana Santa, salen de sus museos los pasos doloridos y, a la vez esplendorosos, acompañados de decenas de corales que entonan motetes e himnos religiosos, antiguos y modernos. Cada uno de los 24 Pasos lleva su propio coro cada procesión, tiene su peculiaridad. El Martes Santo, día austero, desfila en silencio y oscuridad el Santísimo Corsito de Difuntos y Ánimas, de Benlliure. El Jueves Santo el Santo Cristo del Perdón y Buena Muerte. El Viernes Santo, Subida y Bajada del Calvario. Quince Pasos, de Ruigdevarts, de Benlliure y de otros, al son de dianas, trompetas y cantos corales. Cada paso tiene su propio coro. Y llega el encuentro de Jesús con su Madre y el «Abrazo» y la mano del Nazareno que se mueve para dar la bendición a la gente. Y el Sábado Santo, la *Procesión del Santo Entierro* con seis pasos.

Antonio Ruidavets

El primero en abrir el camino en el s. XIX. Antonio Ruidavets, nacido en Mahón, 1814. Trabajó en Alicante, Orihuela, Novelda, Murcia, pero fue en

Crevillente donde dejó su impronta. *El Ecce Homo*, la primera que realizó, 1866, *El Prendimiento* o *Beso de Judas*, 1868, *La Negación de San Pedro*, 1868, *La Oración en el Huerto*, 1871, *El Lavatorio*, 1874. *El Santísimo Cristo de la Caída*, 1884, *La Flagelación en la Columna,* 1867. Salvo el *Ecce Homo*, que fue destruido en la Guerra Civil, las obras de Ruidavets se salvaron por una estratagema de los cofrades: las escondieron en el fondo de una gran habitación y levantaron una pared.

Ruidavets, a pesar de seguir, de algún modo, la huella barroca de Salzillo, no pone dramatismo en las figuras, salvo en el *Santísimo Cristo de la Caída*. Está considerado un imaginero naturalista e incluso neoclásico, tendiendo a una belleza idealizada.

Mariano Benlliure

Mariano Benlliure, el valenciano del Cabanyal, llena la imaginería religiosa de Crevillente, en el s. XX, a parir de 1940. Su primera obra fue *Nuestro Padre Jesús Nazareno*, 1841. Le siguieron *La Magdalena*, 1944, *San Juan de la Tercera Palabra en la Cruz,* 1944, *Cristo de Difuntos y de Animas,* 1945, *Cristo Yacente,* 1946, *La Entrada de Jesús en Jerusalén*, 1947

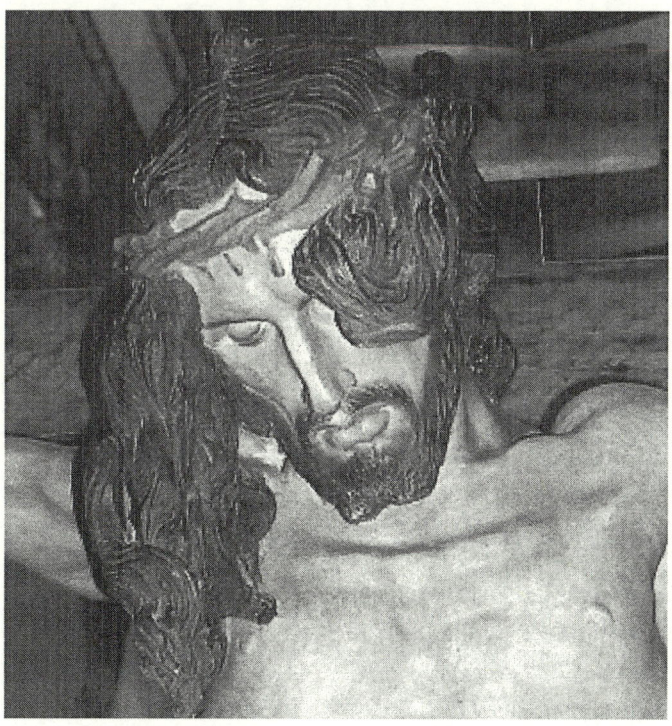

M. Benlliure. *Santísimo Cristo de difuntos y ánimas*

El *Cristo de Difuntos* es anatomía perfecta, no de un agonizante, sino de un cadáver. Tonos suaves, huye del dolor dramático del Barroco. Utilizó un modelo de raza gitana a quien, mientras posaba, le obligó a permanecer colgado de una Cruz. Y su *Cristo Yacente*. Benlliure talló tres, uno para Hellín, otro para Onteniente y otro para Crevillente. El tema le obsesionó toda su vida. Cuentan que visitaba sanatorios antituberculosos para captar los rostros ya famélicos. Y que mientras lo esculpía en su estudio de Madrid, depositaba cada día un ramo de flores a lo pies de la imagen.

LA COMARCA DE L'ALACANTÍ

La comarca de L'Alacantí o campo de Alicante responde a un concepto geográfico y a otro histórico. Geográficamente es, en general, una gran llanura cercana al mar. El único río que la atravesaba, el río Monegre, denominado en su desembocadura río Seco, sirvió para recoger sus aguas en el Pantano de Tibi, construido por Felipe II para regar las tierras de Alicante, lo que las convirtió en la próspera Huerta de Alicante. Desde el punto de vista histórico, estas tierras fueron inicialmente incluidas en el término de Alicante, del que se fueron luego segregando. Esto dio lugar a nuevos patronos mientras que la ciudad conservaba los primitivos.

La Comarca de L'Alacantí tiene dos partes bien diferenciadas tanto geográfica como históricamente. Las poblaciones del sur son Alicante, San Juan, Muchamiel, Campello, San Vicente, Agost. La parte sur, llana, la parte norte denominada Hoya de Xixona, Valle de Xixona o Canal de Xixona, comienza a elevarse y representa el tránsito entre la Huerta de Alicante y la Foya d'Alcoi. Constituye, pues, una subcomarca que comprende Xixona y Torre de Maçanes y, en menor medida, Busot y Aigües.

Desde el punto de vista histórico, las dos subcomarcas están marcadas por la línea divisoria Biar-Busot que señaló el Tratado d'Almisra (*Llibre dels Fets*, 349). La zona norte fue repoblada por aragoneses y catalanes y la sur por castellanos. Desde el puno de vista poblacional existe una gran diferencia. La subcomarca sur es la de mayor densidad de la provincia, 1 220 h /km²; la subcomarca de Xixona solo 50 h/ km².

ALICANTE CIUDAD

De la ciudad ibérica a la ciudad cristiana. La conquista y los patronos

La primitiva ciudad ibero-romana, *Lucentum*, estuvo en un montículo de la Albufereta. Los árabes, tras su llegada, trasladaron su vivienda a las faldas del Monte Benacantil.

El triunfo de las Navas de Tolosa, en 1212, supuso una inyección de optimismo para los príncipes cristianos. Jaume I y el príncipe Alfonso se ponen de acuerdo en invadir y repartirse las tierras de los Reinos de Valencia y de Murcia. En 1243, el príncipe Alfonso somete a vasallaje al rey de Murcia mediante el Tratado de Alcaraz. Y Jaume conquista la ciudad de Valencia en 1245. Luego firmarían el Tratado de Almizra para repartirse las tierras de los dos reinos, Valencia y Murcia.

Alicante estaba dirigida por un gobernador dependiente de Murcia, Zayyan ibn Mardanish, que no aceptó el Tratado de Alcaraz, por lo que el príncipe Alfonso hubo de someterlo por la fuerza. Entró en Alicante el 4 de enero de 1248, día de Santa Bárbara y la fortaleza se rindió el 6 de enero, día de San Nicolás. Dos fechas para la historia, dos patronos para la ciudad.

Los Patronos de la *hora prima*, la hora de la conquista. El frustrado patronazgo de Santa Bárbara

Los dos primeros patronos de la Alicante cristiana, Santa Bárbara y San Nicolás, lo fueron por agradecimiento. El castillo cambió el nombre por el de Castillo de Santa Bárbara. Allí se le erigió a la santa una humilde emita. En 1463 se construyó una segunda entre las Torres del Hospital y del Homenaje, que formaban el conjunto de la Alcazaba Medieval de Alicante. En tiempos del cronista Bendicho, 1640 seguía viva la romería y la fiesta: «El día de su fiesta celebrase esta subiendo las gentes al castillo». Esta ermita medieval se destruyó en 1709, durante la Guerra de Sucesión, al ser minado el castillo por los franceses. Y fue reconstruida en 1713 en otro lugar, excavando la roca. En 1721 Montesinos habla de ella: «En el interior de este famoso castillo hay fundada una hermosa ermita ochavada, primorosamente adornada, dedicada a su honrosa patrona, Santa Bárbara, abogada contra las tempestades, rayos y centellas». Había función religiosa y porrate en alegre romería. Quizá por las excesivas cuestas del castillo esta costumbre se perdió a principios del XIX, con lo que dejaron de celebrarse romería y fiesta patronal. Sería San Nicolás quien triunfase sobre Santa Bárbara como patrón de Alicante. ¿Machismo puro?

La devoción a Santa Bárbara en la provincia. Patrona contra rayos y centellas

Si fue Alicante la primera en venerar a Santa Bárbara y cambiar el nombre de su castillo, la devoción caló en toda la provincia. Unos pueblos con Benidoleig y Tárbena la nombraron su patrona. Benidoleig, en la Marina Alta, le dedica tres días de fiesta en la primera semana de agosto. Eso sí, acompañada de la Inmaculada y de la Preciosisimo Sangre. Y muy en la línea de toda la Marina Alta, define a sus fiestas, «Fiestas Patronales i Taurinas». Y la pequeña población de Tárbena, escondida en un valle de la Marina Baixa, la celebra también la primera semana de agosto y procesiona con la imagen una supuesta reliquia de Santa Bárbara

Otros muchos pueblos la dedicaron una ermita o un altar en su parroquia. Santa Bárbara discutió a los Santos Abdón y San Senén, los Santos de la Piedra, la primacía en defensa contra las tormentas. Por eso es la patrona contra rayos y centellas.

«Si luce más la piedad
cuando el ahogo es mayor,
socórranos tu favor,
Bárbara en la tempestad.
En Nicodemia naciste
de Dioscoro gentil,
Mas con tu ingenio sutil,
no a su engaño te rendiste,
pues los errores venciste
con tanta facilidad».

La terrible historia de Santa Bárbara

Una truculenta historia. Nacida en Nicomedia, hacia el 250, hija de un sátrapa, Dioscóreo, quien aferrado a sus dioses paganos no resistió que ella se convirtiese al cristianismo. Después de su bautismo hizo abrir en su habitación una tercera ventana para simbolizar a la Santísima Trinidad. Su padre la encarceló y ella, muchacha culta, enseñaba poesía y filosofía a los guardianes. Exasperado el padre, intentó acabar con ella, quien logró huir. Perseguida hasta un monte, fue atrapada, flagelada, sometida a rasgamiento de su piel con garfios de hierro y el mismo padre la decapitó. En aquel momento un rayo acabó también con la vida del progenitor. De ahí que sea patrona contra rayos y centellas.

En el Vaticano II, Santa Bárbara, aunque no fue descanonizada, sí borrada de la primera línea del santoral y del calendario del año litúrgico. Pero no quedará suprimida en el arte donde se la ha representado centenares de veces, muchas con una torre donde estuvo recluida. Quedémonos con la *Santa Bárbara* de Van Eyck, Museo de Amberes, las *Santas Bárbaras* del Museo del Prado de Rafael o del Maestro de Becerril, o con *El Martirio de Santa Bárbara*, de Vicente López, en la Fundación Lázaro Galiano. Y, por si caen rayos y centellas, la seguiremos invocando como lo hacían nuestros ancestros. En el momento que empezaban los relámpagos, cerraban a cal y canto las ventanas, encendían una vela guardada desde el Jueves Santo y rezaban con miedo y, a la vez, con fervor:

«Santa Bárbara bendita,
que en el cielo seas escrita
con papel y agua bendita.
Los moros a la piedra,
los cristianos a la Cruz.
¡Padre Nuestro, Amén Jesús!».

San Nicolás, máximo patrón de la ciudad. La construcción de su colegiata

A San Nicolás se le erigió una iglesia gótica sobre restos de una mezquita árabe. La que contemplamos ahora se construyó entre 1616 y 1662. Es de estilo renacentista herreriano, de Agustín Bernardino, discípulo de Juan de Herrera. Y la esbelta cúpula, del alicantino Miguel del Real. La linterna alcanza casi los 45 m. La capilla de la comunión está considerada como una bella obra del Barroco Español. Hay una imagen de San Nicolás en la portada del claustro y la de su capilla es de Juan de Villena. Posee la hoy concatedral un *Retablo de Ánimas* de Nicolás Borrás, de 1578, un *Cristo de la Buena Muerte,* de Nicolás de Bussy del XVI y un órgano del XVI.

El famoso *coche de la calavera* se paró ante la colegiata en la madrugada del 18 de agosto de 1936. Se llevaron al organista, manos divinas, e hicieron destrozos en la colegiata. Desde 1936 a 1939 fue convertida en almacén.

Festividad del patrono

Las fiestas fueron, hasta hace muy poco, eminentemente religiosas. Con algunas peculiaridades, como que salía San Nicolás montado sobre un caballo blanco repartiendo juguetes a los niños. La procesión, por el casco antiguo, va acompañada de la Bellea del Foc y damas y por Gigantes y Cabezudos tocando silbatos de cerámica (*xiulets*). Recientemente se ha incorporado, por la tarde, la fiestas y desfile de Moros y Cristianos.

Imagen de San Nicolás de Alicante, del S. XV

Y curiosidades de tiempos pasados. El día 6 de diciembre, las muchachas alicantinas casaderas robaban garbanzos en sus casas (obligatorio fuesen robados), iban al altar de San Nicolás, le encendían una vela y lanzaban con fuerza un garbanzo a su estatua. Si acertaban…

Himno de Alicante a San Nicolás

«Desde ese mar proceloso
oh, padre, San Nicolás,
conduce al puerto seguro
de la patria celestial.

A los fieles que devotos
vuestro culto propagamos,
haznos merecer la gloria
amando a nuestros hermanos».

San Nicolás-Sinterklass-Santa Claus

Un santo universal que cuenta con más de 2 000 templos en todo el mundo. Patrono de Rusia, Grecia y Turquía. Su devoción se extendió por Italia, Alemania, Austria, Holanda y Bélgica, teniéndole también muchos marineros como patrono. Vivió en Asia menor (270-345). Fue obispo de Myrra, capital de Liria. Encarcelado por Diocleciano y liberado por Constantino. Combatió con ardor al Arrianismo, que consideraba que en Jesús solo había una naturaleza, la humana, cuando la Iglesia afirmaba en él dos, la humana y la divina. Participó en el Concilio de Nicea que fijó el *Credo* del cristianismo.

A la vez fue, según la tradición, un santo visionario y milagrero. El más simpático el que se cuenta que realizó con tres doncellas. Su padre no podía pagar la dote exigida para que se casasen y decidió entregarlas a la prostitución. Entonces, San Nicolás arrojó durante tres noches por la ventana tres bolsas llenas de oro para que el padre pudiese pagar la dote. Por eso, a veces se le representa con tres monedas de oro en las manos. Cunado los musulmanes conquistaron Anatolia, un grupo de cristianos tomó su cuerpo secretamente y lo trasladó a Bari, en Italia. Y así, en Oriente se le llama San Nicolás de Mirra, en Occidente, San Nicola de Bari.

Los holandeses llevaron su devoción a América al fundar la ciudad de Nueva Ámsterdam, luego Nueva York. Su nombre era, en holandés, Sinterklass. Pero el escritor Washington Post, intencionadamente o no, cambió Sinterklass por Santa Klaus. En seguida pusieron su mansión en el Polo Norte. E identificado con San Nicolás, amigo de los niños, se convirtió en el dadivoso Papá Noel. Y al ser el Polo Norte inmenso, varias ciudades reclaman ser su patria.

Si no nos produce mucha fe y devoción la vida de San Nicolás, acerquémonos a Burgos, a su iglesia, junto a la catedral y caigamos de rodillas ante tanto arte y tanta belleza en su *Retablo del Renacimiento*, 1501, de los Hermanos Colonia. La religión, al menos, nos servirá para contemplar y disfrutar de arte.

1700. Fiestas de Moros y Cristianos en honor a San Nicolás.

Alicante parecía sentir vergüenza de haber perdido el tren de las fiestas de Moros y Cristianos. De repente, no solo la ciudad, sino sus barrios, cinco, se lanzaron a instaurar sus fiestas de Moros y Cristianos: el barrio de San Blas lo hizo en 1943-48; Altozano en 1952, Villafranqueza en 1976, barrio Miguel Hernández, 1978; El Rebolledo, 1992.

Ya en 1700 se celebraron en Alicante, ciudad, juegos de Moros y Cristianos. Bien es verdad que lo hicieron de manera puntual. Fue en agosto, con motivo de la celebración del Centenario de la Colegiata de San Nicolás. Se realizó un simulacro de batalla entre Moros y Cristianos. Los moros desembarcaron en el puerto con arcabuces y alfanjes y asaltaron el alcázar construido por los cristianos en la Plaza del Mar. Luego, los cristianos desalojados enviaron una Embajada a los Moros para que se rindiesen y al negarse, los Cristianos atacaron la fortaleza, la conquistaron, hicieron prisioneros a los moros y los pasearon atados con cuerdas por la ciudad. Solo era un juego.

NTA. SEÑORA DEL BUEN REMEDIO, PATRONA DE ALICANTE

«¡OH, VIRGEN, MADRE DE DIOS, GENERAL REMEDIADORA; PUES ES TAN PROPIO DE VOS, REMEDIADNOS, GRAN SEÑORA!».

Si Santa Bárbara y San Nicolás habían ayudado en la conquista, los alicantinos necesitaban otro abogado en el cielo como escudo contra pestes y enfermedades y lo encontraron en Nuestra Señora del Remedio a la que sus fundadores, los Trinitarios, llamaban Nuestra Señora del Buen Remedio. Todo indica que su devoción fue traída por estos Trinitarios que solían embarcarse en el Puerto de Alicante para ir la Berbería a redimir cautivos. En 1535 ya se organizaban en Alicante procesiones en su honor. La primera imagen, probablemente del S. XIII, recibía culto en un altar en el claustro de la Iglesia de San Nicolás. Y en el s. XVI se organiza la Cofradía de la Virgen del Remedio, aprobada en 1603 por Clemente VIII. En 1647-48, una terrible epidemia hace que la gente acuda a ella. Se organizó una procesión-rogativa con dos imágenes, el Lienzo de la Santa Faz y la imagen de Nuestra Sra. del Remedio. Al cesar la epidemia la gente comenzó a llamarlo «*El Gran Miracle*». En 1768 se trasladó la imagen desde su humilde hornacina del claustro al altar mayor de la iglesia.

Posteriormente, al ser pequeña y estar muy alta, hubo que reemplazarla por otra mayor y aquella pasó al trascoro. La imagen de Nta. Sra. del Remedio generalmente se presenta de pie, pero esta de Alicante se talló sentada sobre un trono de plata. En 1936, al asaltarse la Colegiata de San Nicolás, el sacristán mayor impidió que destrozasen la gran imagen mayor. No obstante, la imagen pequeña desapareció. En 1998 recibió la coronación pontificia, en el estadio Rico Pérez, a la que asistieron 40 000 personas. Entonces ya recibía el cariñoso nombre de «*La Perla de Alicante*».

Las fiestas patronales de Nuestra Señora del Remedio

Se celebran a finales de julio hasta el 5 de agosto. Eminentemente religiosas con pocas concesiones a motivos lúdicos: novena en la concatedral, alborada en la Plaza del Ayuntamiento con la *Salve* y el *Himno de Alicante*. El 5, día grande, procesión por el casco antiguo y por la tarde misa solemne. A cantar a Nuestra Señora del Remedio se han unido poetas y músicos alicantinos: *Plegaria a Nuestra Señora de Remedio*, de Tomás Rocamora, música de órgano de Carlos Catalá, los *Gozos de Nta. Sra. la Virgen del Remeio* y el *Himno de la Coronación* de Berenguer Cerdá y de Ramos Aznar.

Gozos de Alicante a Nta. Sra. del Remedio

«Oh, Virgen, Madre de Dios,
general remediadora;
pues es tan propio de vos,
remediadnos, gran señora.
En este templo sagrado
quisisteis ser venerada,

a consolar destinada
al que os invoca humillado;
y de fe viva animado
A vostra imagen adora:
Pues es tan propio de vos,
Remediadnos, gran señora».

Origen de la devoción a Nuestra Señora del Buen Remedio. La Orden Trinitaria

A finales del XII aparecen las Órdenes de Redención de Cautivos. La primera, la Orden de la Trinidad y Redención de Cautivos nace en 1193 cerca de París, en el desierto de Cerfrod, fundada por San Juan de Mata, a quien pronto se le unió San Félix de Valois. Unían la vida monástica con la marcha a lugares alejados para la redención del cautivo, con dinero de postulaciones y en caso de no ser suficiente, quedándose en su lugar y algunos murieron en el cautiverio. La devoción a Nta. Sra. del Buen Remedio, su patrona, se mezcla con la leyenda milagrosa. En dos ocasiones en que Juan de Mata, al no tener dinero para los rescates, acudió a la Virgen, esta se le apareció entregándole bolsas con dinero. Y el culto a Nta. Sra. del Buen Remedio aparece primera vez en el Convento de Marsella en 1202. Y en 1222, fray Guillermo el Escocés, tercer general de la orden, establece ya su culto como patrona de la orden.

En el s. XIV se extiende esta devoción por toda España, sobre todo por Andalucía, Reino de Valencia, Castilla la Mancha y Canarias. Casi un centenar de localidades la tienen como patrona, además de dedicársele numerosas ermitas. Con la colonización y evangelización los trinitarios dieron el salto a América, que mostró un especial fervor por esta devoción en México, Bolivia, Panamá, Chile, Argentina, Filipinas y, sobre todo, en Perú. Cervantes fue uno de los beneficiados por esta orden. Estuvo 5 años de cautiverio en Argel y fue redimido el 19 de septiembre de 1580 por dos frailes trinitarios, Juan Gil y Juan Antonio de la Bella, después de muchos ruegos, por 300 ducados, pues el cruel Hassan Aga exigía más dinero que los frailes no llevaban.

El arte en la iconografía de Nta. Sra. del Buen Remedio

Alcanzar un buen remedio es una aspiración muy humana y por eso penetró esta devoción en la gente y en el arte. Aunque existen tablas del gótico internacional (catedral de Sevilla) o cuadros como el de José de Vergara en el Museo del Prado, son muchísimas más numerosas las magnificas tallas de la Virgen del Remedio con el Niño en sus brazos. En América sus imágenes responden al arte colonial. Especialmente hermosas las de Perú. Muy abundantes, también en Canarias, donde resalta la magnifica escultura idealizada, aunque ya del s. XIX, de Fernando Esteve, en la Villa de Realejos. Las imágenes de Nta. Sra. del Remedio, en pintura o talla, llevan en el pecho la característica cruz trinitaria, roja y azul, cuyos extremos se ensanchan en forma de patas por lo que se la denomina «Cruz Patada».

> «Salve, nuestra voz pregona;
> salve, madre de Alicante,
> salve, amada patrona».

LA FIESTA DEL FUEGO. ALICANTE SE ALZA CON EL CETRO

De repente, Alicante casi se olvidó de sus patronos, San Nicolás y Nta. Señora del Remedio y se lanzó a ocupar la primacía y el trono de España en la Noche del Fuego, el 24 de junio. No, no son las fiestas patronales ni tienen su origen en la Edad Media. Nacieron de un simple mimetismo de las Fallas Valencianas que, esas sí, entroncaban con San José, carpintero. Las primitivas Noches de San Juan en Alicante, como en todas las localidades, grandes o pequeñas de Europa, la festividad de San Juan era la «fiesta de la calle», del monte o de la playa. Se homenajeaba al sol, representado en la hoguera, alimentada con *estoretes velletes*.

El poeta alicantino Sellés, en el siglo pasado, les daba un carácter mágico y místico.

> «¡Fallas, arded en monte gigantesco!   mas dejad a este pueblo que un instante
> A quemar lo grotesco,   su espíritu levante
> qunque es bello y artístico y gracioso;   a la excelsa región de lo grandioso!».

Y todo lo cambió un gaditano, José M.ª Py, asentado en Valencia y en Alicante, que no comprendía cómo en la Capital del Reino, el día 19 de marzo, los carpinteros habían logrado tal magia de *ninots* y de fuego. «Las Higueras de Alicante son bien conocidas por ser su tradición desde tiempos remotos; debíamos los alicantinos darles ese mismo carácter que se ha dado a las Fallas». Lanzó la idea y desde 1928 la bola rodó y rodó. Tuvo la suerte de que inmediatamente se incorporasen a la tarea artistas de la talla de Gastón Castello y otros. Hoy miles y miles de alicantinos o foráneos asisten, los días previos, a las famosas y atronadoras *mascletàs*. Y la noche del 24 la ciudad se convierte en una montaña de luminarias que arden hasta el cielo al son de su himno.

«Ja s'alcen les flames camí del cel,   *a la Llum de les Fogueres*
i ronquen les trauques al seu content;   *qu'es la Festa més fermosa*
com si foren estrelles del firmament   *i en un singular e encant*
esclaten les bombes formant dosel.   *Diu al vent: "¡Visca Alacant!"*
En la mar mansa i lluentosa   *"¡Visca Alacant!"*
qu'abaniquen les palmeres   *"¡Visca Alacant!"»*.

El solsticio de verano y la festividad de San Juan Bautista

En el ciclo de la naturaleza se dan dos solsticios (*solstiium*, «sol quieto»), el de invierno y el de verano. Momentos en que el sol esta más alejado o cercano a la Tierra. Este momento más cercano y cálido lo utilizaron ya las antiguas civilizaciones. El fuego se convirtió en símbolo del sol. También se dio en toda Europa, desde los países nórdicos, Finlandia, Islandia, etc. a los mediterráneos, Portugal, España. Es la noche del homenaje y casi adoración del rey sol al que simboliza el fuego. Y la relación de San Juan Bautista con este equinoccio veraniego es curiosa. En el s. VI, un monje matemático, Dionisio el Exiguo, calculó que el nacimiento de Jesús había sido el 25 de diciembre. En 607, el papa Bonifacio IV lo marcó así en su calendario cristiano. Si la era de Roma había comenzado en su nacimiento, *ab urbe condita*, el calendario de la era cristiana debía iniciarse con el nacimiento de Jesús. Según estos cálculos y la visita de María a su prima Isabel, entre el nacimiento de los dos primos, Juan y Jesús, debieron transcurrir seis meses, es decir, el nacimiento de Juan coincidirá con el equinoccio de verano.

Gregorio XII, al establecer en 1582 el Calendario Gregoriano (hoy utilizado en todo el mundo) sustituyendo al de Juliano, añadió consideraciones al equiparar los ciclos de la Naturaleza y del Sol y los ciclos religiosos cristianos. El 25 de diciembre, después del día más corto, comenzaba a nacer o renacer el día luminoso del sol, que equivalía al nacer de Jesús, el gran sol. El nacimiento de Juan como precursor del gran sol quedaba, justo, a seis meses.

LA SANTA VERÓNICA, LA PATRONA DE LA HUERTA

«TU ROSTRO LASTIMADO, FAZ DIVINA, DE NUESTRO REDENTOR SIEMPRE BUSCAMOS».

Alicante ciudad se apropió, aprovechando las diversas segregaciones, del monasterio, de la festividad y de la romería de la Santa Faz, pero la Santa Verónica, así se llamaba entonces, en realidad fue la patrona de toda la Huerta, de Alicante, San Juan, Campello, Muchamiel, etc. La devoción de la Huerta era inmensa. Todos los años, ríos de gente se acercaban en su día al monasterio que así describe el romance de Mariano Mingot.

«Por caminos y veredas,
por senderos no comunes
hombres, mujeres y niños
de toda clase discurren

y adorar la Santa faz
reuniéndoles conducen
de San Juan y de Alicante
las parroquias con sus cruces».

La Huerta de Alicante

La Huerta de Alicante fue una realidad histórica, geográfica, agrícola, económica y hasta religiosa. Comprendía una gran llanura (Alicante, San Juan, Campello, Mutxamel). Y no podría entenderse sin el patronazgo ni la devoción al Santo Vero Ikono. Estaba surcada de caminos y acequias de riego. Los orígenes de su regadío no están claros pues solo aparecen documentados a partir de la Reconquista. El agua venía del río Monegre, que nace en Onil y desembocaba por el río Seco. La construcción del Pantano de Tibi, en 1593, por mandato de Felipe II y con ingenieros italianos, el pantano más grande del mundo en su época, dio vigor a la Huerta. Su hermoso paisaje y ricas producciones, sobre todo el vino Fondillón, fueron descritas y alabadas por Vicena (s. XVI), Bendicho (XVII) y Cavanilles (XVIII). La Huerta era también paisaje arquitectónico con sus casas adosadas a torres-fortaleza, torres ciegas.

La Santa Verónica

El fenómeno de la llamada Santa Verónica o Santo Vero Icono nace de una bonita tradición de un pasaje del Evangelio: A Jesús, Camino del Calvario «le seguía una gran multitud del pueblo y mujeres que se dolían y lamentaban por él. Jesús, volviéndose a ellas le dijo: No lloréis por mi; llorad más bien por vosotras y por vuestros hijos» (Lc.23-27). De este grupo se habría arrancado una mujer valiente y le habría limpiado el rostro ensangrentado quedando la imagen en los tres pliegues del paño. De ahí a deducir que esa mujer se llamase Verónica hay un abismo. Santo Vero Icono o Santa Verónica es el término medieval con que se denominaba a posibles imágenes o retratos que se creían más o menos fidedignos del rosto de Cristo. Y así lo cita Dante en la *Divina Comedia:* «Como aquel que acaso viene de Croacia para ver nuestra Verónica y no se cansa de contemplarla a causa de su antigua fama, antes bien, dice para sí, señor mío Jesucristo, Dios verdadero. ¿Era tal vuestro rostro?».

La llegada de ese paño desde Jerusalén a Alicante tiene tintes rocambolescos que intenta explicar el cronista alicantino Bendicho. El emperador paleólogo Constantino, huyendo del furioso Mahomet y trayendo el sagrado lienzo, habría sido hospedado en Roma por el papa Sixto IV. De Roma lo habría enviado a Venecia para alivio de alguna peste. De Venecia iría a Génova quizá por las mismas razones Y desde allí a Alicante de la mano de un cura de San Juan, mosén Pedro, que había estado en Roma como fámulo de un cardenal, cosa no extraña dadas las intensas relaciones en aquella época entre Roma y la Corona de Aragón. De hecho, dos clérigos del Reino de Valencia llegaron entonces a papas. Pero ¿un cardenal podría desprenderse de tan preciado tesoro y dárselos a un curita? Mosén Pedro lo habría traído a San Juan y encerrado en un arcón. El lienzo se negaba a estar escondido y salía una y otra vez a flote. De ahí vendría la primera procesión con motivo de una gran sequia y el primer milagro, el 17 de marzo de 1489, el llamado «Milagro de la Lágrima». Y es que mientras el religioso portaba el lienzo vieron salir del ojo derecho de la imagen una lágrima, una sola lágrima. Y cuentan otros milagros, como el llamado de «Las Tres Faces». En otra procesión desde San Juan hasta el monasterio de los Ángeles, el franciscano que portaba el lienzo sintió un gran peso mientras aparecía en el cielo la imagen repetida tres veces, como dando a entender que existían tres pliegues del mismo lienzo, uno en Roma, otro en Jaén y el tercero en Alicante.

El monasterio de la Santa Verónica

El primer documento sobre la existencia de una ermita dedicada a la Santa Verónica, de 29 de enero de 1496, se lo debemos a Fernando el Católico: «En la orta de la vostra vila d'Alacant en dies passats fonch edificata una molt devota yglesia sots invocació de la Santa Verónica en la cual iglesia se segueixen molts miracles».

La Santa Verónica de Alicante tomó tal fama que en pleno Océano Pacífico, Juan Sebastián Elcano, en su segunda vuelta al mundo, derrotado por las tempestades y las pestes y próximo a la muerte, dictó en su testamento de que ya que él no podría, alguien cumpliese su deseo de venir al monasterio de la Santa Verónica.

«Item, por cuanto tengo prometido de ir en romería a la Santa Verónica de Alicante. E porque yo no puedo cumplir, que se haga un romero e mando para el dicho romero seis ducados» «y veinte e cuatro ducados para que los dé a la iglesia de la santa verónica…». «…año del Señor de mil quinientos e ventiseis años».

El monasterio sufrió diversas embestidas berberiscas. En el día de su fiesta, en 1540, bien informados los piratas de que la Huerta se quedaba vacía, llegaron hasta el santuario, haciendo varios rehenes. Y 400 musulmanes, en 1643, llegaron hasta el Monasterio subiendo hasta Mutxamel.

Marxismo *versus* Santa Faz

Pero la máxima embestida la dio el Marxismo. Si en febrero del 1936, antes de la guerra, se ensañó con la Basílica y el Misteri de Elche, el 26 de julio de 1936 lo haría con el Monasterio de la Santa Faz. Destrozaron las imágenes de piedra del exterior a martillazos, destruyeron el maravilloso altar renacentista y llevaron a una quincena de personas a la plazuela donde fueron fusiladas, nombres que figuraban hasta hace no mucho tiempo en una lápida de la sacristía y que luego han sido borrados «¡LA RELIGIÓN ERA EL OPIO DE PUEBLO!». Los vecinos Vicente Rocamora y Antonio Ramos lograron sacar el lienzo escondido en un capazo y salvarlo. En la Guerra Civil el monasterio, después del saqueo, fue convertido en fábrica de aviones. El altar actual, neobarroco, de 1942, es del arquitecto Vidal Ramos.

La peregrina hoy día

La romería ha ganado hoy en multitud pero ha perdido las esencias que tuvo de gentes de la Huerta, «las parroquias con sus cruces». Hoy es una romería de la ciudad de Alicante, no propiamente de la Huerta. De 200 a 300 000 personas acuden a ella cada año. El paisaje huertano ha cambiado y el camino transcurre por asfalto, entre grandes concesionarios de automóviles y entre altos edificios. Unos acuden con mucha fe, otros con escasa o nula. Para otros es, simplemente, un día de asueto, de deporte, e incluso hay grupos minoritarios que se reúnen en los alrededores para celebrar botellones. Pero aún permanece en muchos la fe huertana descrita por Eduardo Irles:

«Sobre un pis de rjoletes,
En seu llit el malat
I en el techo, en mig d'un nuvol,
Apareis la Santa Fas.

Una tartana volcá,
El tartaner baix la roa
I el llenç de la Santa Faz
En les mans de la Verónica».

Himno de Alicante a la Santa Faz

«Tu rostro lastimado, Faz Divina,
de nuestro redentor siempre buscamos
y arrepentidos de nuestros pecados,
cual otra Verónica queremos enjugar.
Los alicantinos te adoramos,
te alabamos y te veneramos,
y en nuestro corazón siempre llevamos

tu imagen sagrada.
A la que nos encomendamos.
¡Faz Divina, Misericordia!
¡Faz Divina, danos tu luz!
¡Faz divina, Misericordia!
Danos tu gracia y tu perdón!».

LAS SEGREGACIONES DEL MUNICIPIO DE ALICANTE. NUEVOS PATRONOS

Las segregaciones del inmenso alfoz de Alicante se fueron realizando sucesivamente. Mutxamel logró la independencia municipal en 1628, volvió a unirse en 1653 y a segregarse definitivamente en 1736. San Juan en 1779, San Vicente logra la independencia total en 1848 y el ultimo, el Campello en 1903. Agost, que no pertenecía a la Huerta, pero sí al Campo de Alicante, lo había logrado en 1705.

Ello, naturalmente, planteaba la necesidad de buscar patronos y fiestas patronales para los nuevos municipios. Es verdad que aprovecharon las parroquias y templos que ya tenían con alguna advocación para elevar a estas a categoría de advocación municipal.

AGOST

Agost, una pequeña localidad de Alicante. No pertenece a la Huerta, pero sí al Campo de Alicante, una gran llanura que por el oeste termina en Agost, en las Sierras del Ventós y del Maigmó. Agost se segregó del Municipio de Alicante a finales del XVIII. Su vida fue la agricultura y la cerámica. Debido a sus yacimientos de arcilla, hicieron de la alfarería una de sus grande actividades desde la época mora. Hasta no hace mucho llegó a tener once alfarerías que fabricaban botijos, cántaros, etc. La escasa demanda hoy de los mismos ha reducido su actividad sustituyéndola por el incremento de la agricultura con el cultivo de uva de mesa. Una alemana, Ilse Schütz, fue la que en 1981 creó el Museo Alfarero de Agost donde se muestran, no solo piezas, sino el proceso de transformación desde los hornos morunos.

Parecería pues lógico que las patronas de Agost fuesen las hermanas alfareras sevillanas, Justa y Rufina, cosa que sucede en Orihuela sin ser alfarera. Pero no es así, aunque las santas tienen una bonita ermita erigida por los alfareros en 1821, con su llamativa cúpula de tejas verdes y azules, colores típicos de su alfarería y una cúpula con tambor y prisma octogonal. Las estatuas de las santas de la ermita fueron destruidas durante la guerra.

Tampoco eligieron patrón de su municipio al de su iglesia, San Pedro. Iglesia de 1584 y con la capilla de la Comunión, de 1671, del bello barroco alicantino similar al de Santo Domingo de Orihuela. Un San Pedro que sí ha proporcionado leyendas como la de que, cuando una bruja atormentaba al pueblo de Agost, bajó de cielo para ahuyentarla.

Fiestas patronales. Nta. Sra. de la Paz

La patrona de Agost y, por tanto de sus fiestas patronales, es Nta. Sra. de la Paz, cuya imagen se encuentra en la iglesia parroquial de San Pedro. Un patronazgo de perfiles históricos no claros. Montesinos, en su *Compendio Histórico Oriolano* narra así su origen. En un camerino del retablo mayor de la iglesia (desaparecido en la Guerra Civil) había una imagen de la Virgen sin advocación definida. Una monja clarisa, la madre Sor Feliciana Vicedo de Santa Clara, se dirigió a esta imagen preguntándole su nombre y esta le respondió: «Yo me llamo María de la Paz y quiero que los agostenses me veneren con este nombre». Coincidió este hecho con una gran sequia. El pueblo acudió a ella y una gran lluvia cayó exclusivamente en Agost salvando así las cosechas. Desde entonces la tuvieron por Patrona y ya, en 1792, en el Registro Parroquial Bautismal aparecen niñas con el sobrenombre de María de la Paz.

La serenata del 23 de enero a Nta. Sra. de la Paz

Las fiestas, eminentemente religiosas se celebran del 15 al 24 de en enero, separadas de las de Moros y Cristianos, en honor de San Pedro, que se celebran en junio-julio. Constan de Ofrenda de flores, serenata y la procesión. El 23, víspera del día grande, se celebra una bella y simpática serenata a Nta. Sra. de la Paz en un dialogo entre la *dulçaina* y el *tabal*, con una música medieval mozárabe y el pueblo. Comienza la serenata con los *Romances a la Virgen* a los que siguen las folias originarias del s. XIX.

«Ya que estás en los cielos,
hija del eterno padre,
a quien vos saludaremos
Dios te salve reina y madre.
Todos los hijos de Agost
con entusiasmo infinito
vienen a adorar a vos
y vuestro fruto bendito
El romance se ha acabado
—principiaremos ahora
a cantarle dulces cantos—.
a esta Virgen Protectora».

A continuación participa el que lo desee del pueblo dirigiéndose a ella con peticiones o agradecimientos por favores recibidos y se termina con el Himno a Nta. Sra. de la Paz. Al día siguiente, 24, día grande, se celebra la procesión con la imagen.

Curioso origen de la Advocación Nta. Sra. de la Paz

Para conocer el origen de esta advocación Nta. Sra. de la Paz o Regina Pacis, hay que acercarse a Toledo. En 645, terminado el IX Concilio de Toledo, el arzobispo Ildefonso se dirigió a medianoche a cantar maitenes en la catedral visigótica. Y aquí viene la leyenda. De repente, una luz esplendorosa llena el recinto y la gente huye despavorida. Ildefonso, tranquilo, avanzó y vio a la Virgen sentada en la silla arzobispal ante la que él se arrodilla. Ella le entrega una casulla y le dirige estas palabras: «Tú eres mi capellán y mi notario. Recibe esta casulla la cual mi Hijo te envía desde su Tesorería». Y en Toledo quedó la Advocación, Santa María del Descendimiento y su Aparición. Tradición que luego los musulmanes respetaron como lo hace el Corán con María.

En 1085, el nombre de esta Advocación iba a cambiar. Alfonso VI, el que exilió por dos veces a Rodericus Campidoctor, el Cid Campeador, el que aparece en el *Cantar del Mío Cid*. «¡Dios que buen vasallo si oviera buen señor! conquista Toledo». Y para ganarse a los musulmanes firma un pacto con ellos por el que les deja la antigua catedral visigótica para su culto musulmán. Marcha de Toledo al norte y deja a la reina Constanza al frente. Pero a los mozárabes les irrita el que su antigua catedral visigótica sirviese al culto mahometano. Asaltan la catedral, inducidos por la reina y el arzobispo y atacan a los musulmanes. Estos huyen despavoridos, vuelve Alfonso VI, se presentan a él y le dicen que para lograr la paz con los cristianos prefieren renunciar al privilegio del pacto. Alfonso VI atribuye esta paz a la intercesión de la Virgen del Descendimiento y Aparición que en adelante recibirá el título de Nuestra Señora de la Paz.

La Virgen de la Paz en el arte

La entrega de la Virgen de una casulla a San Ildefonso que daría, siglos más tarde, lugar al nacimiento de la Advocación Nta. Sra. de la Paz, ha deslumbrado a los grandes pintores, sobre todo en Andalucía (Sevilla y Granada) y Toledo: Sánchez Cotán, Murillo, Valdés Leal, Rubens, Velázquez, Diego de Siloe, El Greco, Pantoja de la Cruz. Y llegó hasta la iglesia de Santiago y hasta Venecia con Carlo Saraceni.

Pero ya refiriéndonos concretamente a la Advocación de Nta. Sra. de la Paz, son numerosas las iglesias dedicadas a ella con bellos retablos e imágenes, en todo el mundo y, por supuesto, en España. Quedémonos con tres significativas: la inmensa Basilique Notre Dame de la Paix, en Yamusukro, en Costa de Marfil, imitación de la Basílica de San Pedro en Roma, con elementos africanos; la Catedral Basílica de Nta. Sra. de la Paz en Bolivia y el gigantesco *Monumento a la Paz*, de hormigón y acero, de Manuel de la Fuente, representado a la Virgen de la Paz, en Trujillo, Venezuela. Mide 46,72 m de alto, más que la Estatua de la Libertad y, por su altitud, se contempla desde una gran extensión.

AIGÜES

En el *Llibre dels Fets* de Jaume I aparece por primera vez el nombre de Aigües como límite oriental de la línea del Tratado de Almizra que comenzaba en Biar, para repartirse estas tierras entre Jaume I y su futuro yerno, el príncipe Alfonso. *«La mola que se troba prop d'Aigues»*. Como había otras localidades con el nombre de Aguas, en 1916 se le añadió Busot, la localidad más cercana y resultó Aigües de Busot. Con anterioridad, en 1841, ya se había segregado de Alicante. Pero esta unión de nombres dio lugar a malentendidos y hasta a un pequeño galimatías. Hoy es una localidad con diversos nombres oficiales: Aigües, Aguas, Aigües de Busot, Aguas de Busot.

Oficialmente pertenece al Campo de Alicante, pero no en su llanura, sino en terreno de transición hacia la quebradiza Xixona. Tiene ruinas de un castillo del s. XIV. En la ladera oriental de Cabeçó d'Or, a 340 m de altitud hay un esplendido mirador sobre el Mediterráneo. Debido a sus aguas termales, Aigües se convirtió en un lugar de salud. En 1816 la marquesa de Torrellano mandó construir un majestuoso hotel, obra de Pedro García Farria. Y el conde de Casa Rojas embelleció el entorno con chales y sus residentes podían beneficiarse del balneario sin estar en el hotel. Se pretendió, en la moda de la época, que fuese un balneario al estilo Vichy u otros, con baños termales, pero también con una vida cultural y social de fiestas de la aristocracia, de tal modo que fue visitado por los reyes dee España. El balneario duró hasta 1930 y durante la Guerra Civil se convirtió en Sanatorio Antituberculoso Infantil. En la actualidad está totalmente abandonado.

Fiestas patronales de Aigües

Los aigüeseros no se han conformado con un solo patrón y veneran a tres en las mimas fiestas: San Francisco de Asís, Nta. Sra. del Rosario y el Cristo de los Afligidos, aunque es este el que más devoción concita. La iglesia que los alberga, del s. XIX con un retablo del XVIII, es sencilla, pero bella. A la fiesta religiosa unieron en, 1980, las fiestas de Moros y Cristianos con 160 festeros. Su acto principal y más vistoso es la entrada de comparsas con una estructura similar a la de las escuadras militares del XVI. Fiestas que acaban con la procesión de sus patronos.

El Cristo de los afligidos

Es una advocación que se repite en muchos lugares, sobre todo en Semana Santa, donde existen numerosas cofradías con este nombre y también en muchas cofradías marineras. Aparece, por primea vez, con este nombre, Cristo de los Afligidos, en Rivas, provincia de Madrid, en 1156 en que se le dedica una ermita. La iconografía es más bien de escultores e imagineros que de pintores y tiene por función salir en las procesiones.

Gozos al Cristo de los Afligidos

«Cristo de los afligidos,
aquí no tienes de hinojos,
levantados nuestros ojos

a mirarte compungidos.
Eres nuestro Salvador,
nuestro médico del cielo».

BUSOT

«SAN LORENZO, IO LO SE PERCHÉ TANTO DI STELEA PER L'ARIA TRANQUILA ARDE E CADE, PERCHÉ SI GRAN PIANTO NEL CONCAVO CIELO SPAVILLA».

Giovanni Pascoli

«Busot es lugar antiquísimo, de 80 casas, que con su castillo está fundado en la vertiente del monte *Cabezó d'Or* que decían los moriscos por las muchas minas que hay en él, de oro, plata y hierro». Así escribía el cronista Bendicho en 1640. Busot, «lugar del bosque», en el límite del Campo de Alicante, de cuyo municipio se segregó en 1773. Lugar de atractivo turístico por sus insuperables Cuevas de Canelobre.

Fiestas patronales

Busot celebra dos fiestas patronales, una el 10 agosto en honor de San Lorenzo, y otra en honor de Sant Vicent Ferrer y San José, una semana después de Semana Santa. A esta última se añadieron, en 1963, las Fiestas de Moros y Cristianos aunque, según la tradición, ya se celebraban a finales del XIX. El lunes, como paso previo, se celebra el *Combregat*, procesión con el viatico acompañado por las comparsas para dar la comunión a enfermos y ancianos. De estas fiestas de Moros y Cristianos destaca La vistosa *Entraeta* el Sábado de Gloria. Luego la trilogía, Embajadas, guerrillas, ofrenda de flores.

Pero el verdadero patrón de Busot es un santo muy venerado en la Corona de Aragón y en el Reino de Valencia, San Lorenzo, al que ya dedicó la iglesia parroquial en 1557, incendiada en parte en 1816, mezcla de estilos, con una capilla de la comunión neoclásica. Comienzan las fiestas en su honor ya a finales de julio con *La Nit dels ciris,* en que se ilumina de noche la localidad con cirios encendidos. También se baila la tradicional Dançà de Busot. Las fiestas acaban con la procesión del santo.

EL CAMPELLO

«LA BENEDICTA VIRGEN, ESTRELLA CLAMADA, ESTRELLA DE LOS MARES, GUÏONA DESEADA», Gonzalo de Berceo.

El Campello o El Campillo, si hoy es turismo puro, antes perteneció a la Huerta de Alicante y no se segregó hasta 1901. Aún conserva algunas torres de Huerta, Torre Bonanza, Torre d'Aigues. Pero sus 23 km de costa le hacen también Mar. Para Rafael Altamira en sus *Cuentos de Levante* «sus habitantes tienden mas al mar que al campo». «En esta mezcla de profesión, los de Lamprea (el Campello) tienden más al mar que al campo y apenas hay casa que no aporte su contingente de tripulantes a las barcas».

Los marineros de El Campello y su festividad de la Virgen del Carmen

No es pues de extrañar que marineros y pescadores hayan impuesto como fiesta Patronal de El Campello a la Virgen del Carmen o del Karmel que ya se celebraba en el Barrio de Carrer del Mar. En 1950 la Cofradía de Pescadores erige, de su pecunio, una ermita-iglesia a Nta. Sra. del Carmen, del arquitecto Ramos. El altar es un gran mosaico presidido por la Virgen como *Stella Maris*, la Estrella del Mar.

Se celebra la fiesta el 16 de julio. La Virgen es trasladada a hombros de los marineros desde la ermita a la lonja y el muelle, seguida de una gran multitud portando faroles encendidos, en un espectáculo nocturno impresionante. Y en el día grande, el 16 de julio, como capitana de un barco, recorre, en una procesión marinera, la bahía y el Mar de El Campello.

¿Por qué ha alcanzado tanta popularidad la festividad y devoción a la Virgen del Carmen, Estrella de los Mares, en España, en Italia, en La Valeta de Malta de donde es patrona, o en América? ¿Acaso nos sentimos perdidos en este mar proceloso de la vida y necesitamos una luz que ilumine nuestro porvenir y nuestro horizonte vital?

La devoción a la Virgen del Carmen

La devoción a la Virgen del Carmen o del Karmel nace de una forma curiosa. Unos peregrinos occidentales acuden a Tierra Santa en el s. XII, se establecen como monjes eremitas junto a la Fuente de Elías, en el Monte Karmel. Según cuenta el primer *Libro de los Reyes*, (18-4), se produjo una gran sequia y hambruna en Israel y el profeta Elías acudió a Jhavé. Una nube, anunciando lluvia, cubre el cielo y pronto descarga agua. Para aquellos eremitas del s. XII, la nube es la Virgen María, nube que anuncia la lluvia del Salvador sobre el mundo. Y ya en el 1251, según la tradición, se aparece al prior de los eremitas, San Simón Stock y le entrega el modelo de hábito y el escapulario de la Orden del Carmelo. Un himno, en gregoriano, cantado en el s. IX, sirve de relación de María del Monte Karmel y la Estrella de los Mares y que nada menos que Gonzalo de Berceo y Lope de Vega se dignaron glosar:

«*Ave Maris Stella*	Salve, del Mar Estrella,
Dei Mater Alma	salve, madre sagrada
Atque semper virgo	de Dios y siempre Virgen,
Félix coeili porta.	puerta del cielo, Santa».

Lope de Vega

«*La benedicta Virgen, estrella clamada,*
Estrella de los mares, güiona deseada,
Es de los marineros en las cuitas guardada
Ca quando éssa veden es la nave guardada».

Gonzalo de Berceo

Himno latino que sirvió también de pauta para bellas composiciones musicales: Palestrina, Basch, Tomás Luis de Vitoria, Liszt. Pero más curioso es el origen de la famosa *Salve Marinera* cantada por los pescadores o por los soldados de La Armada en la Ría de Vigo, Cádiz, Cartagena. Es un fragmento de una, diríamos, humilde Zarzuela, *El molinero de Subiza,* (1870) de Cristóbal de Oudrid y libreto de Luis Eguilaz:

«Salve Estrella de los Mares
de los mares iris, iris de eterna ventura.
Salve, oh, Fénix de hermosura
Madre del Divino Amor».

MUTXAMEL

«UNA LLÀGRIMA EN LO ULL DE NOSTRA SEÑORA».

Mutxamel se segregó definitivamente de Alicante en 1736. En Mutxamel, como escribió Albert Berenguer, la Virgen «Ni se apareció al niño, ni al pastor, ni se manifestó en el ciprés o en la encina, ni los ángeles o misteriosos peregrinos la bajaron del cielo. Tampoco está tallada en mármol o madera preciosa pues solo es una humilde pintura, que un mediocre y devoto artista plasmó sobre una tabla de escasas dimensiones». Caló en la gente y esta humilde tabla levantó la devoción del pueblo.

En 1511 se erige la nueva iglesia dedicada al Salvador. La iglesia carecía de imagen de la Virgen. Un humilde pintor de Biar portaba, para su venta, tres tablas de la Virgen de Loreto, devoción, posiblemente traída por algún soldado de Italia, que adquirió gran relevancia en estas tierras. Era una tabla que se asemejaba a un icono griego. Una de las tres la vendió a la Parroquia de Mutxamel por veintiocho «*sols*», (sueldos); otra lo fue al Santuario de la Santa Verónica y a la que las monjas denominaban *La Maristella*, porque al pie figuraba «*Ave Maris Stella*», tabla destruida en 1936. De la tercera se desconoce dónde fue a parar.

Una terrible sequía y el 1 de marzo de 1545 acuden todos en procesión desde Mutxamel hasta el Santuario de la Santa Verónica con la tabla de su Virgen. A la vuelta, en una ermita existente en el hoy psiquiátrico, el cura que la lleva, mosén Lorenzo Reix, experimenta un enorme peso en sus brazos. Y de nuevo una lágrima, una sola lágrima, sale de un ojo de la Virgen. «*Una LLÁGRIMA de lo ull de nostra senyora*», El *Miracle de la Llágrima* haría volcarse a los mutxameleros en esta devoción a la Virgen.

Pero como solía suceder entre vecinos, la pelea surgió con los de San Juan, pues estos creían que a quien quería favorecer la Virgen era a ellos, ya que la ermita pertenecía a su territorio. La pelea pasó de sus gentes a sus clérigos. Los de San Juan llegaron a negar a los clérigos de Mutxamel las hostias que necesitaban para la Consagración. La Documentación escrita sobre el Milagro de la Lágrima nos la proporcionó el Cronista Bendicho. Fue párroco de Mutxamel en 1618 y allí encontró la narración en el *Llibre de la Cofradía de la Virgen de Loreto*, que él transcribió en su *Crónica General de la Ciudad de Alicante*.

La iglesia del Salvador donde estaba la imagen fue asaltada en 1936, pero se pudieron salvar elementos artísticos y la tabla del Mare de Déu de Loreto.

La Mare de Déu de Loreto y la fiesta de Moros y Cristianos

Y aunque el *Miracle* acaeció el 1 de marzo, se trasladó la fiesta religiosa y la de Moros y Cristianos a primeros de septiembre. Comienzan con la ofrenda de flores, misa y procesión en una gran carroza y la *Besà* de los niños a la imagen. La escena del beso de los niños ensimismados ante la imagen, nos recuerda la descripción de embelesamiento hecha por Dante en el Cap. XXXII de la *Divina Comedia*. «¿Qué ángel es este que con tanto gozo mira los ojos de nuestra Reina y tan enamorado está que parece de fuego?».

Y ante su imagen, los mutxameleros siguen cantando a su Mare de Déu de Loreto.

> «Pues que sois Virgen Sagrada
> de Mutxamel protectora,
> sed nuestro amparo, Señora,
> como Madre y abogada».

Fiestas de Moros y Cristianos en honor a la Virgen de Loreto

Mutxamel fue una las primeras en incorporar ya, a mediados del XIX, la fiesta de Moros y Cristianos a la fiesta religiosa. Los primeros actos se reducían a que dos Comparas, una de moros, los *Marroquets o Groes* y otra de cristianos, los *romanos*, acompañaban a la procesión. Pero hasta 1875 no aparecen las guerrillas, que se cebaban en el Mona Calvario. Luego se fueron añadiendo comparsas, entradas de bandas, desfiles, la toma del castillo por los moros, la recuperación por los cristianos ayudados por la Virgen de Loreto. Para los textos de las primeras Embajadas fueron ayudados, por los festeros de Onil y Alcoi. Hoy Mutxamel celebra con brío sus fiestas de Moros y Cristianos asociadas a la festividad de su patrona y cuenta con 5 000 participantes. El esquema de la fiesta es similar a otros sitios: Entrada de bandas, embajadas, toma y recuperación del castillo. Todo acompañado de música y pólvora.

La Virgen de Loreto (o de Lorito)

Una tradición muy atrevida, de 1291, señala, que ante el avance de los mamelucos sobre Palestina, los ángeles trasladaron su Casa de Nazaret, donde había vivido, a Terseto, en Dalmacia. No se sabe por qué, a los 3 años, 1294, es trasladada de nuevo por ángeles a un bosque, al norte de Italia, lleno de laureles, de donde le viene el nombre del latín, Lauretum , arboleda de laureles. Pero en el bosque solitario corría el peligro de los bandoleros, por lo que vino un tercer traslado, esta veza a Recanati. En el s. XIII se le construyó un Santuario, el actual es de 1468, y en su interior dicen está la casa de la Virgen. Las peregrinaciones empezaron a ser masivas y cada una ponía en las paredes el nombre de la Advocación de la Virgen de su lugar. De ahí vino la Letanía Lauretana que se reza al final del Rosario. Y, como curiosidad, la descripción del viaje que hizo la joven Teresa de Lissieux, luego Santa Tercita del Niño Jesús, a Italia.

«No me extraña que la Santísima Virgen haya elegido este lugar para traer su bendita casa. Allí la paz, la alegría y la pobreza reinan como soberanos. Todo es sencillo y primitivo, las mujeres han conservado su vistoso traje italiano y no han adoptado como en otras ciudades la moda de París. En una palabra: ¡Loreto me encantó!».

En el arte, el cuadro a la Virgen de Loreto más llamativo es el de Caravaggio, en la iglesia de San Agustín de Roma. Y aunque no sea su mejor cuadro, representa a una Virgen con el Niño que recibe a dos peregrinos. Todo desacralizado. La Virgen puede ser una aldeana cualquiera, el peregrino, un rudo campesino descalzo, la peregrina, una vieja con arrugas, y la casa, nada que ver con las suntuosas mansiones donde los pintores flamencos situaban a la Virgen en un trono. Si a esto añadimos su técnica del claroscuro en donde juega con la luz y la semiclaridad, estamos ante un cuadro que en su día fue «no políticamente correcto». Traída su devoción por los soldados españoles que estuvieron en Italia, abundan sus imágenes en Andalucía. También en Alicante, en Santa Pola, Mutxamel, Orito (Monforte). Y en 1920, nada más nacer la Aviación, se nombró patrona de esta, pero no solo en España, sino también en Argentina, Chile, Colombia, Paraguay, Venezuela, Perú.

SAN JUAN. LOS MISTERIOSOS ESCULTORES DE IMÁGENES

«POR SUERTE RÍGIDA, VOLVIENDO AL CÁNTARO, NOMBRE PA-CÍFICO SALÍ A TU ORÁCULO».

San Juan pertenecía a la Huerta de Alicante. Estaba marcada por un hermoso paisaje, árboles y torres de huerta y aunque muchas han sido destruidas, aún conserva algunas como las Torres Ansaldo, Cárdena, Salafranca, Bosch, Bonanza, Juana. Poco después de la conquista del término de Alicante, en 1246, por el príncipe Alfonso, en este lugar, hoy San Juan, sobre una mezquita se construyó una primitiva iglesia dedicada a San Juan Bautista, devoción muy querida de los conquistadores. Y así, no solo la iglesia, sino que también cambió el nombre árabe de la alquería, Benili, por el de San Juan. Junto con Benimagrell se segregaron de Aliente en 1779, recibiendo el título de Villa Real en 1885 dada por Alfonso XII.

Patronazgo del Santísimo Cristo de la Paz

Aunque la iglesia y el pueblo estaban dedicados a San Juan, por una serie de circunstancias el patronazgo recayó en el Santísimo Corsito de la Paz. En 1600, el Sínodo de Orihuela concedió a San Juan la celebración de la fiesta de la Preciosísima Sangre. Esta se celebraba el 1 de julio. Y aquí viene la curiosa leyenda: dos escultores misteriosos se presentaron en 1624 en San Juan para tallar una imagen de Cristo y, una vez terminada la obra, desaparecieron. Había que darle un nombre a la talla y por insaculación salió Cristo de la Paz. La imagen que se veneraba antes de la Guerra Civil tenía rasgos de talla del s. XVII, aunque se le añadió una capa y el escultor Bañuls le confeccionó una corona ya en el s. XX.

La iglesia de San Juan Bautista, asaltada en 1936, fue pasto de las llamas, incluida la imagen del Cristo. Y no contentos, cambiaron el nombre clerical de San Juan, primero por el de Villa Ascano (un anarquista) y luego por el de Villa Rusia de Alicante. Era la época de la Rusia estalinista. La hoz y el martillo habían vencido a la cruz; Marx había expulsado a Jesús. Al acabar la guerra, la nueva imagen es de Ponsoda Bravo.

Fiestas del Santísimo Cristo de la Paz

Se celebran el 14 de septiembre, Fiesta de la Exaltación de la Santa Cruz. Ha perdido bellos elementos tradicionales como el *Bal de Torent*, típico de la Huerta, pero sigue atrayendo la devoción y entusiasmo de la gente. No hay Moros y Cristianos, pero si, desde 1922, las Peñas de la Fiesta son las encargadas de organizarlas: coronación de la reina, Entrada de Peñas, Alborada a las 12 de la noche en la iglesia, desfiles, ofrenda de flores y el 14, día grande, misa y, a las 8 de la tarde, procesión del Santísimo Cristo en una bella carroza seguido por una multitud. Un día fue encontrado en Guadalest, Casa Orduña, el *Novenario de Guadalest o Los Gozos al Santísimo Cristo de la Paz de San Juan*, de 1757, en forma de coplillas y en un lenguaje arcaico que narra como fue elegido el nombre de Cristo de la Paz por insaculación:

«Por suerte rígida
volviendo al cántaro,
nombre pacífico
salió a tu oráculo
como profeta
salió este tránsito,

pues sois Paz sólida
en mundos varios.
Templo magnífico
darte intentáramos,
si hubiese dádivas
conforme hay ánimos».

SAN VICENTE DEL RASPEIG

«PUES CON SU DIVINA MANO OS TOCÓ EL ROSTRO EL SEÑOR, SEDNOS PADRE Y PROTECTOR SANTO APÓSTOL VALENCIANO».

De San Poncio a San Vicente y de San Vicente a Floreal del Raspeig

Raspeig, a 6 km de Alicante, era un cruce de caminos, un lugar de paso entre Alicante, ciudad, el Bajo Vinalopó, la Foia de Castalla y las sierras del interior. Posiblemente hubiera alguna posada de caminos. Luego aparece una pequeña ermita dedicada a San Ponce, un santo de la Provenza martirizado en el s. III y, en torno a ella, se va estableciendo un pequeño poblado agrícola. ¿Por qué habían elegido a este santo provenzal? Y hete aquí, que hacia 411, el itinerante Sant Vicent Ferrer, siempre montado en su borriquillo, llegaría a la ermita a predicar «sobre el Cielo y sobre el Juicio Final». Muerto y canonizado San Vicente, pronto los campesinos prefirieron, en 1560, que la ermita estuviese dedicada al santo valenciano, le nombraron patrono y cambiaron el nombre de la localidad, de Raspeig a San Vicente del Raspeig. San Ponce había perdido su arraigo. En 1733 su iglesia se constituye ya como parroquia independiente de San Nicolás de Alicante, a la que pertenecía. En 1803 se inicia la construcción de la iglesia en estilo neoclásico y se le dota de una imagen de San Vicente de 1,8 m de alta.

El ya San Vicente del Raspeig crecía y crecía. Y como les favorecía la doctrina de la Constitución de 1812, comenzaron un largo proceso de pleitos por la segregación que no culminaría hasta 1848. El 18 de julio del 36, justo el mismo día en que comienza la Guerra Civil, la iglesia es asaltada por grupos marxistas, incendiados los altares y el magnífico órgano y la estatua del patrón, del s. XVIII, destrozada. No les pareció suficiente y cambiaron otra vez el nombre del pueblo, del clerical San Vicente, a uno del calendario de la Revolución francesa, Floreal de Raspeig, bonito nombre que huele a primavera y a flores. Al final de la guerra se reconstruyó la iglesia y se colocó una enorme imagen de San Vicente, de 3,10 m que a duras penas puede salir por la puerta el día de la procesión y a la que, por su tamaño, algunos vicenteros llaman cariñosamente San Vicentón.

Las fiestas en honor de san Vicent Ferrer

Se celebran la semana siguiente a la Pascua. Por una parte, están las fiestas religiosas propiamente dichas en torno al santo patrón. Al que hay que bajarle de su camarín con una grúa dado la estatua colosal. Por eso los sanvicenteros le denominan cariñosamente San Vicentón. Y en días sucesivos ofrenda de flores, misa, procesión, representación de *Les Dances de Sant Vicent* y representación *dels miracles de Sant Vicent,* costumbre tomada de las representaciones en la capital, Valencia. Aparte de la tradicional fiesta religiosa, de sus sanvicenteras reinas y damas vestidas con trajes de camperas, ya en 1975 se añadieron a la misma las fiestas de Moros y Cristianos, con 3 000 festeros, para darle mayor vistosidad. Resalta la Embajada nocturna.

La localidad de San Vicente tiene una tradición muy musical y con grandes maestros acreditados. Por eso en sus fiestas desfilan 50 bandas de música. Y han compuesto un himno que aúna al pueblo y a su patrón, Sant Vicent, copiando, eso sí, una frase de la poesía que dedicó a Alicante el Marqués de Molins. «*Es Sant Vicent el meu poble la millor terra del món*».

Gozos de San Vicente del Raspeig en honor a su patrón

«Ángel, profeta y doctor,
anunciador del juicio.
Sed de esta tierra propicio
de que sois nuestro patrón.
Todo el mundo a ti te aclame

y te pida con fervor.
Pues con su divina mano
os tocó el rostro el Señor.
Sednos padre y protector,
santo apóstol valenciano».

San Vicente Ferrer (1350-1419). Patrono de la Comunidad Valenciana y del Antiguo Reino de Valencia

Un santo complejo y a la vez titánico, en una Europa y cristiandad convulsas. Fraile dominico, predicador itinerante e incansable. Durante 22 años caminó a lomos de un borriquillo o a pie, por todos los caminos de Reino de Valencia, de España, y de Europa: Alemania, Bélgica, Holanda, Inglaterra, pero sobre todo, de Francia e Italia. Sus sermones, más en valenciano que en castellano, todos entendían, por lo que se creyó que tenía el «don de lenguas» y giraban en torno al cielo y al Juicio Final. Por eso se le representa con el dedo alzado hacia el cielo, «*San Vicent el del didet*» y con dos alas a la espalda, como un terrible ángel del Apocalipsis. Y le seguía siempre una multitud, entre otros de flagelantes. Como político, fue uno de los 9 miembros del Compromiso de Caspe para resolver la sucesión en el Reino de Aragón y fue encargado por Pedro IV el Ceremonioso para intentar apaciguar el Cisma de Occidente cuando había tres papas en la cristiandad.

San Vicente Ferrer, milagrero

Debido a su fuerte personalidad, a su indudable carisma y a su fe, la gente debía caer embobada ante sus acciones y predicaciones y le atribuyó milagros hasta la saciedad, algunos de los cuales están reflejados en cerámica en las calles valencianas. Cuando otros niños se dedicaban a jugar, él, ya a los 9 años practicaba el oficio milagrero. Tal es el caso del «*Miracle del Salsser*».

«*Quan en 1359, el salsser Miquel Garrigues habitaba esta casa, el seu fill Toni, de cinc anys, estava malat d'unes apostemes al coll, Sant Vicent Ferrer, chiquet de nous anys, li tocá les nefres i llepant-li-les el cura totalment*».

Y así, ya de mayor, un sinfín de milagros: En la *Plaça del Miracle Mocadoret*, otra cerámica. Estando predicando en la Plaza del Mercat soltó un pañuelo y dijo a los feligreses que si seguían su vuelo, el pañuelo les llevaría hasta un lugar donde sus habitantes necesitaban ayuda urgente. Y, en efecto, se paró en una humilde casa donde la familia estaba muriendo de hambre. Milagros en Barcelona, milagros en Lérida, milagros en Andalucía, milagros en Mallorca, donde calmó una tormenta hasta que pudo terminar su sermón en el muelle. Y milagros después de muerto. En 1575, el *Miracle del rogle de campanetes*, pero uno de los que más pueden mover a devoción, asombro o a incredulidad es el del albañil que cae de un andamio. El obispo le había prohibido hacer milagros. Pero he aquí que vio a un albañil caer de un andamio. Fiel a su voto de obediencia, lo sostuvo: «De momento, párate en el aire». Y así estuvo suspendido hasta que llegó el permiso del obispo.

Estos milagros dieron lugar, desde el siglo XV, a representaciones teatrales en las calles de Valencia, *Miracles de San Vicent*, en escenarios llamados *Altars de Sant Vicent*. Murió durante sus predicaciones por Francia, en Vannes, donde está su sepulcro. Y dejó un sentido testamento para sus paisanos:

«¡Pobre patria mía! No puedo tener el placer de que mis huesos descansen en su regazo; pero decid a aquellos ciudadanos que muero dedicándoles un recuerdo, prometiéndoles una constante asistencia y que mis continuas oraciones allá en el cielo serán para ellos a los que nunca olvidaré».

A San Vicente Ferrer
«He de escribir un poema a San Vicente.
¿He de decir que tu fuiste un gran valenciano
y he decir todo eso y aquello de *nostra parla*?
¿Y he de nombrar tu lucidez, allá, en Caspe,
y tu verbo, y tu voluntad unitaria
en los mapas y en la iglesia y el gozo de tus milagros,
y tu nombre como la piedra que cae de pronto, en el agua?».

Vicente Estellés

Iconografía de San Vicente Ferrer
La iconografía de San Vicente Ferrer es casi infinita, cuadros y estatuas por los cinco continentes. Nos fijaremos solo en tres puntos: En su ciudad natal, Valencia, en el Museo de Bellas Artes, pinturas de Yáñez de la Almedina, Joan Porta, Juan Seriñena, Alonso Cano, Gaspar de la Huerta y, sobre todo, los magníficos Retablos de Miguel del Prado y Miguel Esteve y del Maestro de Grifó. Y la capilla de San Vicente Ferrer, de 1600, La imagen procesional de Francisco Eva, 1606, y los oleos de Juan de Rexach, Vicente Massip, Juan de Juanes y Jerónimo Espinosa. Y ya, más recientes, de 1800, los cuadros de Vicent Inglés, *La Aparición de la Virgen a San Vicente*, la *Conversión de unos judíos* o *La Resurrección de una difunta*. En Italia hay

32 iglesias dedicadas a él. En su iconografía resaltan la de Giovanni Bellini en Venecia, la Tabla de San Giovannino de Alexandria y la Estatua de Milazzo. Y en Francia, en Vannes, donde murió y fue enterrado, le está dedicada la Catedral, con su estatua, las vidrieras y cuadros de Nicolás Gosse y de Jean Baptiste Mauzansse.

SUBCOMARCA DEL CANAL O FOIA DE XIXONA

XIXONA. JIJONA

«EN EL QUINTO CIELO, EN MARTE, EN EL SE ENCUENTRAN LAS ALMAS DE LOS QUE HAN COMBATIDO POR LA FE. *¡OH, SANGUIS MEUS! ¡OH, SUPERINFUSA GRATIA DEI!*». Dante. *Divina Comedia*.

Xixona o Jijona, a 25 km de Alicante, forma una subcomarca diferenciada del Campo de Alicante. Recostada junto a la Peña Roja con el Pico del Cuartel de 1248 m. y el Puerto de la Carrasqueta a 1000 m. de altitud. Terrenos quebradizos, ásperos una veces, dotados de intensa vegetación y pinares otras. Los numerosos almendros pudieron ser el origen de que los moros usasen este producto, mezclado con miel, para elaborar el turrón, primera actividad de sus habitantes. Según la tradición, el cocinero de Felipe II, Francisco Martínez, ya lo servía como postre y lo habría reflejado en su Libro *Conduccios de Navidad*. Lo cierto es que hay un libro con un nombre similar de un autor posterior, Francisco Martínez Motiño. La otra actividad de los jijonenses fue la elaboración y reparto del helado veraniego por las comarcas de Alcoi y de Alicante, actividad que, además del frío de enero, obligaría al cambio de fechas de sus fiestas.

San Bartomeu y de San Sebastián
Xixona tiene dos patrones, San Bartomeu y San Sebastián, que salen hermanados en las procesiones aunque no se conocieran en vida. Dos santos que derramaron su sangre por su fe y a los que sin duda Dante colocaría en su mente en Marte, en el quinto cielo. San Bartomeu o Bartolomé llegó de incógnito a Xixona. Su imagen estaba escodada en las paredes de una vivienda particular del Rabal, la Torre Blay, desde el s. XII. De repente, comenzó a dar golpes en los muros como indicando que estaba allí, que le habían olvidado. Este hecho se conoció como *El Miracle de Sant Bartomeu*. La vivienda se convirtió en ermita y en centro de devoción popular.

Otro santo que se hace presente en Xixona de forma insospechada y también en una casa particular, San Sebastián. Según la tradición «El 24 de julio de 1600 los esposos Juan Berenguer y Úrsula Morant, ante la imagen de San Sebastián hallada milagrosamente muchos años antes, oraban con insistencia en su casa del raval para alcanzar de Dios que librase a Jijona de la peste que asolaba la comarca. El matrimonio vio los ojos de la imagen bañados en lágrimas. La imagen lloró durante 24 horas. Jijona entera admiró el hecho proclamando por sus calles ¡Milagro! ¡Milagro!». La imagen fue trasladada en solemne procesión a la actual iglesia arciprestal siendo declarado San Sebastián copatrono de Jijona.

«Lloró vuestra imagen santa
día de Santa Cristina
cuando la peste vecina
nos aflige y amedranta.

Pero no llegó a Jijona
donde Vos llorado habéis.
Sebastián, no os olvidéis
de quien por Santo os pregona».

Fiestas Patronales de Xixona

Hasta 1904 se celebraban en enero por coincidir el día 20 con la festividad de San Sebastián. Y curiosamente iban ya acompañadas de Moros y Cristianos, al menos desde 1791, siendo pues la unión con la religión, de las más antiguas. La razón de trasladarlas a agosto parce ser que fue el frío de enero.

Hoy se celebran unas fiestas muy vistosas y originales, en una trilogía festera:

1.º Después de la presentación de bandas, los festeros pronuncian unas palabras mágicas. *«Per Xixona, per Sant Bartomeu i San Sebastiá que arranque la Entra!».*

2.º Los Moros conquistan el castillo al grito de «¡Alamar, trepemos al castillo!».

3.º Juicio sumarísimo al moro traidor, que se celebra desde 1916. Un moro se había enamorado de una cristiana y traicionado su fe mahometana se convirtió al cristianismo y, además, había delatado a los cristianos descubriendo un secreto pasadizo. El juicio comienza en las puertas el Ayuntamiento, traslado del moro al castillo para juzgarlo y ajusticiarlo. El entierro del moro es emotivo y solemne, a hombros de sus correligionarios, con marchas moras sensuales y cadenciosas. Las Fiestas terminan con la procesión de los dos santos, Bartomeu y Sebastià.

Pero como los heladeros recorrían durante el verano las comarcas vendiendo helados y no podían gozar de sus fiestas, desde 1978 se inventaron unas segundas fiestas paralelas en octubre. Así, Xixona celebra por duplicado sus fiestas patronales y de Moros y Cristianos.

San Bartomeu, el santo desollado vivo. La iconografía

Bartolomé, Bar-Tölmay, hijo de Tolmay o de Ptolomeo, es uno de los doce apóstoles elegidos por Jesús. El martirio nos ha llegado a través de la *Legenda Aurea* de Jacobo de la Vorágine, 1290. Le describe con cabellos ensortijados y negros, faz blanca, ojos grandes… «Vivió pendiente de los amores celestes». Celoso por sus grandes conversiones, Atrages, rey de Armenia, le condenó a ser desollado vivo.

Patrono de multitud de pueblos. Su iconografía ha sido hermosa y tétrica a la vez, con un cuchillo en una mano y un trozo de piel en la otra: Rubens, El Greco. El valenciano José de Ribera, Lo Spagnoletto, parece obsesionado por el tema que repite varias veces. *El Martirio de San Batomeo*, una pintura de inusitada violencia, marcando el rigor del dolor, con claroscuros tenebrosos que recuerda a Caravaggio. Y curiosidad, en la Capilla Sixtina se descubrió, tardíamente, que los rasgos de la faz de San Bartolomé coincidían con los del pintor, Miguel Ángel.

San Sebastián, el bello militar romano asaetado desnudo

Militar romano de Narbona, Galia, jefe de Cohorte de la Guardia Pretoriana de Diocleciano. Sabedor de que profesaba la religión cristiana, el cónsul Maximiliano le obligó a elegir, o la milicia o el martirio. Le llevaron al estadio, le desnudaron, le ataron a un poste y lanzaron sobre él una nube de flechas. Era 288.

Infinitamente reproducido. Ya en el primer milenio aparece siempre imberbe. En el gótico, austero, aparece vestido de militar con armadura de malla. El Renacimiento, por su culto al cuerpo humano, cambiaría el *Low* de San

Sebastián. Un torso desnudo era como un modelo que posa en una Academia de pintura. Se le llegó a denominar el Apolo cristiano. Y el barroco atrajo a casi todos lo pintores y escultores. Botticelli 1474. Rafael 1501, Berruguete (Museo de Valladolid) El Greco, Museo Catedral de Palencia.

No es de extrañar que parte del movimiento gay se fijase en la belleza de su dorso y lo convirtiera en patrón homoerótico de los varones gay, en el arte, en la literatura, en el cine. El dramaturgo Tennessee Williams, Oscar Wild que lo utiliza como alias. Y las pinturas de Tony de Carlo o los esmaltes de Rick Herold. Y el cine le dedicó una película considerada un ejemplo de homoerotismo, de Derek Jarmen, quien, para acercar más a la temporalidad histórica, realizó los diálogos en latín.

LA TORRE DE LES MAÇANES

Pequeño pueblo de agricultura de secano (almendras, olivos) situado en un valle quebradizo por donde pasa un río de torrentera que desemboca en el río Monegre. Perteneció a Xixona segregándose en 1794 obteniendo la categoría de villa. El haber llamado durante mucho tiempo a este pueblo Torremanzanas ha dado lugar a equívocos etimológicos. La Torre de les Maçanes se refiere a una torre almohade del s. XII-XIII. En torno a ella se construyeron posadas o Maçanes, por ser un lugar de paso.

San Gregorio Ostiense

¿Por qué eligieron a este patrono y no a otro los torruanos? Cuenta la tradición que en 1658 una peste de langostas azotó el campo de la comarca. Sabían que San Gregorio Ostiense, abad y luego cardenal en Roma, había sido nombrado abogado contra la plagas de la langosta. El santo estaba enterrado en Piñalba, cerca de Estella. Y acudieron al rey para que les enviase agua pasada por los restos del santo para rociarlo sobre los campos. Torremanzanas quedo libre de la plaga y le nombraron su santo patrón.

Fiesta de las clavariesas

Pese a ser tan pequeño, conserva una de las fiestas religiosas más típicas y vistosas de la provincia, en honor de San Gregorio. Se hace una marcha o procesión hasta la iglesia de Santa Ana, del Siglo XVIII, para agradecer al Santo su protección, ofreciéndole *pá beneït*, unas hogazas de 6-8 kg que las claverisas portan en el *llibrell* sobre la cabeza. Van ataviadas con trajes típicos, enaguas blancas, pañuelo negro bordado de flores. Cada una va acompañada de un *llumener*, vestido con traje de campo. Las clavariesas, etimológicamente, serían las llaveras, las encargadas de guardar las llaves, *les claus*. El clavario en su origen era un caballero distinguido en las órdenes militares que guardaba las llaves. De ahí pasó a otros ámbitos religiosos; clavera de un camerino de un santo, mujeres que organizan fiestas religiosas.

Gregorio Ostiense. Historia e iconografía

Abad del monasterio benedictino de San Cosme y san Damián en Ostia, Roma. Fue nombrado cardenal por el papa Juan XVIII, hacia 1044. Se produjo una plaga de langostas en La Rioja y Navarra y acudieron al papa para que les ayudase. Se hicieron rogativas en Roma. Un ángel se le apareció al papa y le indicó que enviase al cardenal Gregorio a la Rioja y Navarra. Llegado el cardenal pasó 5 años predicando y murió en Logroño en 9 de mayo de 1048. El había dejado en el testamento que para elegir el lugar del enterramiento se colocase su cuerpo sobre una borrica y donde se parase allí debía ser enterrado. Y lo hizo en la iglesia de San Salvador de Piñalba, cerca de Estella.

Aunque tiene estatuas en las fachadas de iglesias de Navarra y La Rioja y ermitas por el campo español, varias en Cáceres, no logró que los grandes pintores se fijasen en él. Hay que reseñar la Basílica dedicada al mismo en Sorlada, Navarra, Barroco-Rococó, en que resalta la portada y la gran cúpula. Y tanto pedían los agricultores que pasasen agua por la cabeza del Santo para rociar sus campos que quedó el proverbio: «Andar más que la cabeza de San Gregorio».

COMARCA DE LA VEGA BAJA

El nombre de Vega Baja del Segura corresponde a una unidad geográfica y a otra histórico-administrativa. Geográficamente es una gran llanura por donde trascurre el último tramo del río Segura, pero a la vez atravesada o rodeada de pequeñas sierras: Sierras de Escalona, de Orihuela, de Callosa, de Husillo, y de lagunas como las de La Mata y Torrevieja.

Desde el punto de vista administrativo, con la conquista de Orihuela por parte del príncipe Alfonso en 1243, estas tierras se convirtieron en el inmenso Alfoz de Orihuela, con una extensión de 1500 km^2.

A partir del S. XVI comenzaron las segregaciones, las primeras fueron las de Callosa de Segura, Granja de Rocamora y Redován. Las últimas, ya en el s. XX, San Isidro y Los Montesinos, segregado, a su vez, de Almoradí. Hoy la Vega Baja tiene 27 municipios y la matriz, Orihuela, conserva aún 384 000 km^2.

Nuevos patronos, nuevas fiestas patronales

Lógicamente, este fenómeno segregacionista dio lugar a nuevos patronos (aunque algunos ya figuraban en sus iglesias o ermitas) y a nuevas fiestas patronales. Las características de las fiestas patronales de la Vega Baja podríamos resumirlas en santos de «primera hora» que ayudaron en la conquista como Santas Justa y Rufina, en Orihuela y que ahora se une a la fiesta de la reconquista (historia, religión y leyenda) o San Andrés, en Almoradí; santos auxiliadores contra problemas del campo o contra enfermedades. La más significativa es Santa Águeda, en Catral, que congrega a miles de personas en una romería; y la extensión de la devoción a la Virgen del Rosario en la Vega Baja, promovida por los Dominicos de Orihuela. Esta devoción dio lugar a las Congragaciones del Santo Rosario, que a su vez, desembocaron en *Cantos de Aurora y Auroros* de la Vega Baja. Es, por tanto, una tierra rica en tradiciones y fiestas patronales.

Los dominicos de Orihuela

Los dominicos de Orihuela tuvieron una doble misión: una académico-univesitaria y otra evangelizadora de la Vega Baja que influyó en las fiestas patronales. Es en 1546, cuando Fernando de Loaces, nacido en Orihuela, patriarca de Antioquia y obispo de Lérida y arzobispo de Tarragona crea en Orihuela el Estado General con cinco facultades: Artes, Cánones, Derecho, Medicina y Teología, se lo encarga a los Dominicos, por lo que siempre fue conocido como Colegio de Santo Domingo. En 1589 Pío V concede al Colegio la categoría de universidad pública con prerrogativas similares a las de Salamanca, Alcalá de Henares y Valencia. Aunque esta última, Valencia, siempre tuvo recelos de la nueva universidad. En 1646, Felipe IV la declara universidad regia. Pero por las nuevas concepciones político-académicas hizo que fuese clausurada en 1824.

La Virgen del Rosario y los *Cantos de Aurora*, los *Auroros*

Pero no solo tuvieron una actividad académica. Desde el Colegio de Santo Domingo de Orihuela los dominicos iban a influir en las devociones de toda la Vega Baja. Fomentaron la devoción a su Patrona, la Virgen del Rosario. Crearon congregaciones del Rosario y fomentaron la práctica del Rosario de la Aurora o Rosario del Alba, significados por el farol, el rezo del Rosario y los *Cantos de Aurora*. Fueron cantos improvisados por las gentes, los llamados *Auroros*. En la Vega Baja hay 23 Agrupaciones de Auroros.

«Ya nos vamos contentos y alegres
porque nuestro hermano vistiéndose está
y se deja la cama gustoso
y el Rosario a María se viene a cantar».

ORIHUELA. LAS FIESTAS PATRIÓTICAS Y RELIGIOSAS. SANTAS JUSTA Y RUFINA Y LA FIESTA DE LA RECONQUSTA

«SUS BELLOS OJOS SE CONVIRTIERON EN RESPLANDECIENTES LUCEROS».

Orihuela es conquistada por el príncipe Alfonso el 17 de julio de 1242. Este hecho va a dar lugar a su gran fiesta patronal en que se amalgama historia, religión y leyenda, por lo que resulta una fiesta polivalente donde intervienen Santas Justa y Rufina. La Armengola, la Enseña del Oriol y últimamente, en 1974, la incorporación de los Moros y Cristianos.

Fiestas de Santa Justa y Rufina y fiestas de la Reconquista

Este es hoy el esquema y desarrollo de la Fiesta religioso-patriótica :

Traslado de las imágenes de Santa Justa y Rufina desde su templo a la catedral.

El día del pájaro Oriol. Se desciende la Gloriosa Enseña del Oriol desde el balcón del ayuntamiento hasta las puertas. Es recogido por el síndico y trasladado en procesión hasta la Catedral de El Salvador donde le aguardan las imágenes de las Santas Justa y Rufina. La Enseña del Oriol data de 1243 pero la actual es del s. XVIII.

Las imágenes de las Santas y el Oriol son transportadas a su iglesia por los caballeros del rey Fernando y el obispo celebra la misa de la Reconquista.

Homenaje a la heroína del Reconquista, la Armengola. Acompañados de esta heroína se acercan a la plaza y depositan una corona de laurel en el monumento al Oriol.

El Oriol vuelve al ayuntamiento. Por la noche empieza el desfile de Moros y Cristianos.

La Armengola y las Santas Justa y Rufina

«Sus bellos ojos eran luceros».

Si San Jorge había acudido en ayuda de los soldados cristianos de Alcoi, dos jóvenes alfareras, de Híspalis, Santas Justa y Rufina, lo harían en favor de los cristianos de Oriola en la *hora prima*, de la conquista. En la ciudad, habitada por moros, había una pequeña comunidad de mozárabes. Ante el empuje de las tropas del príncipe Alfonso, los musulmanes traman pasar a cuchillo y degollar a los mozárabes. Y ahí aparecen, una heroína, la Armengola, y dos santas, Justa y Rufina. Orihuela siempre es salvada por mujeres, como lo hicieran las amazonas guerreras vestidas de hombre que Tudmir colocó en las almenas en 713.

Era el día de la festividad canónica de las santas, 16 de julio de 1242. Los mozárabes de Oriola, muy devotos de las mismas, piden su auxilio y ellas se lo dan de una forma original. La noche es muy oscura, los caminos de una posible huida casi invisibles y ellas aparecen en el castillo, en lo alto de la sierra, transformadas en dos grandes luminarias resplandecientes para que los cristianos puedan huir y salvarse. Al día siguiente, 17 de julio, las tropas del príncipe Alfonso entrarían triunfantes en Oriola.

Auxilios luminarios en la Reconquista

En las leyendas y tradiciones de la Reconquista se repiten los auxilios divinos luminarios. En 1771, Alfonso VIII rodea Cuenca situando sus tropas junto al Júcar ante un castillo casi inexpugnable. El cerco dura nueve meses sin que los caballeros de Santiago y los Templarios sean capaces de subir al castillo y conquistarlo. Los caballeros, muy devotos de la Virgen, acuden a su auxilio y esta se lo da también en forma de luz. Un pastor les dice que ha recibido un mensaje de una señora, quien afirma ser la Virgen María, le entrega un candil o luminaria y le indica la senda y la puerta de la ciudad (hoy Puerta de San Juan) por donde deben subir al castillo, pues hace guardia un soldado ciego. Y así, el 21 de septiembre de 1177, día de San Mateo, las tropas castellanas y aragonesas de Alfonso VIII, lograron escalar la roca inexpugnable y rendir el castillo. Alfonso VIII mandó construir una ermita a la Virgen con la advocación de Virgen de la Luz. Hoy es la patrona de Cuenca.

Justa y Rufina

¿Quiénes eran esas jóvenes santas hispalenses que con sus ojos como bellas luminarias llegaron a obtener el titulo de patronas de Orihuela? Su devoción parece que llegó sin duda, de manos de los mozárabes.

Justa y Rufina aparecen en el *Pasionario Hispánico* (Libro de la Pasión y Martirio) del s. VI. En la Híspalis romana del siglo III existían aún pocas familias cristianas, solo una pequeña comunidad atendida por el obispo Sabino. Justa y Rufina pertenecían a una familia de alfareros de Triana. Los romanos celebraban entonces las Adonais, fiestas de mujeres de alta sociedad, en homenaje a la diosa Salambó (la Afrodita griega o la Venus romana). Procesionaban su estatua de barro e iban solicitando por la ciudad ofrendas económicas. Al pasar por la alfarería de la familia de Justa y Rufina, estas se negaron a dar una ofrenda. «Nosotras damos culto a Dios, no a este ídolo fabricado». Se exacerbaron los ánimos, arremetieron contra ellas y, en el alboroto, la estatua de Salambó cayó al suelo y se hizo pedazos. Las procesionarias lo consideraron un sacrilegio y la guardia llevo a las jóvenes ante el gobernador de la Bética, Diogemano, en tiempos del emperador Maximiliano. Se les invitó a renegar de su religión a lo que se negaron. Fueron castigadas a subir y volver andando descalzas hasta la Sierra Morena. Justa murió por sufrimiento del viaje y de la cárcel, el 17 de julio de 287 y arrojado su cuerpo a una fosa que recuperó el obispo Sabino, en el posterior llamado Prado de Santa Justa, hoy Estación de Santa Justa. A Rufina se la llevó al anfiteatro, donde se soltó un león. Pero este se acercó a la joven y lamió sus manos. Entonces, el gobernador mandó degollarla y quemar su cuerpo. El obispo Sabino recogió su cabeza y cenizas.

En 313 se levantó en ese lugar una ermita dedicada a las santas. En la época visigótica de San Isidoro, s. VI, la devoción a las santas aumentó y San Leandro construyó ya una basílica en el mismo lugar, destruida con la invasión musulmana. Justa y Rufina siguieron siendo veneradas por los mozárabes, que extendieron esta devoción por toda Hispania. San Fernando, que conquistó Sevilla en 1248, entregó el lugar a la Orden Trinitaria que construyó otra basílica en el lugar donde está hoy la iglesia de María Auxiliadora .También tienen un templo parroquial en Triana.

La vida y martirio de las jóvenes santas pronto cautivó el corazón de los pintores: Maestro de Moguer, 1540, Murillo, 1666, Zurbarán, Velázquez (*El milagro de Santa Rufina*), Diego de Pesquera, Francisco Pacheco, hasta llegar al gran lienzo de Goya, obra de madurez, para la catedral de Sevilla. Y la devoción, llevada por los mozárabes tuvo gran auge en Aragón donde abundan las pinturas y altares dedicados a las santas y de los que sobresale el impresionante retablo gótico de 1475, de Domingo RAM y Juan Rius en Maluenda (Zaragoza).

ARDE ORIHUELA. «EL ARTE CRISTIANO, UN ARTE BURGUÉS»

Orihuela era la ciudad de la provincia de Alicante que más arte había acumulado durante siglos: arquitectura, imaginería, pintura. Y aunque en ese acerbo y patrimonio cultural figuran una quincena de palacios (de Pinohermoso, marqués de Rafal, condes de Luna, condes de la granja, marqués de Arneva, hoy ayuntamiento), es el patrimonio artístico religioso el que ha dado señas de identidad cultural a Orihuela. Hubo dos razones para que esto sucediese, la creación de la primera y única sede episcopal de la provincia desgajada de la de Cartagena y la creación del Colegio de Santo Domingo, luego universidad, por Fernando de Loaces.

En torno a la sede episcopal nacieron la catedral y las maravillosas iglesias, del Colegio de Santo Domingo, Santiago, Santas Justa y Rufina, Monserrate. Y con la misma lógica vinieron las órdenes y congregaciones religiosas a instalarse junto a la sede de su pastor: Salesas, Caretitas, Dominicas de Santa Lucía, Capuchinos, Franciscanos de Santa Ana. Y nacía, también el Seminario de San Miguel. Todos compitieron en construir magníficas iglesias y conventos. Comenzó Orihuela con el Gótico tardío, s. XIV, siguieron el isabelino, el renacentista, el plateresco, el barroco, el neoclásico. Toda una lección de Historia del Arte... Para construir sus templos buscaron arquitectos de prestigio: Juan Anglés, Jeronimo Quijano, Pedro Quintana, Juan Albert, Agustín Bernaldino, Antonio de Villanueva, Alamiquez, Bernardino Ripa.

Llegaron enjambres de imagineros y tallistas de retablos, de sillerías de coros y de portadas afiligranadas de iglesias: Miguel Utiel, Juan Fco. Borja, José Caro, Nicolás Bussi, Laureano Villanueva, Santiago Bagllietto, además del omnipresente Salzillo. Y no podían faltar los pintores a la cita, Nicolás Borrás, Antonio Palomino, el neoclasicista Vicente López, Rodrigo de Osona el Viejo, Pedro Orrente, pretenebrista, Luis Morales, el Divino, Valdés Leal, Jerónimo Espinosa, Bartolomé Albert. Y hasta llegó un Velázquez, *La tentación de Santo Tomás*.

¿Qué decir de sus maravillosas iglesias que además de arte tienen historia? En la iglesia de Santiago, en 1488, los Reyes Católicos reunieron las Cortes Valencianas, tanto para pedir fondos para la Guerra de Granada como para confirmar los Fueros de Valencia. Y la Iglesia de Santas Justa y Rufina, las que ayudaron en la conquista. Y la iglesia de Monserrate, de la patrona.

La gran pira incendiaria 1936

Julio de 1936. Toda Orihuela y toda la Vega Baja se convirtió en una inmensa pira, como si se hubiesen olvidado de celebrar en junio las Hogueras de San Juan. Ardieron templos, retablos, imágenes, pinturas. Y la piqueta decapitó estatuas de las maravillosas portadas de las iglesias Y ni siquiera respetaron a las tres iglesias oriolanas que la República había decretado Monumentos Históricos Artísticos Nacionales: la catedral, (3-6-1931), el Convento-Iglesia de Santo Domingo (3-6-1931); la Parroquia de Santiago (17-11-1933). Todas eran opio del pueblo.

Y los auténticos oriolanos llorarán siempre la pérdida, en la catedral, de la Virgen Sedente del s. XIV; o los seis cuadros del neoclasicista Vicente López. Y llorarán la pérdida de la imagen de su patrona de la iglesia de Monserrate donde, además, ardieron 10 altares; o el hermoso retablo de la iglesia de Santo Domingo y la estatua del *Sepulcro de Fernando de Loaces*; o el *Padre Jesús Nazareno,* de Nicolás de Bussi, del convento de Franciscanos, arrojado desde un tercer piso y arrastrado por las calles; o la destrucción de las cuatro estatuas de la fachada de las Salesas, de Santiago Baglietto y la pérdida, en el convento, de imágenes de Salzillo y cuadros de Vicente López.

¿A qué fueron dedicados estos templos después del asalto y del incendio? La catedral, a almacén de guerra, la iglesia de Santo Domingo a Academia de Carabineros; el convento de Franciscanos, cuartel de aviación; el convento de Capuchinas, salón de baile, El Cabaret le llamaban.

El arte cristiano, un producto tóxico. El nuevo arte: el «Realismo Social»

Para el Marxismo, si la religión era el opio del pueblo, todo lo que le rodease o ensalzase, incluido el arte, quedaba contaminado. El arte cristiano, además de ser un producto burgués era un producto tóxico y había que eliminarlo de raíz. Para un marxista, sobre todo desde que así lo determinase Stalin por Decreto en 1934, solo es bello el arte denominado Realismo Social. Solo es estética una estatua o un cuadro si logra trasmitir y expandir la conciencia de clase, si logra exaltar a la clase trabajadora. La base del arte no puede ser un Cristo. Cristo no puede ser el centro ni el protagonista del arte, sino el pueblo trabajador, el hombre comunista. Según el Marxismo ruso ya lo habían anunciado los novelistas del XIX para quienes el único protagonista de la literatura o del arte era el pueblo ruso. Sobre todo lo era para Máximo Gorki. Quizá el cuadro que mejor encarne esta tesis del Realismo Social como arte nuevo sea el cuadro *El Bolchevique,* de 1920, de Boris Kustódiev.

ALBATERA

Su etimología, posiblemente del árabe *al-úatera*, «senda o camino». Está situada entre las Sierras de Crevillente y de Callosa. Término independiente de Oriola desde 1627, dominio de los Rocafull y elevada a condado en 1728. En 1701 deja de ser pueblo de señorío y se convierte en ayuntamiento. En 1993 se le resta terreno para instaurar un nuevo municipio de colonización, San Isidro. Tiene dos fiestas patronales: Santiago Apóstol, que entronca con la Reconquista, y la Virgen del Rosario, que nace bajo la influencia de los dominicos de Orihuela.

Fiesta patronal de Santiago. Fiestas de Moros y Cristianos

La iglesia está dedicada al patrono, construida en 1727 en estilo Barroco y Rococó francés. La fachada, a modo de retablo, con la hornacina de Santiago como peregrino. Sufrió asalto e incendio durante la Guerra Civil. El retablo del altar mayor, de dos conjuntos de pares de columnas, sufrió mutilación.

La fiesta patronal de Santiago es antigua, pues fue venerado desde siempre como patrón. El día 24 se celebra la victoria de los cristianos. El moro entrega las llaves de la ciudad al Caballero Santiago y este se las ofrece al apóstol que sale en ese momento de la iglesia, «La Saluda del Santo», y es recibido por la gente entre aplausos, ráfagas de luz, pólvora y humo blanco. Luego hay procesión y ofrenda floral, Últimamente, en 1985, se le incorporaron las fiestas de Moros y Cristianos, según los promotores, para dar colorido a la fiesta. La primera Comparsa Mora fue la de Moros Normandos.

La Virgen del Rosario (29 sep-9 octubre). La «Despierta de la Aurora»

La ermita más antigua de la Virgen del Rosario fue de 1596, y derribada en 1787 para construir otra nueva. Asaltada en 1936, la actual es de 1997. Las Fiestas se celebran durante varios días hasta el 7 de octubre. El día 6 es la tradicional Despierta de la Aurora, que comienza a las 6 de la mañana. Los Auroros salen de la Ermita de la Virgen del Rosario y van cantando los *Cantares de la Despierta*, que se remontan a 1651. En cada esquina entonan uno diferente, entre la devoción y el humor. Y el día 7 es trasladada la imagen desde la ermita a la iglesia de Santiago con misa mayor y procesión.

Los Auroros de Albatera

En 1651 se creó la Cofradía del Rosario y un siglo más tarde, 1767, la Hermandad de Nuestra Señora de la Aurora. Al principio, los Auroros se llamaron Cantores del Rosario o Cantores de la Aurora. Acompañan a la Virgen en la *Despierta de la Aurora*. Se hacen sentir porque se acompañan de una campana y también de guitarras, laúdes, bandurrias y un triángulo. Recorren las ermitas, Virgen del Rosario, Santiago del Barrio (antes Santiago Matamoros), San Pedro y van improvisando sus coplas o *Cantos de Aurora*.

«Levantaos, devotos cristianos,
a oír el Rosario de la madrugá,
ofrecido por su amado padre
que ya lo tenemos en la eternidad».

****

«Lo llamaron para ir al Rosario,
dice que está malo, que no puede andar.
Le llamaron para beber vino,
dice que está bueno y al momento va».

Los «hunos» y los «hotros»

El 27 de octubre de 1937, la República inauguró el Campo de Concentración o Campo de Trabajo de Albatera. Tenía nueve pabellones, uno para presos comunes y el resto para gentes de derechas, monárquicos, sacerdotes, falangistas. Trabajaban en las canteras extrayendo mármol y llegó a tener 4 000 reclusos. En abril de 1929 salieron los unos y entraron los otros, los republicanos represaliados. El Campo de Albatera fue clausurado en octubre de 1939.

«Entre los unos y los otros —o mejor, entre los hunos y los hotros—, están ensangrentando, desangrando, arruinando, envenenando y entonteciendo España. Entre marxistas y fascistas dejaran una España inválida de espíritu». Miguel de Unamuno.

ALGORFA

Algorfa, palabra árabe, *al-gorfa*, «el desván, la cámara». Fue una alquería de Oriola hasta 1790, en que sus propietarios, Ignacio Pérez de Sarrió y Joaquina Ruiz Dávalos logran, de Carlos IV, les conceda el privilegio alfonsino. Ese privilegio se debe a Alfonso IV de Aragón quien, en 1329 dicta *Jurisdictione omnium juridicum*, por el cual se puede constituir un señorío, población o universidad si se logra reunir quince hogares o fuegos. Los propietarios de Algorfa logran dieciséis y, al año siguiente, se les concede el marquesado de Algorfa. Pero no les fue fácil defenderlo, pues tanto Almoradí como Rojales entablaron sucesivos pleitos contra tal decisión.

Hoy Algorfa es un municipio con 50 % de extranjeros que pasan allí el invierno jugando al golf. Su monumento más significativo es el Castillo de Montemar, s. XVIII, de estilo afrancesado, residencia que fue de los condes de Casa-Rojas.

La romería de la Colina

Los marqueses, devotos de la Virgen del Carmen, pusieron a esta como titular y patrona. Las festividades de la Virgen del Carmen se dividen en marineras, promovidas por pescadores en puertos pesqueros *y fiestas particulares*, no marineras, promovidas por alguna persona. Ese es el caso de Algorfa. A principios del XX se construyó una iglesia para ella en una colina. Se celebran sus fiestas del 8 a 18 de julio convirtiéndose en una gran romería a la que acuden muchos pueblos de la Vega Baja. Se sube a la ermita, se desciende a la Virgen hasta la localidad y se procesiona por el pueblo, con misa en la iglesia, también dedicada a Nta. Sra. del Carmen. Se sube, de nuevo, a la colina y terminan las fiestas con una gran paella en el campo.

ALMORADÍ

EL ASPA DE SANDRES ILUMINA EL CAMPAMENO CRISTIANO

Almoradí tiene dos grandes fiestas patronales: una, la oficial, San Andrés apóstol, patrono de la localidad y la otra, más popular, Santos Abdón y Senén «los Santicos de la piedra». El primero, entroncado con los días mismos de la conquista, un santo, pues, de la hora prima.

La tradición del Aspa Iluminada de San Andrés en Almoradí
Se acercan las tropas cristianas y la víspera de la conquista, 30 de noviembre, festividad de San Andrés apóstol, aparece sobre el campamento cristiano una luminosa cruz en forma de aspa, en la que, según la tradición, había sido martirizado San Andrés. Era una señal de victoria pues al día siguiente las tropas cristianas tomaron Almoradí.

El templo de San Andrés, de 1780, fue destruido en el terremoto de 1829. Se salvó, deteriorado, el magnifico órgano. El actual templo, estilo colonial con dos torres, sufrió los asaltos de la Guerra Civil. En la actualidad lo preside una reproducción del *Martirio de San Andrés*, de Murillo.

Andrés Apóstol
Hermano mayor de Pedro. Andrés, *Anoreios*, el valeroso, fue el primero en ser llamado por Jesús, por lo que en la iglesia ortodoxa se le denomina, *Protokietor*, el primer llamado. Era de Betsaida, pescador en el mar de Galilea y aparece como distinguido en varios pasajes del Evangelio. Muerto Jesús predicó el Evangelio en torno al Mar Negro, por lo que es patrono de Ucrania, Rusia, Rumanía. También el ducado de Borgoña lo nombró protector, de donde se derivó la Cruz de Borgoña. Los grandes pintores, Murillo (*Martirio de San Andrés*), Rubens, Caravaggio, le hicieron grandes oleos. Y en la ciudad griega de Patras, puerto a donde llegan todos los barcos italianos a Grecia, se encuentra la catedral de San Andrés que dicen contiene sus restos y gran lugar de peregrinación. Es grandiosa, pero moderna, de 1908, de estilo bizantino.

Su vida y martirio, un tanto legendaria, aparece en la *Passio Sancti Andreae Apostoli*, del s. IV. Andrés predicaba en Patras y en Acalla, cosa que le prohibió el procónsul Egeas. Por incumplirlo fue azotado y crucificado en una cruz en forma de aspa que se iluminó en el momento de su muerte.

Los santicos de la piedra. Fiesta de Moros y Cristianos

Almoradí tiene otra festividad muy popular, la de los Santos Abdón y Senén, 30 de julio. Se desconoce cuando llegó a Almoradí esta devoción, que era muy popular en la Corona de Aragón, donde ya aparecen en 1489, como protectores de los campos. Los de Almoradí comenzaron a acudir a ellos cuando había tormentas y granizos. El *Compendio Histórico Oriolano*, de José Montesinos, de 1791, dice: «Abogados contra la piedra, rayos, centellas y malas nubes…y es constante que en todo el territorio de Almoradí no caen rayos, piedras, etc.».

Sus estatuas ya estaban en 1712 en la iglesia de San Andrés. La iglesia, arrasada en el terremoto de 1829, fue reconstruida, de nuevo asaltada en la Guerra Civil y las imágenes de Los Santicos de la Piedra fueron destruidas. Las actuales, de 1940, son del artista Ponsoda

Primero fue solo fiesta religiosa, luego se unió la feria y, últimamente, 1979, incorporaron la Fiesta de Moros y Cristianos. Las primeras comparsas fueron Moros de Almoradí y Caballeros del Cid.

BENEJÚZAR

Benejúzar, al lado de la sierra del mismo nombre, atravesada por el Segura de O. a E. Sofocada la rebelión de los mudéjares en 1264, iniciada la repoblación, aparece ya en el reparto el término *Beneyucer*, un lugar que constituye un *donadio* o donación. Se tomaron 600 tahúllas para los herederos de la *quadella* de Pedro Corcel. Pero no se organiza como población hasta el s. XIV con los caballeros Martí, que empezaron a adquirí tierras. Perteneciente a Orihuela y aunque hubo ya una ermita a San Bartolomé, no se crea parroquia hasta 1615, después de la expulsión morisca.

Nuestra Señora del Rosario

En 1615 se crea la Parroquia de Nta. Sra. del Rosario. El origen de este patronazgo se debe tanto a la influencia de los dominicos como a la devoción que le tenían las familias que ostentaron el Señorío de Benejúzar, Casa de Rosell y después los Roca de Tagore. En 1628 Benejuúzar se separa de Orihuela.

Con el terremoto de 1829 Benejúzar queda totalmente asolada incluida su iglesia, iniciándose una nueva construcción al otro lado del rio. La nueva parroquia de Nta. Sra. de Rosario se construye en 1831, de tendencia neoclásica y planta cruciforme, con dos torres desiguales, una neoclásica, con campanario y otra neogótica. Uno de los pocos templos que se salvaron de incendios durante la República.

Teniendo por patrona a la Virgen del Rosario, Benejúzar es uno de los pueblos de la Vega Baja rico en *Cantos de Aurora*. Aunque la Festividad de Nta. Sra. del Rosario es el 7 de octubre y ese día se realiza procesión con la Patrona, las fiestas patronales, llamadas Fiestas de Mayo, se celebran a finales de mayo y principios de junio, después de las Fiestas del Corpus. Muy recientemente, en 1993, se han asociado la Fiestas de Moros y Cristianos, inexistentes con anterioridad.

Gozos de Benejúzar a la Virgen del Rosario

«Virgen, rosa celestial,
de fragantísimo olor,
vos sois la rosa mejor
que destierra nuestro mal.

Si del eterno candor
sois el más puro cristal,
perseverancia final
alcanzadnos del Señor».

Una nueva romería multitudinaria. La Virgen del Pilar

Al acabar la Guerra Civil surge otra Festividad religiosa en Benejúzar, convertida en una nueva y masiva Romería. Un grupo de benejurcenses, presos durante la guerra en la Cárcel de Alicante o en los Campos de Trabajo de Albatera, después de su liberación, en 1939, construyen una ermita dedicada a la Virgen del Pilar que en 1943 se convierte en impresionante templo, naciendo una nueva romería multitudinaria que se celebra el 12 de octubre.

BENFERRI

Nombre de origen árabe. Pequeño pueblo situado en un terreno llano y de secano, drenado por la rambla de Abanilla. En el s. XIII fue adquirido por Pierre Román de Rocamoure, noble francés que acompañó a don Jaime I en las conquistas. A este noble francés le correspondió en el reparto que hizo Alfonso X, ya rey, en Córdoba en 1265, Benferri, Puebla de Rocamora y La Granja. Los Rocamora fueron, a la vez, recibiendo, o bien de los reyes o bien por enlaces, títulos de nobleza: Señorío, Baronía, Marquesado. El VII Señor de Benferri, Jaime de Rocamora y López de Varea, en 1619 construyó 15 casas en Benferri, con lo que consiguió, en 1622, por el privilegio alfonsino, ser entidad independiente de Orihuela. Murió el mismo año y su hijo Jerónimo de Rocamora y Thomas construyó la iglesia estilo renacentista tardío, con tres naves, con nombre de su patrón, San Jerónimo, convirtiéndose este en el patrón de Benferri.

Las fiestas patronales están dedicadas San Jerónimo, nombre de pila que ostentaban algunos Rocamora. Se celebraban a finales de septiembre y las de la Virgen del Rosario en octubre. Pero dado que muchos benferrejos marchaban a la vendimia de Francia, ambas se trasladaron conjuntamente a mediados de agosto.

Festividad de la Virgen del Rosario. *Cantos de Aurora*

En la celebración de la festividad de su copatrona, la Virgen del Rosario, se destacan los *auroros* haciendo un recorrido nocturno, con farolillos, campanillas y tambores, siguiendo al estandarte de la Virgen del Rosario. Cantan coplillas transmitidas oralmente desde la Edad Media.

>«Las farolas ya están encendidas
>por falta de hombres no pueden salir.
>Llamemos ángeles del cielo
>que al Santo Rosario vengan a asistir».

>«Vamos a coger la rosa
>fragante y hemos
>que siembra María
>con luz y con fe».

San Jerónimo

Este santo archipintado y archiesculpido por los mejores artistas, aparece en muchos casos, semidesnudo, como penitente en un desierto. Esta imagen un poco morbosa no responde del todo a la realidad. Es vedad que se retiró un breve tiempo a un desierto como eremita, pero ni era su vocación ni su delicada salud se lo permitía. San Jerónimo fue sobre todo, un gran políglota. Dominaba el griego, el hebreo y, sobre todo, el latín, siendo gran admirador de Cicerón. Y se propuso la ingente tarea de traducir la Biblia, del hebreo y del griego al latín para acercarla a la lengua que aun hablaba la gente del imperio en el s. IV. Por eso su Biblia se denomina *Vulgata* (*vulgata editio*). Fue, pues, un hombre muy culto, un gran exegeta de las Sagradas Escrituras y a quien se debe, también, que el latín se convirtiese en lengua oficial de la Iglesia católica. Está enterrado en la Basílica de Santa María, la Mayor de

Roma. Curiosamente, es de los pocos santos que es venerado, tanto por la Iglesia ortodoxa, la católica y la anglicana.

Pintores y escultores se dividieron es su interpretación. La mayoría le representan como penitente eremita, semidesnudo en una cueva del desierto: El Bosco, Leonardo da Vinci, Alonso Cano, Martínez Montañés. Los menos, pero con visión más histórica, lo sitúan escribiendo en un estudio: Doménico Ghiralandaio, Durero, Ribalta, maestro del Paular, Zurbarán. Caravaggio y El Greco, más astutos y quizá para no equivocarse, le dedicaron cuadros tanto en el desierto como en un estudio.

BENIJÓFAR

Nombre de origen árabe, *Beni-Yá'far*. Uno de los pueblos más pequeños, por extensión y por habitantes, de la Vega Baja, pero privilegiado por estar junto al río Segura.

De alquería islámica pasó a pedanía de Oriola. Entonces era un páramo, un secarral, comprado por los dominicos, adquirido después, en 1686, por Jaime Gallego quien consiguió el privilegio alfonsino por haber reunido diecisiete casas, con lo que obtuvo en 1704 la independencia de Oriola. Al año siguiente el propietario obtuvo la baronía de Benijófar.

La iglesia fue un hermoso templo de finales del XVI y principios del XVII con precioso retablo mayor y retablos laterales. Llevó el nombre del propietario, Sant-Yago o San Jaime y se convirtió también en patrono de la localidad. Pero el terremoto de 1829 acabó con todas las casas y con la iglesia. La actual, moderna, destaca por su fachada y pórtico y conserva los preciosos retablos de la anterior, el altar mayor y los de la Dolorosa y Sagrado Corazón restaurados pues en 1936 fue saqueada e incendiada.

Celebraban sus fiestas patronales el 25 de julio a la usanza tradicional de los pueblos con Misa y procesión. Pero los benijoferos, con ganas de divertirse, añadieron a la fiesta patronal, en los últimos años y como casi todas las localidades de la Vega Baja, la fiesta de Moros y Cristianos. Además, organizan desfile de autos locos, vehículos artesanales y conductores disfrazados, la *Patatá*, una cena en la plaza a la que asiste todo el pueblo y *la cagá de burra*. El pueblo será pequeño pero no le falta originalidad en sus fiestas. Y tiene un segundo patrón, en este caso patrona, la Inmaculada Concepción, cuyas fiestas celebran en diciembre.

BIGASTRO

Bigastro. Posiblemente un nombre equivocado de lugar al pensar que el obispado visigótico de Begastre se situaba aquí, cuando en realidad lo era en Ceheguín. Lo que importa para nuestro tema es que el actual Bigastro era terreno de regadío y de secano, en pleno corazón de la Vega, muy cercanos a Orihuela.

De lugar elegido por los canónigos para su veraneo pasó a pueblo de colonización, fundándose, en 1697, el señorío eclesiástico de Bigastro, con la obligación de construir 16 casas para cumplir el privilegio alfonsino. Fueron más generosos y crearon 26 y el compromiso, además, de proporcionar un horno y un molino harinero, almazara, mesón, tienda. 1701 se considera la fecha de la fundación de Bigastro como entidad independiente.

La leyenda del «Abuelo Joaquín», de Bigastro

Una leyenda afirma que una bigastreña vio un día a un anciano que llevaba a una niña cogida de la mano. Cuando la bigastreña le preguntó quien era el le dijo: «Todos me conocen como San Joaquín y quisiera que aquí hubiera una imagen mía en el interior de la iglesia».

Ante esta noticia se encargó a un pintor para realizar bocetos de San Joaquín y se los llevaron al mejor imaginero del contorno, Salzillo. 1793 es fecha clave en el origen de sus fiestas patronales pues el 27 de septiembre, llegó, portado a hombros de 16 labradores al paso de dulzainas, la imagen de San Joaquín, obra excelsa del barroco, de Salzillo. Cuentan que ese día en que colocaron la imagen en el templo, apareció San Joaquín para dar su aprobación y bendición. San Joaquín se convertiría así en el patrón y protector del pueblo y el que dio vida a sus fiestas patronales y populares que se celebran en torno al 16 de agosto, aunque la iglesia haya cambiado su fiesta al 26 de julio.

La honda devoción a San Joaquín no les impide adornar su procesión con reinas y damas, desfile multicolor, ofrenda floral. Y realizar otros pasatiempos, como el *Tio del tractor*, sello de identidad de estas fiestas. Lo único que no se ha añadido, como sí lo han hecho otras localidades del Vega Baja, es el desfile de Moros Cristianos. En sus fiestas se junta la devoción, la tradición y las ganas de divertirse.

> «Eres Bigastro, mi patria chica,
> hermosa tierra en que nací,
> jardín de ensueño, vergel florido
> en donde se honra a San Joaquín,
> abuelo querido que guía nuestra fe».

Los *Cantos de Aurora* de Bigastro

En Bigastro, que dependía del Cabildo de Orihuela, ya en 1721 se funda a la Congregación de Nta. Sra. del Rosario. En 1727 se construye la iglesia de Belén, que sería la sede de la congregación. Llegó a tener 24 mayordomos y 170 cofrades, que de una población entonces de 800 habitantes suponía que el 53 % de los hombres eran cofrades. De esta Cofradía surgen los Coros de Auroros denominados *Auroros de San Joaquín* quienes a la hora del gallo despertaban a la gente para ir a rezar el Rosario todos los domingos del mes de octubre. Sus coplillas popular-religiosas tienen, incluso, un aire a las de los modernos raperos.

La iglesia de Nta. Sra. de Belén, en la Guerra Civil, fue destinada a almacén de comestibles. Y el San Joaquín de Salzillo fue escondido y apareció después de la guerra, pero sin una mano.

San Joaquín

Joaquín, *Jehóyaqim, Jhavé ayuda o Jhavé levanta*. No aparece en los Evangelios. Así como Mateo hace una descripción pormenorizada de la genealogía de Jesús por parte de padre, San Jopes, nada dice de la genealogía por parte de su madre María. Joaquín aparece en un Evangelio apócrifo, el Evangelio de Santiago.

Su devoción, como la de Santa Ana, viene de la iglesia ortodoxa oriental. Pero si la devoción a Santa Ana se remonta al s. VI, la de San Joaquín es posterior y está llena de fantasías medievales de la *Legenda Aurea*, de Jacobo de la Vorágine. Se crea una historia familiar muy similar a la de Zacarías e Isabel. Ana, en edad vetusta, no tiene hijos y acude a Jhavé quien la escucha. Y cuando realmente está encinta, acuden los dos, Joaquín y Ana, a la Puerta Dorada del Templo donde se abrazan de agradecimiento y júbilo.

El Corán cita varias veces a Joaquín dentro de una línea generacional: «Dios escogió a Adam, a Noé, a la familia de Abraham y a la familia de Joaquín sobre los mundos, descendientes unos de otros» (Coran, 3-30).

Aunque no tanto como Santa Ana, San Joaquín ha sido pintado y esculpido por los grande aristas. Y le han representado en tres facetas; *Abrazo en la Puerta Dorada*, Giotto di Bondone, 1305, Durero, Francisco Pacheco (Museo del Prado); *En grupo famular con Ana y la niña*, Zurbarán, Velázquez, Murillo. Cuando estos dos últimos representan a Santa Ana enseñando a María, Velázquez coloca a Joaquín algo alejado mientras que Murillo lo elimina del ambiente; El tercer modelo, *San Joaquín paseando en solitario con la niña*. Ejemplo, otro cuadro de Francisco Pacheco y la imagen de Salzillo, en Bigastro.

CALLOSA DE SEGURA

Situada al pie de la Sierra de su mismo nombre. Aunque José Montesinos quiso llevar su etimología hasta el griego, el nombre, *Qalyusa,* aparece escrito por primera vez en el s. X en la crónica árabe *Tani-al ajbar*, de Al-Udri. La población mora de Callosa se organizó junto al castillo, el castillito.

El príncipe Alfonso, después de la conquista, la puso bajo el dominio del reino subsidiario moro de Murcia. Pero los moros se sublevaron y en 1265 hubo de bajar Jaume I y someterla de nuevo en nombre de su yerno. Y como era el 11 de noviembre, Festividad de San Martín de Tours, obispo francés, el rey convirtió la sencilla mezquita en templo católico bajo la advocación de San Martín de Tours.

Callosa llegó a ser la joya preciada de Orihuela. En 1510 tenía ya 203 fuegos o casas. Por su potencia económico-agrícola logra la independencia en 1570 por privilegio de Felipe II y cambia su nombre, Callosa de Oriola por el de Callosa de Segura. En 1638, Felipe IV le concede el título villa real y, en 1925, Alfonso XIII, el de ciudad. «Queriendo dar una prueba de Mi Real aprecio a la villa de Callosa de Segura vengo en concederla el titulo de ciudad». Alfonso XIII. 7 –XI-1921

La maravillosa iglesia renacentista

Callosa inició en 1494 la construcción del templo dedicado a San Martín de Tours, uno de los bellos templos del Renacimiento, casi una catedral, con maravillosa portada tardogótica. Trabajaron, entre otros, Alonso de Arteaga, Julián de Alamique y Juan Anglés. El templo iría ampliándose hasta culminar en 1779 con la capilla de la comunión. Fue saqueado en 1936.

> «Que hacen que la piedra reluzca de sol.
> Gótico abierto a la Vega,
> que pugna con la montaña
> por ser el faro encendido
> de la palabra de Dios».
>
> Luis Belda

Las leyendas de San Roque en Callosa. El farolillo de Venancio

A pesar de la grandiosidad de su iglesia dedicada a San Martín de Tours, el pueblo callosino prefirió a otro patrón más popular, San Roque, con una iglesia más humilde al pie de la Sierra de Callosa. Y nació su devoción envuelta en bonitas leyendas. En 1409 se aparece a cuatro pastores pidiéndoles que allí, junto al castillo, se le construyese una ermita. La primera duró hasta 1600. Se edificó una segunda y, en 1766, una tercera erigida por aportaciones de entradas a comedias o corridas de toros. Tenia un magnifico retablo. El 30 de julio de 1936 fue saqueada la iglesia y destruida la imagen de San Roque. La segunda leyenda se refiere a otro pastor que cuidaba sus cabras en la Sierra de Callosa. Cuando iba a recuperar una cabra extraviada, tropezó y rodó por la falda de la Sierra. En es momento prometió a San Roque que si le salvaba colocaría en un pico de la Sierra un *farolico* en su honor y que permanecería mientras él viviese.

Fiestas de San Roque, Fiestas de Moros y Cristianos

El 5 de agosto, cuando empieza la novena a San Roque, se sigue celebrando la Tradicional subida a la sierra del farolillo de Venancio. A las fiestas religiosas se han incorporado, en 1977, las fiestas de Moros y Cristianos, con las clásicas Entradas, Embajadas y Desfiles. Culminan el día 16, día del patrono con misa y procesión.

San Roque en la Comunidad Valenciana

San Roque o Sant Roc, aunque con datos biográficos algo confusos, mereció la devoción de toda Europa en una época en que las pestes asolaban este continente y los galenos no sabían como cortarlas. Las gentes acudían a un santo que, según la tradición, se había dedicado a curar apestados y que él mismo lo fue. Según las dos vidas más antiguas, *Acta Breviora* y otra de Francesco Diedo de 1478, habría nacido en Montpellier hacia 1330. Repartió sus bienes entre los pobres y peregrinó a Roma (romero). En el camino le sorprendió una peste en una pequeña localidad del Lazio, *Acquapendente,* y se dedicó a cuidar a los apestados. Se narra que él mismo sufrió el contagio en Angera, al norte de Italia. Como todo apestado hubo de retirarse al bosque y allí, un perro le traía todos los días su panecillo e, incluso, lamiendo sus heridas, le curó. En su vuelta a Montpellier cuentan que fue apresado como espía. Eran tiempos de confrontación entre Francia y las repúblicas italianas. El lugar y fecha de su muerte es también confusa y su cadáver dicen que fue traído a Montpellier.

Hubo dos momentos en que San Roque fue requerido por la devoción popular europea. En 1447, con ocasión de otra peste, se crea en Venezia la *Confraternita o Scoula di San Rocco*. De allí se extendería su devoción por Alemania, Francia, Flandes, etc. La segunda ola de devoción vino en el s. XVII por parte de Luis XIV, quien construyó la iglesia de San Roque cerca del Louvre.

En España se multiplicaron las ermitas, los altares e imágenes dedicados al santo y con mayor razón en el Reino de Valencia ya que Montpellier había pertenecido a la Corona aragonesa. En la provincia de Alicante es patrono de Callosa de Segura, de Beniarbeig a donde se le denomina San Roc de Montpellier, y copatrono en Denia que ha asociado a su fiesta la de Moros y Cristianos. También es copatrono en Beniarrés y en la Nucía y tiene ermitas o altares en Agost, Almoradí, Biar, Castalla, Castell de Castells, Formentera de Segura, Monóvar, Pedreguer, Penáguila, Pinoso, Poble Nou de Benitachel, Polop, Rojales, San Juan, La Vall de Gallinera y La Vall de Laguart. Se celebra su Festividad el día siguiente de la Asunción, 16 de agosto y, en algunos sitios han añadido, ya en plan festivo, *la Festa del Gos*, el día 17.

«Pues por vuestra caridad
sois con Dios tan poderoso
libradnos, Roque glorioso
en toda necesidad.
Nuevamente os suplicamos
todos con grande fervor
seáis nuestro protector
de cuanto necesitamos.
La gracia de Dios pedimos,
salud en la enfermedad».

CATRAL. LA MASIVA ROMERÍA DE SANTA ÁGUEDA

LOS DIVINOS PECHOS DE ÁGUEDA

Catral, de etimología incierta, del íbero *karl turt la,* la doble cumbre, o del latín *castrum altum,* o del árabe *Al-Qatrulät* . Hoy es denominada La Puerta de la Vega Baja. Conquistada por el príncipe Alfonso, se la entregó a la Orden de Santiago en 1255, recuperándola poco después para la Corona, en 1264.

La devoción a Santa Águeda en Catral

Aunque la ermita de Santa Águeda no aparece documentada hasta 1684 hay quien cree que esta devoción fue ya introducida por la Orden de Santiago en 1255. Otros se lo atribuyen a San Vicente Ferrer quien predicó por estas tierras en 1411; o a los Carmelitas de Valencia. La ermita fue incendiada en la Guerra Civil destruyéndose el altar, el trono y la hermosa imagen de Santa Águeda de 1648 La actual es del escultor valenciano Carmelo Vicent Suria.

La multitudinaria romería de Santa Águeda

La romería de Santa Águeda, del 4-6 de febrero, se ha convertido en una de las más masivas de la provincia de Alicante a la que acuden, no solo de la Vega Baja, sino de Alicante, Murcia y Albacete. Es esencialmente una romería religiosa, pero conserva vestigios del porrate medieval.

El 3 de febrero, misa de campaña en la Plaza Santa Águeda. El 4. Misa en la ermita y traslado de la imagen a la iglesia parroquial de los Santos Juanes donde permanece una noche. El 5, festividad de la Patrona, Misa en la iglesia y traslado en romería masiva, a la inversa, desde la parroquia a su ermita. Conserva el sabor de los porrates y romerías medievales en las que los moriscos, como feriantes, colocaban sus puestos de frutos secos, turrón. Hoy se venden las típicas Bolicas de Santa Águeda y chuches en la típica *pesá*, una *bolsica* de diversos dulces que se regala a la persona querida.

Águeda no es la única. En la Vega Baja todas son heroínas, todas son salvadoras. Las amazonas guerreras que, disfrazadas de hombres, en 1713 Tudmir colocó en las almenas de Oriola; la *Armengola* liberando a los mozárabes de ser acuchillados; *Justa y Rufina* iluminando con sus ojos el horizonte para salvar a los cristianos; Ágata librando de la enfermedad los pechos de las mujeres.

Aguda de Catania Águeda, Ágata, Agacé, la bondadosa

Águeda, bella joven de Catania, es pretendida por el pretor cuando ya ella se ha consagrado a Cristo. Huye a Malta y se esconde en las Catacumbas de Rabat, en el centro de la isla. Localizada, es devuelta a Sicilia y martirizada de la forma más cruel, cortándole los pechos, lo más preciado de una mujer. Santiago de Vorágine, en su *Legenda Aurea*, 1250, añade episodios novelescos, como que cuando el pretor dictó sentencia de que le cortaran los pechos ella le recriminó: «Cruel tirano. ¿No te da vergüenza torturar en una mujer el mismo seno con el que de niño te alimentaste?».

El arte se volcó con Águeda. Curiosamente, el único que no la pintó, quizá por respeto, fue su paisano Caravaggio, también huido de Sicilia a Malta, aunque por motivos menos nobles. En Malta, en Rabat, están las *Catacumbas de San Pedro y Santa Águeda* y bajo su título, el templo cristiano más antiguo de la isla. Los grandes pintores la eligieron tema. Primero, los italianos: dos están en el Museo del Prado, Giordano Luca, 1612 y Andrea Vaccaro, *San Pedro y Santa Águeda*, 1635. En Nápoles, Francesco Guarino, *Santa Águeda*; en Florencia Sebastiano di Pombo, *El Martirio de Santa Águeda*. Y Máximo Stanzini, 1656 (Museo de Artes de Valencia), Giordano Luca (Museo de Louvre). Tampoco se olvidaron de ella los pintores españoles, Zurbarán, 1630 (Museo de Fabre), Gaspar de Palencia, 1578, (Museo de Bellas Artes de Bilbao).

En España se multiplican los templos dedicados a ella. El más famoso, Santa Gadea o Águeda de Burgos, historia verdadera o puro cantar de gesta. Y no podía faltar Águeda en los romances populares.

«Águeda que no quisiste
a los dioses adorar;
en prueba de tu constancia
las tetas te han de cortar.
Y le respondió la santa

Con afecto singular:
—Que cuerten por donde quieran,
que cuerten si han de cuertar.
Y le cuertaron las tetas
Igual que se cuerta un pan».

COX

DOS REINAS PARA UN SOLO PUEBLO

Cox. Huerta al pie de la Sierra de Callosa. El nombre, posiblemente de origen romano. Coxu, coxum, justificado por los montes que lo rodean. Los árabes conservaron este nombre y en el Repartimiento después de la conquista aparece como Benimancox, familia o hijos de Aman, de Cox. Dentro del Reino moro de Murcia, la taifa de Crevillente que incluía Cox y Albatera tuvo una cierta independencia, presidida por el Rais de Crevillente, Aben Hudmel, Los cristianos consintieron, al principio, este estatus que acabó en 1320 en que Cox pasó a los nobles de Orihuela. En 1440, Juan Ruiz Dávalos compró estos terrenos a Roca de Togores construyendo un palacete en lo alto de la loma. Y siguió siendo poblado, principalmente, por moriscos. La gran peste de 1648 y la expulsión en 1609 hicieron que tuviera que repoblarse con castellanos. En 1572, el Señorío de Cox logra la independencia de Orihuela acogiéndose al Privilegio Alfonsino. En 1774 se construye la iglesia de Sn Juan, onomástico del señor de Cox.

De la Virgen de las Virtudes a la Virgen del Carmen

Viendo la impresionante romería de julio en honor de la Virgen del Carmen y en la que participa toda la Vega Baja podríamos pensar que Cox no tuvo antes otra patrona. Y no es así. La primera, Nta. Sra. de las Virtudes, aparece en una leyenda curiosísima. Un moro, en 1382, recoge aceitunas en un huerto y ve dentro a un niño y una señora. Tira una piedra al niño pero a quien da, hiriéndola en la cara, es a la madre, quien le dijo (según Montesinos en su libro de 1795,) «*Sum mater Dei et Regina Virtutum*». Vinieron cristianos y moriscos, excavaron la tierra y encontraron una imagen de la Virgen. Muchos musulmanes, según la leyenda, se convirtieron al Cristianismo. Allí mismo se construyó una ermita a Nuestra Señora de las Virtudes... Los vecinos de Callosa intentaron robar la imagen pero cuando la transportaban, según iban alejándose de Cox, el peso se hacía insoportable por lo que decidieron restituirla. La devoción a su primera reina, reina de Cox y Reina de sus corazones, fue enorme. ¿Por qué cambió?

La nueva reina de Cox, la Virgen del Carmen

Algunos afirman que el cambio se debe a que en 1504 el Señor de Cox regaló a la población una imagen de la Virgen del Carmen. La historia real es que en 1611 el señor de Cox donó su palacio y la ermita a la Orden de Carmelitas Calzadas para construir un convento, y que sin duda trajeron la devoción a su patrona. Lo cierto es que en la parroquia del pueblo, San Juan, convivieron armónicamente las dos advocaciones como sucede en numerosas iglesias. En el altar mayor estaba la Virgen de las Virtudes y en una capilla lateral, la Nta. Sra. del Carmen. En 1877 se crea la Cofradía del Carmen, muy pujante, y el pueblo camina con dos advocaciones. En 1884 aparece en Lérida el libro *España Mariana* y al llegar a Cox habla de su doble devoción, Vírgenes de las Virtudes y del Carmen. Pero en 1904 se cambia la ubicación de las imágenes pasando la del Carmen al altar mayor y la de la Virtudes a la capilla lateral. ¿Qué había pasado? ¿Juego de tronos? No parece que las imágenes se peleasen. Más bien debió de ser problema de feriantes puesto que la feria de julio, de la Virgen del Carmen, por los frutos de la huerta, fue mucho más frecuentada y numerosa que la de septiembre dedicado a la Virgen de las Virtudes, con un tiempo siempre amenazante de lluvias. Y la devoción a la Virgen del Carmen creció y creció hasta convertirse en la reina de Cox e, incluso, de la Vega Baja. Hoy se da la circunstancia de que la belleza del rostro de la nueva imagen, de Sánchez Lozano, que sustituyó a la destruida en 1936, cautiva a todo el mundo.

La romería actual

A la romería actual de la Virgen del Carmen, del 13 al 18 de julio, acude toda la Vega Baja. Aunque el hermoso lugar de la primitiva ermita y del convento de Carmelitas ha sido ya engullido por el urbanismo. Y como todos los pueblos de la Vega ha incorporado el desfile de Moros y Cristianos en 1978. El día 15. El 16, la gran festividad, hay Despertà de auroros, misa y procesión multitudinaria a las 9 de la noche. A la devoción ha contribuido el artista José Sánchez Lozano. La Virgen del Carmen de Cox tuvo sucesivas imágenes, pero ninguna de tal hermosura como esta donde la cara de la Virgen es de una belleza femenina insuperable.

> «¡Gloria y honor a nuestra Patrona!
> Ella ordena todo nuestro ser.
> Sin ti, oh, Virgen, Cox no tiene vida,
> contémplalo, Madre, postrado a tus pies.
> Eres sol radiante que nos ilumina,
> Fuente que refleja todo nuestro amor,
> manto que cobija, con amor de madre,
> esperanza eterna de un mundo mejor».

CARDENAL BELLUGA: COLONIZACIÓN DE LA VEGA BAJA. NUEVOS PUEBLOS, NUEVOS SANTOS PATRONOS

Dolores, San Fulgencio, San Felipe Neri

Los actuales términos municipales de Dolores, San Fulgencio y la hoy Pedanía de Crevillente San Felipe Neri, formaban un gran marjal y marismas improductivas e insanas cercanas a la desembocadura del río Segura. La causa, la escasa inclinación de la llanura y su estrechamiento antes de la desembocadura, con dificultad de desagüe y con lluvias torrenciales estacionales. El naturalista Cavanilles las describía como «un manantial perenne de enfermedades, de epidemias…un sitio mirado con horror». El Cardenal Belluga y Moncada, arzobispo de Cartagena y Virrey, a la sazón, de Murcia y Valencia, impulsó el saneamiento y colonización de dichas tierras. En 1715 compró 25 000 tahúllas a Orihuela, 15 000 a Guardamar y 2 000 (majadas viejas) se incautaron al marqués de Rafal. Y acometió la tarea construyendo azarbes y acequias para convertirlas en huerta de regadío y, a la vez, de colonización a través de las fundaciones pías. Creó los poblados de Nta. Sra. de los Dolores (luego solo Dolores), San Fulgencio y San Felipe Neri, a los que puso nombres de santos de su devoción. La obra mereció el elogio del naturalista Cavanilles y de Joaquín Costa en su *Colectivismo agrario en España*. Se poblaron con colonos de Murcia, de Alicante y del resto de España que dieron un ejemplo de laboriosidad y lo convirtieron en una hermosa y productiva huerta.

DOLORES

Nta. Sra. de los Dolores (este era el nombre primitivo) se independizó de Orihuela en 1729. En 1795 solo tenía 645 habitantes. En la actualidad, 7 400. Durante la República, el nombre de los santos mareaba tanto como el humo de las velas. Por eso se cambió el nombre del pueblo, de Nta. Sra. de los Dolores a simplemente Dolores Y la gente se preguntaba a que Dolores se refería. Hubo quien opinase humorísticamente que se refería a «Dolores la del cantar, la flor de Calatayud». El Congreso de los Diputados avaló definitivamente el nombre escueto de Dolores.

Iglesia de Nta. Sra. de los Dolores
En 1735 se comenzó una gran iglesia dedicada a Nta. Sra. de los Dolores, estilo dieciochesco, con algo de rococó y con gran cúpula. A la iglesia se le dotó de obas importantes de arte. La más valiosa, sin duda, la Virgen de los Dolores de Salzillo, de 1743. El 5 de agosto de 1936 la iglesia fue saqueada e incendiada, las imágenes destruidas. La de Salzillo lo fue a martillazos, pero después de la guerra pudo ser restaurada.

Fiestas patronales de Nuestra Señora de los Dolores
Las Fiestas Patronales se celebran el 8 de septiembre en honor de su patrona. Chupinazo, desfile de carrozas, procesión. Y curiosidad: hay dos ofrendas florales, una a la patrona y otra al cardenal Belluga.

Mater Dolorosa en el arte
STABAT MATER DOLOROSA JUXTA CRUCEM, LACRIMOSA
¿Quién no ha sentido, aunque no sea creyente, angustia ante una madre, firme, al pie de su hijo crucificado? Pocas estampas tan plásticas han cautivado a los grandes artistas como la *Mater Dolorosa*. Su devoción la incoaron los servitas en el s. XI en Florencia, Capilla de la Anunziata. Una Dolorosa vestida de riguroso negro. Pasó a Alemania donde el Sínodo de Colonia, en 1423, estableció su fiesta. Y en Brujas, a finales del XV, se creó

la primera cofradía de la Dolorosa. Saltó la devoción a Francia, saltó a España y saltó a América.

Miles y miles de artistas, casi hasta el infinito, se lanzaron, con emoción, a pintarla o tallarla. El Museo del Prado está lleno de Dolorosas, desde Murillo o Luis Morales a los flamencos, Van Eyck, Van der Weiden, Durero, Rubens, Hans Memling, Holbein el Joven. Italianos, Paolo de San Leocadio o Tiziano que nos presenta dos Dolorosas, una con las manos abiertas y otra con las manos cerradas, como queriendo investigar la somatización del dolor en las manos del doliente.

En Valladolid, compiten con su buril por tallar la Dolorosa y, a pesar de su dolor, con un deje de belleza, Berruguete, Alonso Cano, Gregorio Fernández, Juan de Juni, Pedro de Ávila, Pedro de Mena. Si nos vamos a Murcia y a Albacete, Salzillo llenó las iglesias de Dolorosas, algunas, desgraciadamente, quemadas en el 36 como las de Albacete o Cartagena. Y si vamos a Sevilla, 28 iglesias muestran una bella Dolorosa.

Y no hay procesión del Calvario ni de la Crucifixión en que el Nazareno no vaya acompañado por su Madre Dolorosa. El que una madre se mantenga erguida junto a su hijo crucificado no deja de emocionar a cualquiera. Pero si es verdad que Jesús purgó por todos nosotros, ¿debemos estar muy agradecidos, pero no tristes sino muy contentos? Por eso, en algunas procesiones, la Dolorosa se ha transformado en esperanza, la Esperanza de Triana, la Esperanza Macarena. En Alicante, la única obra de Salzillo es la Virgen de las Angustias o Dolorosa, de la iglesia de las Capuchinas. El 11 de mayo de 1931 ardió el convento e iglesia pero nadie sabe cómo, del incendio y destrucción se salvó la Dolorosa.

Pero no solo pinturas y esculturas. Todo el arte, mayor o menor, está lleno de Dolorosas: mosaicos, frescos, códigos, vitrinas, iconos rusos, tablas, azulejos. Ningún rincón del arte escapa a su representación. Y ningún lugar del mundo cristianizado escapa a poseer una figura de la Mater Dolorosa. Y hasta la música la dedicó una de las mejores Zarzuelas, *La Dolorosa*.

> «La roca fría del calvario
> se oculta en negra nube,
> por un camino solitario
> la Virgen Madre sube.
>
> Camina.
> Y en su cara morena,
> flor de azucena
> que ha perdido el color».

Pero mejor rebobinemos el reloj hasta el s. XIII donde los monjes salmodiaban una bella melodía hecha luego música orquestada por más de 200 brillantes autores.

*«Stabat Mater Dolorosa
Juxta crucem, lacrimosa,
Dum pendebat filius.*

*Oh quam tristis et aflicta
fuit illa benedicta
Mater Unigeniti».*

Esa palabra latina, *stabat,* que significa permanecía firme, de pie, a pesar del dolor, es la que ha inspirado a tantos y tantos artistas.

SAN FULGENCIO

«UCRANIA DEL SEGURA».

Una de las tres poblaciones creadas, con Dolores y San Felipe Neri, por el cardenal Belluga y Moncada en 1729 en el Plan de Colonización de las Marismas del Bajo Segura. Recibió inmediatamente el título de Villa Real por parte de Felipe V. El primer contingente de colonos vino de la Huerta de Murcia. La población, en principio pequeña, ha visto el milagro espectacular de pasar de solo huerta a convertirse en boom turístico. De 866 habitantes en 1857, a partir de 2007 comenzó a crecer llegando en 2013 a 12 688 habitantes, el 75,6 % extranjeros, descendiendo, en la actualidad, a 7 646. Este atractivo se ha debido a su magnífico clima, su cercanía a las playas, sus buenas comunicaciones y el estar rodeado de campos de golf.

San Fulgencio, patrono

El cardenal Belluga impuso el nombre de un santo de su devoción, que fue obispo de Cartagena como él. A este se le añadió un copatrono, San Antón Abad, el patrón de los animales. Se construyó un hermoso templo en 1740 cercano al barroco pero distanciándose del barroquismo de la época y con una estatua de San Fulgencio que alguien opina, sin confirmar, que fue obra de Salzillo.

En la Guerra Civil este pequeño pueblo llevó al cenit lo que significaba la lucha del Marxismo y el catolicismo, de Marx y Jesús. El 2 de octubre de 1936 la iglesia fue destrozada y quemadas las imágenes. La actual talla de San Fulgencio es de Ballester Badila. Pero había que demostrar que, al menos allí, había vencido Marx y así se cambió el nombre del pueblo, San Fulgencio, por el de *Ucrania del Segura,* cuando Ucrania pertenecía a la Unión de Repúblicas Socialistas Soviéticas. Este nombre permaneció del 36 al 39. Marxismo puro y duro.

Las Fiestas Patronales

Las Fiestas Patronales en honor de San Fulgencio y San Antonio Abad se celebran en enero, sin demasiada ostentación, quizá por el bajo porcentaje de población autóctona, centrándose sobre todo en lo religioso, misa, procesión con los dos santos, bendición de los animales. Como peculiaridad se añade el Pedido de la gallina, consistente en recorrer el pueblo las autoridades acompañadas con bandas de música solicitando una gallina para gastos.

La curiosa familia de San Fulgencio de Cartagena

El padre, de Cartagena, hispanorromano, se trasladó a Sevilla. Allí la familia se integró plenamente en uno de los dos bandos del mundo visigótico, el católico, que pugnaba por la primacía frente al arriano. Sus hijos, San Leandro y San Isidoro fueron arzobispos de Sevilla y San Fulgencio, de Écija y Cartagena. Santa Florentina fue fundadora de un monasterio y Teodora fue madre de San Hermenegildo, que pudo haber llegado a rey pero a quien su padre, Leovigildo, mandó decapitar. El asombro de la familia fue Isidoro, por su enorme capacidad de trabajo y erudición. Escribió la *Primera Gran Enciclopedia*, las Etimologías, donde recoge todo el saber de la época, desde la antigüedad hasta el s.VI: Filosofía, Historia, Literatura, Arte, Derecho, Gramática, Cosmología, Ciencias Naturales. Y otro libro no menos importante para conocer el mundo posrromano, *La Historia de los godos, vándalos y suevos*. Fulgencio, por su parte, brilló por su sabiduría y oratoria, escribió el *Tratado de los Oficios Eclesiásticos* y fue nombrado en 1880, por Pío IX, doctor de la iglesia, la máxima distinción que esta concede. Los cuatro hermanos santos figuran en piedra, en la fachada de la catedral de Murcia, esculpidas por Manuel Bergas en el XVIII. Pero la palma se la llevan las cuatro imágenes de los cuatro hermanos que realizó Salzillo en 1755 que, para los críticos de arte, representan la obra maestra de la cultura barroca española. Hoy se pueden visitar en la iglesia de Santa María de Gracia de Cartagena.

PILAR DE LA HORADADA

«PILAR SAGRADO, FARO ESPLENDENTE, RICO PRESENTE DE CARIDAD».

El pueblo más al sur de la Comunidad Valenciana ya incrustado en la Comunidad de Murcia. Durante mucho tiempo fue solo una torre-vigía de las mandadas construir por Felipe II en toda la costa. Se la conocía como la Torre

Horadada por tener agujeros que comunicaban los distintos pisos. El lugar era conocido como Campo de la Horadada. Dependiente de Orihuela, de cultivo de secano, en 1750 tenía 300 habitantes.

El poeta Campoamor fue gobernador de Alicante en 1848-53 y entroncó por matrimonio con la burguesía alicantina. Esta familia adquirió una gran extensión de terreno al sur de la provincia, la Dehesa de Matamoros luego Dehesa de Campoamor, donde el gobernador pasaba temporadas de descanso. Y allí escribió una de sus *Doloras*, poesías cortas, entre románticas y amargas, dedicada a Pilar de la Horadada que indica que no era más que una aldeucha.

«El cura del Pilar de la Horadada
como todo lo da no tiene nada.
Está el pueblo fundado sobre un llano
más grande que la palma de la mano
y a falta de vecinos y vecinas,
circulan por las calles las gallinas».

Hasta 1986, Pilar de la Horadada no logra la independencia de Orihuela, uno de los últimos en conseguirlo. Su crecimiento ha sido espectacular teniendo en la actualidad 22 000 habitantes, debido a la transformación del secano en regadío con el trasvase Tajo-Segura y con el *boom* turístico extranjero debido a su excelente clima y cercanía a las playas.

La Parroquia de Nta. Sra. del Pilar

En 1616 existía una ermita dedicada a María Santísima del Pilar. 1752 el obispo Sánchez Terán erige la parroquia de Ntra. Sra. del Pilar y del Sagrado Corazón. La iglesia actual es de 1981. En la iglesia había una imagen de la Virgen del Pilar de Salzillo. Destruida en la guerra, Sánchez Lozano ofreció a la parroquia la imagen que él había realizado en 1935 y que estaba en el oratorio de su madre.

Festividades patronales

Celebran la festividad patronal en octubre con las actividades normales de unas fiestas: reinas y cortes de honor, pasacalles y música de bandas, El día 11, ofrenda de flores multitudinaria que con sus 40 000 flores quiere imitar a la que se realiza en Zaragoza. El Día grande, 12, misa, procesión. Añaden conciertos de música moderna y suelta de vaquillas. También celebra en julio el día de la segregación, acaecida el 30 de julio de 1986.

Pilar de la Horadada. Imagen de Nta. Sra. del Pilar. Sánchez Lozano

El imaginero José Sánchez Lozano

Nacido y enterrado en Pilar de la Horadada, ha sido uno de los pocos grandes imagineros sobre todo religiosos, nacidos en la provincia de Alicante. El total de su producción se acerca a las 500 obras extendidas por el sur de Alicante (Orihuela, Pilar de la Horadada, San Fulgencio, Elche), provincias de Murcia, Almería, Granada, Albacete. Sus obras llegaron a París y Bruselas y a la América hispánica. Sigue la estela de Salzillo, *salzillesco,* imaginería religiosa en madera policromada, aunque también tiene obra civil.

La advocación de Nta. Sra. del Pilar, tradición o leyenda

El primer documento escrito sobre la Advocación del Pilar en Zaragoza es muy tardío. Se trata de un manuscrito de 1297 sobre *Los Moralia, sive Expositio in Job*, escrito por Gregorio Magno en el s. VI. En los folios finales se menciona la Advocación de la Virgen del Pilar. Los Jurados de Zaragoza certifican, poco después, a una iglesia como la iglesia de Santa María del

Pilar. Y así, a falta de documentación histórica, todo se ha fiado a la tradición oral que se resume:

Jacobo o Yago, uno de los apóstoles predilectos de Jesús, predica en la ciudad imperial de Caesarugusta. Ante el poco éxito, el 2 de enero del año 40 se sienta junto al Ebro pensando, quizá, abandonar su predicación, en «tirar la toalla» diríamos hoy. Entonces se le aparece la Virgen María, que aún vivía, que se posa sobre una columna o un pilar de mármol y le anima a seguir. Lo que sí sabemos es que en Caesarugusta existía una de las primeras comunidades cristianas de la Hispania romana y que sufrió muchos martirios durante las persecuciones.

Cesaraugusta, en el cruce de caminos, estuvo sujeta a sucesivas invasiones. Los visigodos construyeron una pequeña iglesia que fue destruida por los árabes para edificar una mezquita. A su vez, Alfonso I el Batallador, sobre la mezquita erigió un templo cristiano. Poco a poco, la devoción a la Advocación del Pilar fue abriéndose paso. En 1642, Zaragoza la proclama patrona. En 1670 se inicia la construcción de la basílica en estilo Barroco y Neoclásico. En 1678 se convierte en patrona de todo Aragón. En 1729, Clemente XII señala el 12 de octubre festividad de la Virgen del Pilar y comienzan las peregrinaciones. Y, a principios del s. XX es proclamada patrona de la Guardia Civil (1913), de Correos (1916) capitana general del Ejército (1908).

El pilar de mármol jaspeado sobre el que descansa la imagen es de 1,67 x 0, 25 m. Una parte es visible a través de una oquedad y está gastado por los ósculos de los devotos. La imagen, de madera, estilo gótico, muy pequeña, 38 cm. La ofrenda de flores es la más multitudinaria que se produce en España. Comenzó en 1958 con 2 000 oferentes y hoy llega a los 310 000, organizados en 775 agrupaciones. El número de claveles y magnolias para confeccionar el manto supera los 2,5 millones de flores.

SAN ISIDRO

Un pequeño pueblo de 2000 habitantes, el más joven de la provincia, casi un niño, pues aunque nació en 1950 con el nombre de San Isidro de Albatera, no se independizó hasta 1993. Y nació fruto de una operación similar a la llevada a cabo con anterioridad por el cardenal Belluga. Unos marjales o saladares improductivos fueron convertidos en regadío por el Instituto Nacional de Colonización. Se dio a cada colono una fanega de tierra, un solar y una casa de labranza, en un pueblo trazado con tiralíneas.

Iglesia de San Isidro y fiestas patronales

Y se les construyó una iglesia modernista, del arquitecto Fernández del Amo, donde destacan, tanto en el exterior como en el interior, los mosaicos llenos de colorido de Manuel Baena, sobre los milagros de San Isidro. Las fiestas patronales se celebran en mayo, con ofrenda de flores, romería, culminando el día 15 con misa y procesión.

San Isidro en la Comunidad Valenciana

Isidro fue un asalariado del campo, casado con María de la Cabeza, del terrateniente Juan de Vargas, en un Madrid de finales del XI en que no era más que un caserón manchego. La tradición dice que Isidro, muy devoto, no perdía la misa diaria. Mientras, dos ángeles guiaban la yunta que araba la tierra. Se le atribuyen numerosos milagros y su cuerpo permaneció casi incorrupto. Cuando Felipe IV volvía de Lisboa, cayó gravemente enfermo, le trajeron sus reliquias y sanó. Siguieron los milagros como el de la Fuente de la Pradera de San Isidro, etc. Estos hechos y su canonización hicieron que su fama se extendiera por toda España donde se le construyeron numerosas ermitas en el campo como prosector del mismo.

Pero en el Reino de Valencia tenía que disputar este patronazgo a otros santos ya muy arraigados, San Abdón y San Senén y San Ponce o San Pons. De este indiscutible liderazgo agrario habla el libro de del XVI Joan Baptiste Anyes: *Vida, matirii y traslació dels gloriosos martirs e Reals Princeps San Abdon y Senen e la vida del glorios bisbe e martir San Pons, advocats dels llaudradors contra la pedra e tempestas.*

Por eso, como fiesta patronal, San Isidro solo cuenta con la de San Isidro de Albatera. También es cierto que su devoción se extendió, sobre todo, por la Vega Baja, que le construyeron ermitas en el campo celebrando romerías con carrozas engalanadas: Crevillent, Beneixama, Cox, Castalla, El Fondó dels Neus, El Fondó dels Freres, La Romana, Salinas, Orihuela. Pero solo como romerías y fiestas menores, no como patronales.

Pero los niños de toda España, sin distinción de geografía, en los atardeceres jugaban y cantaban coplillas humorísticas a San Isidro:

«San Isidro labrador,
muerto le llevan en un serón;
el serón era de paja,
muerto le llevan en una caja;
y la caja era de pino,
muerto le llevan en un pepino.
El pepino era de a cuatro,
muerto le llevan en un zapato.
El zapato era ya viejo,
muerto le llevan en un pellejo».

SAN MIGUEL DE SALINAS

«SAN MIGUEL ARGANGEL, DEFIÉNDENOS EN LA BATALLA, SÉ NUESTRO AMPARO CONTRA LA ADVERSIDAD» (León XIII).

San Miguel de Salinas, situado en el extremo sur de la Vega Baja. No hubo habitantes hasta 1599. En 1600 se construye la primera ermita dedicada a San Miguel y que pertenecía al cabildo de la catedral de Orihuela. El actual templo se construyó en 1725 y ya como parroquia. En 1829 sufrió el terrible terremoto. En 1836 logra la independencia de Orihuela acogiéndose a las normas de la Constitución de 1812.

En 1848, Madoz, la describe así: «Situada en una colina del campo de Orihuela al Oeste de las Salinas de Torrevieja. Tiene 22 barracas de caña y madera y 77 cuevas en la peña. Su población es de 205 vecinos y 894 almas». En 1936 la iglesia fue derruida parcialmente, siendo totalmente renovada por el arquitecto Serrano Peral.

Fiestas patronales

Coincidiendo con el paso del verano al otoño, sus habitantes aprovechan para organizar conjuntamente las fiestas religiosas y las fiestas de fin de verano. Con los elementos clásicos, chupinazo, desfiles, coronación de la reina, carrozas. El 29, festividad del patrón, misa, procesión y fuegos artificiales. Como característica de sus fiestas patronales-veraniegas, se realizan varios conciertos, sobre todo de música moderna.

San Miguel arcángel

¿Quién era este arcángel al que se invocaba en las misas cuando se decían en latín y que tanta repercusión tuvo en el arte? Una de las señas de identidad de las religiones monoteístas es la presencia de los ángeles. En la Biblia antigua, judía, y libros del Nuevo Testamento, se cita por su nombre solo a tres, Miguel (en el Libro de Daniel y el Apocalipsis), Rafael en el Libro de Tobías, y Gabriel, con la distinguida misión de anunciar a María el nacimiento del Salvador. El pseudoDionisio, un teólogo y místico bizantino del S.VI, en su *Celeste Hierarchia*, se inventó un ejército celestial con tres jerarquías, cada una con tres órdenes: serafines, querubines, tronos- dominaciones, virtudes, potestades-principados, arcángeles y ángeles.

El Corán está lleno de referencias a los ángeles pero sobresale Gabriel, *Crivil*, que tiene la misión de transmitir la revelación de Alá a Mahoma. En la *Divina Comedia* de Dante, un viaje de ultratumba guiado por Virgilio y

Beatriz, los ángeles son seres poderosos que, en los Viajes al Purgatorio y al Infierno tienen misiones concretas: intentan echar una mano a un Dante peregrino y en apuros mientras que en el Paraíso no hay individuos angélicos sino un ejército coral cuya misión es adorar, cantar y alabar a Dios. Y León XIII, ante los ataques que sufría la Iglesia decidió incluir en la misa en latín, hasta 1960, una oración a San Miguel Arcángel.

> «San Miguel arcángel,
> defiéndenos en la batalla,
> sé nuestro amparo contra la adversidad
> y las acechanzas del demonio».

San Miguel arcángel en el arte

El arcángel San Miguel ha sido representado infinidad de veces en el arte, en sus dos vertientes, con la espada en la diestra y, a sus pies, derrotado, Lucifer, el ángel rebelde o, con una balanza ya que se le atribuye la misión de pesar las acciones buenas o malas cuando el hombre muere y su alma se presenta ante el Altísimo.

El arte bizantino, románico, gótico, renacentista, barroco llenaron los templos de imágenes de San Miguel. Seleccionemos, entre todas, la del Maestro de Zafra en el Museo del Prado, un San Miguel con un rostro no demasiado fiero, la de Rafael en el Museo del Louvre, la de Murillo, *San Miguel Arcángel derrotando al demonio*, la de Salzillo. En el Museo de Arte Sacro de Orihuela, una magnifico cuadro atribuido a Paolo San Leocadio. Y saltó el tema las aguas del Atlántico a México, Bolivia, Ecuador, que lo plasmaron, quizá con recuerdos atávicos. Curiosamente, la Escuela de Cuzco pone en manos de San Miguel no siempre una espada, sino un arcabuz, *el Ángel Arcabucero*. Y por su gigantesco tamaño hay que señalar la estatua del Archange en la Fontaine de Saint Michel, en París. Preside un impresionante Arco de Triunfo adosado a una pared, de 26 m de altura y 15 de ancho. Donde se iba a colocar una estatua de Napoleón se puso una enorme de San Miguel Arcángel sometiendo a Lucifer, de Francisque Duret. Al pie del monumento, dos dragones, de Jacquement, escupen agua sin cesar sobre un estanque. Fue la última estatua adosada a una pared. En lo sucesivo, en París, todas las fuentes fueron colocadas en el centro de plazas o parques públicos.

TORREVIEJA

Torre-vigía y Torre de la Mata, dos centinelas casi solitarios en un mar de lagunas de sal. Inmenso terreno casi despoblado salvo el pequeño grupo de trabajadores de las Salinas y otro de humildes pescadores. Las Salinas eran posesión real y fue Carlos IV quien, en 1804, decidió trasladar estas Salinas Reales junto a la Torre Vieja, en un antiguo embarcadero de sal. Y así, con la edificación de un grupo de casas, cambió el destino de Torrevieja.

Pero en 1829 se produjo el terrible Terremoto de Torrevieja que destruyó el poblado y la iglesia. Pasada la tragedia Torrevieja fue creciendo. En 1842 tenia ya cerca de 4 000 habitantes y, en 1931, Alfonso XIII la concede el título de ciudad. Pero fue el *boom* turístico de los 60 del siglo pasado el que produjo el impresionante cambio, convirtiéndose en la 5.ª ciudad de la Comunidad Valenciana, con 85 000 habitantes que en verano se convierten en 400 000.

Y los torrevejenses, orgullosos de su vertiginosa historia, cantan en estilo habaneros el *Himno a Torrevieja* que, compuso el pasado siglo el músico Rafael Latorre.

«Golondrina de amor,
Torrevieja sin par;
golondrina de amor
si a Torrevieja vas.
Frente al mar nació una flor.
Torrevieja, morena de soles,
bella flor con blancura de sal,
Torrevieja divina,
con tu cielo sin par
eres sueño de amores
del que busca soñar
junto al mar».

La iglesia de la Purísima

En 1615 ya existía una ermita dedicada a la Concepción de María en la Cala Corneada. Eran tiempos de entusiasmo concepcionista. En 1789, por inactiva del obispo Tormo, se sustituye por una gran iglesia y, en 1791 se le dota de un hermoso retablo y de una bella imagen del escultor José Puchel. Imagen, camerino y andas costaron 7 040 reales de vellón sufragados por 106 familias humildes. El terremoto de 1829 dio al traste con la iglesia, donde murieron el cura y su familia, pero la imagen de la Inmaculada, aunque deteriorada, se salvó. Entonces se construyó una iglesia con techo de barraca, por lo que se denominaba *La Barraca*. En 1880 se destruye esta y se construye una nueva.

El 20 de febrero de 1936, con el triunfo del Frente Popular, cinco meses antes de la Guerra Civil, una oleada marxista recorrió la provincia de Alicante destruyendo numerosos templos lo que hizo escribir a Azaña: «En Alicante han quemado algunas iglesias. Esto me fastidia. El Gobierno republicano nace, como en el 31, con chamusquinas». Una de las incendiadas fue la Parroquia de la Purísima de Torrevieja. Y la bella imagen de José Puchol, de 1791, que había aguantado los terremotos, no superó este incendio. La actual imagen, de 1941, es de José Maria Ponsoda.

Torrevieja. Inmaculada de José Ponsoda

Fiestas patronales en honor a la Inmaculada

Se celebran del 30 de noviembre al 9 de diciembre y combina actos lúdicos y actos religiosos: encierro de toros, ofrenda floral, procesión de la patrona, a quien acompaña la multitud con velas.

Y, a pesar de su modernidad, se deja sentir la presencia de la charamita y el tamboril entonando antiguas coplas populares como *Serafina la Rubiales*.

El terremoto de Torrevieja. San Emigidio, un sismólogo venido del cielo

Pero Torrevieja necesitaba un copatrono que le librase de los terribles terremotos de la Vega Baja. Y fue a buscarlo en un especialista celestial en movimientos sísmicos. Las líneas sismotécnicas del Bajo Segura tienen 3 fallas: Benejúzar-Benijófar; Guardamar y Torrevieja. ¿A quién acudir si no aciertan las predicciones de los sismólogos de la tierra? A los sismólogos del cielo.

Anterior al famoso de 1929, el llamado Terremoto de Torrevieja, había habido un seísmo en 1753 que se extendió por toda España. El papa Benedicto XIV envió al rey Fernando VI una oración pidiendo protección a San Emigidio: «¡Oh, santo mío, Señor San Emigidio! Ruega por mi y defiéndeme del ímpetu de los terremotos, por el dulcísimo nombre de Jesús». La devoción a San Emigidio, obispo italiano del s. III, había venido a España de mano de los padres mínimos de Zaragoza. En Nápoles y en la Región de Marca, entre Umbría y el Adriático, se veneraba, en 1732, a San Emigdio, como patrón contra los terremotos.

En 1802, se instala un altar a San Emigdio en la parroquia de San Andrés de Almoradí con una imagen del artista Santiago Bagliotto, genovés afincado en Murcia. Ardió, con la iglesia, en febrero de 1936, antes de la Guerra Civil. La actual imagen es de 1953.

El llamado Terremoto de Torrevieja fue especialmente aciago. Se desataron las entrañas de la tierra. Empezó en septiembre de 1928 y culminó el 21 de marzo de 1929 afectando a casi toda la Vega Baja. Almoradí, Catral, Torrevieja, Orihuela, Benejúzar, Algorfa, Benijófar, Rojales, Formentera, Las Dayas, Jacerilla. 4000 casas derribadas, 2400 dañadas. Y los muertos. Solo en Almoradí, que es la que más sufrió, hubo 192 muertos y 150 heridos. Se acordaron de este santo patrón contra los seísmos y se extendió su devoción en la Vega Baja sobre todo en Almoradí y Catral. Todos los 21 de marzo, en estas localidades se celebran rogativas portando en procesión la imagen de San Emigidio. Se canta un solemne *Miserere*.

San Egmidio

¿Y quien era San Emigidio? Pagano de Tréveris, abrazó la fe cristina a finales del s. III y viajó a Roma siendo nombrado obispo de Ascoli Piceno por el papa Marcelo I. San Emigidio aparece haciendo milagros por doquier que los romanos creían los hacía en nombre de Apolo, por lo que le llevaron al templo de Asclepios, en la isla del Tíber. Pero él declaró que los hacia en nombre de Jesús. Por ello fue mandado decapitar por el gobernador Polimio. Y aparece de pie, con la cabeza cortada, entres sus manos. Esta estampa tan fantasiosa se repite en otros casos: con el obispo y hoy patrón de París, San Denis quien, después de ser decapitado, recorrió con la cabeza en sus manos el trayecto hasta la actual San Denis. En 1973 hubo un terremoto en la región italiana de Marcas. Ascoli Piceno se libró por lo que San Egmidio fue nombrado patrón. En su iglesia, en la cripta, existe un gran grupo escultórico de mármol dedicado a él. Y en la National Gallery de Londres se encuentra el magnifico cuadro gótico, de 1486, de Carlo Cruiveli, *La decapitación de San Emigdio.*